D1411203

HOPE

Le grand livre de l'espoir

HOPE

Le grand livre de l'espoir

Une société de Québecor Média

Direction éditoriale: Leo Bormans
Coordination éditoriale: Annemiek Seeuws / Lannoo
Édition: Katie Sherman
Traduction: Evelyne Codazzi
Révision: Sylvie Massariol
Correction: Odile Dallaserra
Design graphique: Kris Demey
Mise en page: Karakters, Gand, Belgique
Photographies: Getty Images et Corbis
(choix des images: Kris Demey)
(sauf pour les sections «Projet d'espoir»:
collection personnelle des auteurs)
Maquette de la couverture: Nancy Desrosiers

Données de catalogage disponibles
auprès de Bibliothèque et
Archives nationales du Québec

L'ouvrage original a été publié par Éditions Lannoo
sous le titre *The World Book of Hope*.

09-15

Dépôt légal: 2015
Bibliothèque et Archives nationales du Québec
ISBN 978-2-7619-4274-4

Gouvernement du Québec – Programme de crédit
d'impôt pour l'édition de livres – Gestion SODEC –
www.sodec.gouv.qc.ca

L'Éditeur bénéficie du soutien de la Société
de développement des entreprises culturelles
du Québec pour son programme d'édition.

Conseil des Arts du Canada
Canada Council for the Arts

Nous remercions le Conseil des Arts du Canada de
l'aide accordée à notre programme de publication.

Nous reconnaissons l'aide financière du gouvernement du Canada par l'entremise du Fonds du livre
du Canada pour nos activités d'édition.

Imprimé en Slovénie

DISTRIBUTEURS EXCLUSIFS:
Pour le Canada et les États-Unis:
MESSAGERIES ADP inc.*
2315, rue de la Province
Longueuil, Québec J4G 1G4
Téléphone: 450-640-1237
Télécopieur: 450-674-6237
Internet: www.messageries-adp.com
* filiale du Groupe Sogides inc.,
filiale de Quebecor Media inc.

Pour la France et les autres pays:
INTERFORUM editis
Immeuble Paryseine, 3, Allée de la Seine
94854 Ivry CEDEX
Téléphone: 33 (0) 1 49 59 11 56/91
Télécopieur: 33 (0) 1 49 59 11 33
Service commandes France Métropolitaine
Téléphone: 33 (0) 2 38 32 71 00
Télécopieur: 33 (0) 2 38 32 71 28
Internet: www.interforum.fr
Service commandes Export – DOM-TOM
Télécopieur: 33 (0) 2 38 32 78 86
Internet: www.interforum.fr
Courriel: cdes-export@interforum.fr

Pour la Suisse:
INTERFORUM editis SUISSE
Route André Piller 33A, 1762 Givisiez – Suisse
Téléphone: 41 (0) 26 460 80 60
Télécopieur: 41 (0) 26 460 80 68
Internet: www.interforumsuisse.ch
Courriel: office@interforumsuisse.ch
Distributeur: OLF S.A.
ZI. 3, Corminboeuf
Route André Piller 33A, 1762 Givisiez – Suisse
Commandes:
Téléphone: 41 (0) 26 467 53 33
Télécopieur: 41 (0) 26 467 54 66
Internet: www.olf.ch
Courriel: information@olf.ch

Pour la Belgique et le Luxembourg:
INTERFORUM BENELUX S.A.
Fond Jean-Pâques, 6
B-1348 Louvain-La-Neuve
Téléphone: 32 (0) 10 42 03 20
Télécopieur: 32 (0) 10 41 20 24
Internet: www.interforum.be
Courriel: info@interforum.be

Sommaire

INTRODUCTION

ÉPILOGUE

« Hope. Le grand livre de l'espoir »

« Que sais-tu de l'espoir? » ai-je demandé un jour à un ami. Il a réfléchi et m'a dit: « L'espoir me fait peur. J'espère ne jamais en avoir besoin comme dernier recours. » Cette réponse m'a étonné. Mais que savais-je moi-même de l'espoir? Rien, ou pas grand-chose. **J'associais vaguement la notion d'espoir avec l'avenir, le désir et l'attente.** Et avec, au loin, l'inaccessible horizon d'un ciel plein d'amour et de bonheur. Je pensais à la peur, au doute et à l'incertitude, mais aussi à une force positive libératrice. Plus je demandais aux gens ce que l'espoir signifiait pour eux, plus je comprenais que nous sommes tous conscients de l'importance de l'espoir dans notre vie, mais que, pour le reste, nous avons peu de mots pour en parler et que nous n'en avons qu'une compréhension limitée.

Il y a quelques années, je me suis plongé dans l'étude scientifique du bonheur et de l'amour. Pour *Happiness. Le grand livre du bonheur* et *Love. Le grand livre de l'amour*, j'avais demandé à une centaine de spécialistes du monde entier de nous initier **de manière scientifique** aux secrets de ces notions universelles. Nous avons partagé cette quête très enrichissante avec de nombreux lecteurs dans des dizaines de pays. J'ai la chance de faire le tour du monde pour parler de ces thèmes et d'aider ainsi tant soit peu les gens et les sociétés à aller de l'avant. L'ancien président du Conseil européen, Herman Van Rompuy, a même offert *Happiness. Le grand livre du bonheur* à tous les leaders mondiaux. De plus, une étude universitaire à grande échelle a montré que de petites interventions positives peuvent avoir une nette influence sur notre bonheur. Je croyais le travail terminé. Pourtant, quelque chose continuait à me tracasser.

Le *bonheur* est l'ultime motivation de nos actions. Lorsqu'on demande aux gens, où que ce soit dans le monde, pourquoi ils font les choses qu'ils font, ils répondent souvent: «Je veux être heureux et je veux contribuer au bonheur de ma famille et de mes amis.» Nous nous laissons alors diriger par de nombreux sentiments positifs. Toutefois, le sentiment suprême est l'*amour*. Nous voulons aimer et être aimés. **Mais quel est le moteur de nos actions?** Il s'avère que c'est l'espoir. Les gens malheureux ne sont pas les seuls à chercher le bonheur. Les gens esseulés ne sont pas les seuls à chercher l'amour. C'est une quête permanente et universelle de l'être humain, mue par la force de l'espoir et de l'imagination. Mais quel est le carburant qui fait tourner ce moteur?

Je suis reparti dans le monde à la recherche de chercheurs qui veuillent bien éclairer ma lanterne. La **psychologie de l'espoir** s'avère être un domaine de recherche jeune et dynamique. Pouvons-nous trouver un cadre universel qui nous permette de mieux comprendre ce puissant instrument de l'être humain? Une centaine de brillants scientifiques du monde entier nous expliquent ce que nous savons aujourd'hui de l'espoir. Il ne s'agit pas d'idées nébuleuses, mais de vraies connaissances, basées sur des faits et des recherches, et acquises tant par des expériences récentes que par des recherches de toute une vie. Ils s'expriment ici dans un langage accessible à tous.

Ces chercheurs nous dévoilent le pouvoir secret de l'espoir dans le domaine des études et du travail, de l'amour et des relations, de la santé et de la maladie, de l'éducation et des soins, de l'incarcération et de la liberté, du management et du leadership, de la thérapie et de l'économie, chez les jeunes et les moins jeunes… Ils nous montrent même que le pessimisme peut avoir une influence positive et de quelle manière nous pouvons tirer profit de nos erreurs, de nos traumatismes et de nos expériences négatives. **Parfois, une porte ne s'ouvre que lorsqu'une autre se ferme.**

Les gens optimistes sont plus heureux, plus en santé et plus performants que les autres. Ils utilisent leur *force de volonté* et leur *force de moyens*, et se sentent reliés aux autres et soutenus; ils ne s'efforcent pas seulement de survivre, mais aussi d'être (et de rester) maîtres de leurs actions, de leur vie et de leur avenir. Cela va bien au-delà de l'optimisme, du souhait, de la rêverie et de la prophétie autoréalisatrice. L'espoir est une action puissante, une forme concrète d'anticipation positive. **C'est une aspiration «avec les manches retroussées».** C'est un puissant instrument qui transforme à la fois les optimistes et les pessimistes en personnes proactives qui réalisent les objectifs qu'elles se fixent, et qui exercent une influence sur le monde les entourant. L'espoir porte non seulement sur l'avenir, mais aussi, et surtout, sur le renforcement de notre résilience au présent.

Les gens diffèrent entre eux et les gens changent. Mais **sans espoir, personne ne peut vivre.** Ce livre nous présente de nombreuses formes et caractéristiques de l'espoir. Il nous apprend que nous pouvons, dans une certaine mesure, prendre notre vie en main. En ce sens, la recherche scientifique sur l'essence de l'espoir est une expérience pleine d'espoir.

Je remercie de tout cœur, pour leur passion et leur engagement, tous les chercheurs qui ont accepté de nous faire part de leurs connaissances. Je remercie tout particulièrement Kofi Annan, lauréat du prix Nobel, qui a écrit le premier chapitre, et Martha Nussbaum, qui clôt le livre par un message universel porteur d'espoir.

Nous vivons une période de grands changements. Cela fait peur à beaucoup de gens. Cependant, la peur est mauvaise conseillère. Il vaut mieux avoir de l'espoir, même dans les circonstances les plus difficiles. Puisse ce livre renforcer votre source personnelle de réussite, de force et de bonheur, afin que vous puissiez également continuer à aider, à encourager et à inspirer les autres.

Leo Bormans
Auteur et rédacteur en chef
www.leobormans.be

P.-S.
Nous avons incorporé dans ce livre **10 projets d'espoir.** Il s'agit d'initiatives qui rassemblent les gens et leur donnent de la force, en leur apportant de l'espoir. Dans ce cadre, nous avons créé le «Prix de l'espoir». Si vous avez vécu vous-même des expériences positives ou mis sur pied des initiatives porteuses d'espoir, nous vous invitons à nous en faire part sur: **www.theworldbookofhope.com**.

Je dédie ce livre à tous ceux qui,
dans le monde, jamais ne le liront.

Je remercie tout particulièrement mes parents, Riet, Ine, Kasper, ma famille et mes amis, les nombreuses personnes qui me soutiennent et m'inspirent, et tous les collaborateurs de ce projet d'espoir.

La puissance de l'espoir

«Je pensais toujours que l'espoir n'était qu'un sentiment doux et vague. C'était l'excitation que je ressentais juste avant Noël, quand j'étais enfant; elle persistait quelque temps, puis disparaissait. Aujourd'hui, ma perspective a changé. L'espoir, c'est comme l'oxygène: on ne peut vivre sans lui. L'espoir mène à de meilleures performances, à davantage de réussites et de bonheur. C'est à la fois la croyance en un avenir meilleur et l'action qui concrétise cette croyance. Il nous donne la force d'opérer des changements. Nous créons nous-mêmes l'avenir que nous désirons pour nous et pour les autres.»

Shane J. Lopez

Scientifique principal au sein de la Gallup Organization, un des plus éminents spécialistes mondiaux en matière d'espoir et l'auteur de *Making Hope Happen*; Université du Kansas.

La stratégie de l'espoir

Les sentiments positifs concernant l'avenir sont la foi, la confiance, l'espoir et l'optimisme. L'optimisme et l'espoir sont des sentiments assez bien compris de nos jours, car ils ont fait l'objet de milliers d'études empiriques. Mieux encore, nous savons qu'ils peuvent être construits. L'optimisme et l'espoir assurent une meilleure résistance contre la dépression, une meilleure performance au travail, et une meilleure santé physique. J'ai même découvert qu'enseigner la pensée et l'action optimistes à des enfants de 10 ans permet de réduire de moitié leur taux de dépression lorsqu'ils traversent les crises de l'adolescence.

Il existe des stratégies soumises à notre contrôle et à notre volonté qui peuvent élever notre niveau d'émotions positives hautement contributives à notre bonheur: faire preuve de gratitude et pardonner, afin d'échapper à la tyrannie du déterminisme et d'accroître nos émotions positives concernant le passé; briser nos habitudes et savourer ce que nous vivons en pleine conscience, afin d'accroître les plaisirs du présent; apprendre l'espoir et l'optimisme, notamment par des discussions, afin d'accroître nos sentiments positifs vis-à-vis de l'avenir.

Martin Seligman

Directeur du Centre de psychologie positive de l'Université de Pennsylvanie (États-Unis) et l'un des fondateurs de la psychologie positive. Il est l'auteur de la théorie du «bonheur authentique» et a publié de nombreux articles sur ce thème.

Votre échelle d'espoir

Oui, vous pouvez mesurer votre niveau d'espoir. Vous pouvez commencer par répondre au test proposé sur: www.gainhope.com. Les questions ci-dessous vous donneront une idée de ce à quoi vous pouvez vous attendre dans la première partie. Elles portent sur vos pensées et vos sentiments actuels et récents, c'est-à-dire sur comment vous vous sentez aujourd'hui et comment vous vous êtes senti au cours des deux semaines passées. Répondez par 1 (non), 2 (très peu), 3 (un peu), 4 (beaucoup) ou 5 (énormément). Votre score est-il inférieur ou supérieur à la moyenne de 25?

1. J'ai l'espoir de réaliser un grand objectif de vie.
2. Je me sens aimé /aimée par quelqu'un.
3. Je réussis à gérer mes émotions.
4. Je tire de l'inspiration de mes croyances spirituelles.
5. Je peux faire appel à une personne amie ou à un membre de ma famille quand j'ai besoin de décompresser.
6. Je peux compter sur une aide extérieure pour réaliser mes objectifs.
7. Je sens que je fais partie d'un groupe.
8. Je sens que je compte pour quelqu'un.
9. Certaines personnes dans ma vie m'inspirent et m'incitent à faire de mon mieux dans mon travail.
10. La guidance spirituelle m'aide à réussir dans la vie.

Les nuances d'espoir

L'espoir est une chose complexe. La diversité des idées et des perspectives présentées dans cet ouvrage est un hommage à l'ampleur et à la profondeur de l'univers de l'espoir.

Vous connaissez peut-être l'histoire indienne des six aveugles qui rencontrent un éléphant. Chacun porte la main sur l'animal et compare la partie qu'il touche à une lance, à une corde ou à un pilier. Dans une interprétation soufie, Rumi ajoute: «L'œil sensuel est tout comme la paume de la main. La paume ne peut recouvrir la totalité de l'animal.»

Les psychologues considèrent l'espoir comme un ensemble psychique de probabilités liées à des objectifs spécifiques. Nous pouvons comparer cela à la lance sous la paume d'un aveugle. Nos pensées anticipent un avenir spécifique. Dans les soins infirmiers et médicaux, l'espoir est une ressource d'adaptation, une mesure de protection contre la maladie et la misère. L'espoir est une bouée de sauvetage, une corde tendue à une personne qui se noie. Les philosophes et les théologiens préfèrent considérer l'espoir comme un fondement enraciné dans les relations humaines ou dans la foi; l'espoir est alors un pilier.

En vérité, l'espoir, c'est tout cela à la fois: un instrument pour concevoir des objectifs définis, une ressource d'adaptation, une expression de confiance et d'ouverture, mais aussi un don spirituel qui s'acquiert par la foi, la prière ou les rituels. Au cours de sa vie, chaque individu est à même de connaître ces différentes nuances de l'espoir.

En tant qu'êtres sociaux, notre plus grand besoin est l'attachement. La première et la plus fondamentale expérience de l'espoir est la conscience que nous ne sommes pas seuls. Cela commence dans la petite enfance, par la présence de personnes qui s'occupent bien de nous. Rumi enseigne que l'ultime «portail de l'espoir» se trouve dans la voie mystique, et non dans l'établissement d'objectifs privés.

En période de paix et de bonne santé, nos espoirs peuvent consister à réaliser ou à acquérir, à marcher en toute confiance vers l'avenir. L'un des plus grands mythes de l'Antiquité est l'histoire de Prométhée, qui courrouce les dieux en rendant le feu aux hommes. Selon les mots immortels de Shelley, Prométhée «éveilla les légions d'espérances qui dorment dans le sein des fleurs élyséennes… il dompta le feu… il tortura à sa volonté le fer et l'or, esclaves et signes du pouvoir…».

Si notre bien-être est menacé, nous pouvons transformer notre espoir en instrument d'adaptation. Notre espoir peut résider dans le recouvrement de ce que nous avons perdu, ou simplement dans le maintien de ce que nous avons. Selon l'*Oxford English Dictionary*, l'espoir, dans sa plus ancienne définition, est une île protégée au milieu du désert, un havre de paix au pied d'une montagne.

Quand nous croyons que l'ordinaire et le concret ne suffisent pas à satisfaire nos besoins de présence, de contrôle ou de sécurité, nous recherchons une certaine forme de spiritualité. L'espoir repose alors sur la foi, ou sur ce que le psychologue James Fowler appelle des «centres de valeur». Cette expérience de l'espoir est comparable à une source de lumière ou de chaleur. Dans mes recherches personnelles, j'ai découvert que les grandes religions du monde impliquent au moins sept formes d'espoir.

En résumé, je crois que **les expressions les plus profondes de l'esprit humain découlent de l'espoir.** Les plus grandes œuvres d'art et les meilleurs livres, les merveilles les plus durables de l'Antiquité, les Jeux olympiques, le baseball et le football – tous ces accomplissements humains ont un dénominateur commun: ils apportent de l'espoir dans le monde.

Puisse ce livre vous apporter une meilleure compréhension de l'espoir, ce sentiment qui nous donne des moyens d'agir, qui motive nos engagements et nous libère.

Dr Anthony Scioli

Éminent spécialiste mondial en matière de psychologie de l'espoir, **Anthony Scioli** est impliqué actuellement dans plusieurs projets de grande envergure, portant notamment sur le développement d'interventions visant à renforcer l'espoir chez les jeunes et les personnes gravement malades. Il a élaboré une méthode de mesure de l'espoir, que vous pouvez trouver sur: www.gainhope.com. Plus loin dans ce livre, il présente un cadre de base pour la compréhension de l'espoir (voir «Le réseau de l'espoir»).

«Vivre, c'est choisir.»

Une charte d'espoir

«Vivre, c'est choisir. Mais pour bien choisir,
il faut savoir qui l'on est et ce que l'on défend,
où l'on veut aller et pourquoi on veut y aller.»—**Kofi Annan**

Lors de mes voyages dans différents pays, les gens, surtout des jeunes, me demandent souvent: «Comment devient-on un bon citoyen du monde?» Je leur réponds toujours: «Ça commence dans votre communauté, dans votre université, dans votre école.» Quand vous voyez que quelque chose ne va pas, ne passez pas votre chemin, arrêtez-vous, prêtez attention et, éventuellement, intervenez. En voyant une personne faire l'objet de brutalités ou deux personnes se battre, il suffit parfois de dire en tant que tiers, en tant que spectateur: «Arrêtez! Ce n'est pas bien, ce que vous faites.» Cela peut changer beaucoup de choses pour la victime. Cela l'encourage à réagir, à résister. Cela lui donne le courage de se défendre.

Nous devons nous souvenir que nous n'avons pas à relever les grands défis. Le peu que nous pouvons accomplir dans notre petit coin peut faire la différence et, collectivement, nous avançons ainsi d'un pas de géant. Nous devons nous souvenir que **même les grands événements commencent par une petite chose.** Même les génocides commencent par l'humiliation d'une personne. Par conséquent, si nous faisons quelque chose au niveau individuel pour protéger quelqu'un, nous avançons.

J'ai grandi au Ghana. Quand j'étais adolescent, le pays était en lutte pour son indépendance. C'était une période passionnante. On parlait d'un nouveau pays, d'un pays qui allait prendre sa destinée en main, qui allait développer son économie ainsi que ses normes sociales et politiques.

Nous avons accédé à l'indépendance et beaucoup de changements ont suivi. J'ai donc grandi avec le sentiment que le changement était possible, que, **même s'il est dramatique, le changement est possible.** Cela m'a soutenu, toute ma vie durant, dans mes tentatives pour remettre les choses en question et les changer.

Kofi Annan et Leo Bormans, l'auteur du présent ouvrage, se sont rencontrés pour la première fois lors de la grande conférence Hope XXL (2012, Leyde, Pays-Bas), où tous deux ont pris la parole devant plus de 800 jeunes du monde entier.

Je suis sûr que certains d'entre vous adhéreront à des groupes, à des bureaucraties, à des associations. Parfois, le plus grand obstacle aux changements et aux réformes est le frein que mettent les gens, qu'ils soient bureaucrates ou ouvriers. Lorsqu'on lance une idée («Et si on faisait ça?», «Et si on essayait ça?»), ils disent: «Non, ça n'a encore jamais été fait, ça ne marchera pas.» Ou: «Le patron n'acceptera pas, le gouvernement n'acceptera pas.» Ça ne suffit pas. Il faut mettre l'idée à l'épreuve, il faut essayer. **Ne vous mettez pas de freins inutiles** au sein du système que vous devez pouvoir remettre en question.

Quoi qu'il en soit, c'est ainsi que ça a commencé pour moi, au Ghana. Je suis allé ensuite étudier aux États-Unis et en Europe. J'avais une vingtaine d'années quand j'ai commencé ma carrière internationale à l'Organisation mondiale de la santé à Genève. Une chose en amenant une autre, j'ai été nommé Secrétaire général des Nations Unies, et me voici. Mais je peux vous assurer que je ne suis pas de ceux qui prétendent qu'à l'âge de 10 ans, ils savaient déjà exactement ce qu'ils feraient plus tard. Non, je ne voulais pas être à tout prix secrétaire général. Rien n'était plus éloigné de ma pensée, mais, de fil en aiguille, cela est arrivé. **Ne renoncez jamais à vos rêves. Et vos rêves peuvent être grands. Les rêves sont le fondement de l'espoir.**

Kofi Annan (1938) a été le septième Secrétaire général des Nations Unies (1997–2006). Kofi Annan et les Nations Unies ont été colauréats du prix Nobel de la paix 2001 «pour leur travail en faveur d'un monde mieux organisé et plus pacifique». Il est le fondateur et le président de la fondation Kofi Annan, et le président de The Elders, un groupe de leaders mondiaux fondé par Nelson Mandela. Kofi Annan est considéré comme une icône de l'espoir.

«L'optimisme est à la base du fonctionnement humain dans un monde incertain.»

L'espoir et les grenouilles vertes

Conférencier connu dans le monde entier, **Robert Biswas-Diener** a la réputation d'être l'«Indiana Jones» de la psychologie positive, ses recherches sur les émotions l'ayant conduit dans des pays aussi divers que l'Inde, le Danemark (Groenland), le Kenya et Israël.

Dans une étude récente, des chercheurs ont testé la capacité de grands singes, comme les orangs-outans et les chimpanzés, à prédire des comportements. Pour cela, ils ont entraîné les singes à suivre des yeux une main qui se tendait pour saisir l'un ou l'autre de deux jouets en caoutchouc: une grenouille verte ou un canard jaune. Les chercheurs ont d'abord familiarisé les singes avec la main qui se tendait pour saisir la grenouille verte. Ensuite, ils ont inversé la position des jouets; la main se tendait, s'arrêtait à mi-chemin, puis se dirigeait vers l'un ou l'autre jouet. Les singes étaient équipés d'un oculomètre sophistiqué permettant aux chercheurs d'étudier la direction de leur regard. Ils ont ainsi pu constater que les singes étaient plus enclins à regarder la grenouille verte. Autrement dit, ils faisaient des prévisions quant à la direction de la main et au jouet que cette main (et la personne à qui elle appartenait!) allait saisir. Cette capacité à prévoir les objectifs et les comportements des autres est similaire à celle constatée chez les enfants humains.

Cette découverte extraordinaire suggère que les prévisions mentales relatives à l'avenir sont un phénomène à la fois naturel et associé à l'intelligence. L'optimisme n'est qu'une version d'une prévision de l'avenir. C'est l'espoir que l'avenir se déroulera favorablement. Il est intéressant de noter que, en tant que forme de pensée sur l'avenir, **l'optimisme est**

étroitement associé au développement de l'intelligence chez les animaux. Les mécanismes nous permettant d'établir des objectifs professionnels à long terme, de planifier nos vacances de l'été prochain et de prononcer des vœux de mariage pour toute la vie sont les mêmes que ceux impliqués dans l'optimisme.

Sans une lueur d'espoir, les gens seraient incapables de se lancer en affaires, de changer d'emploi ou d'aller s'installer dans une nouvelle ville. L'optimisme est à la base du fonctionnement humain dans un monde incertain. Et, comme le suggère l'étude sur les singes, nous sommes faits ainsi. Nous avons un profond besoin de croire que l'avenir a des chances d'être meilleur – pas nécessairement qu'il le sera.

Le truc, si du moins il y a un truc impliqué dans l'espoir, c'est de trouver un équilibre entre ses rêves et la réalité. Ce n'est pas facile, évidemment. Mon conseil est d'adopter, dans la mesure du possible, une approche flexible de l'espoir. D'une part, il est bon d'être réaliste quant aux risques encourus et aux possibilités d'échec. D'autre part, il peut être utile de croire qu'en dépit des épreuves, une vie meilleure est possible, même si ce n'est pas garanti. En fin de compte, **je crois que la grande aventure humaine est la suivante: il est toujours possible de progresser, d'apprendre, de se développer, de surmonter les obstacles et de réussir.** Nous tous, partout dans le monde, nous prévoyons l'instant suivant, le moment où la main saisira la grenouille verte.

Les clés

- → **L'optimisme n'est qu'une version d'une prévision de l'avenir. C'est l'espoir que l'avenir se déroulera favorablement.**
- → **Nous avons un profond besoin de croire que l'avenir a des chances d'être meilleur – pas nécessairement qu'il le sera.**
- → **Le truc est de trouver un équilibre entre les rêves et la réalité. Dans la mesure du possible, adoptez une approche flexible de l'espoir.**

Robert Biswas-Diener est titulaire d'un doctorat. Éminent spécialiste et formateur en psychologie positive, il est reconnu par tous comme un grand pionnier dans ce domaine. Il est à la fois chercheur et praticien. Il a écrit deux ouvrages couronnés de succès: *The Upside of Your Dark Side* et *The Courage Quotient*. Que signifie l'espoir pour lui? «Pour moi, l'espoir réside dans le souhait d'un avenir positif. Les gens m'étonnent – par leur capacité à faire le bien et leur ingéniosité –, et j'espère que les conditions de vie s'amélioreront pour tout le monde. En ce qui me concerne, je sais que je peux gérer les difficultés et que, si les choses tournent mal, je pourrai y faire face, ce qui améliore en même temps ma capacité d'espoir.»

Le réseau de l'espoir

Anthony Scioli étudie l'espoir depuis presque trente ans. Il a élaboré une théorie générale de l'espoir qui combine les connaissances et les idées de scientifiques et de philosophes, mais aussi de poètes et d'écrivains, les entremêlant en une grande tapisserie: le réseau de l'espoir.

Ma compréhension de l'espoir oriente mon travail professionnel et donne forme à la manière dont je considère de nombreux événements de la vie, passée ou présente, proche ou lointaine. Cette approche intégrative de l'espoir tire le meilleur parti de la psychologie, de la philosophie, de la théologie et de la médecine. C'est un réseau très large qui couvre les mille facettes de l'espoir évoquées dans le présent ouvrage, et ce, avec suffisamment de recul pour proposer une vue d'ensemble de l'espoir, un éclairage sur ce vaste domaine.

Je crois que l'on peut considérer l'espoir comme un réseau émotionnel à quatre voies, construit à partir de ressources biologiques, psychologiques, sociales et spirituelles. **Un réseau de l'espoir bien construit fournit des sentiments adéquats d'autonomisation et de présence ainsi que de protection et de libération chaque fois que les besoins de maîtrise, d'attachement ou de survie d'une personne sont remis en question.** Le réseau de l'espoir est axé sur le développement (processus d'action) ainsi que sur la réparation et l'entretien (processus de rétroaction). Les quatre sous-réseaux de l'espoir (maîtrise, attachement, survie et spiritualité) opèrent de manière semi-autonome, c'est-à-dire parfois ensemble et parfois de manière indépendante.

Le réseau de l'espoir peut se comparer à un immeuble de cinq étages, composé de trois ailes reliées entre elles (voir le tableau ci-après). De gauche à droite, les trois ailes représentent les sous-réseaux maîtrise, attachement et survie. Les cinq étages, ou niveaux, représentent les «blocs de construction» développementaux de chaque sous-réseau, allant par ordre ascendant du legs génétique et des besoins infantiles aux ressources sociales et spirituelles. Notez bien que j'ai introduit la spiritualité dans les trois autres canaux. La spiritualité peut être considérée comme un quatrième canal, qui émane des besoins de maîtrise, d'attachement et de survie, et qui les soutient. En fonction de chaque individu, de son système de croyances et des besoins générés par une situation particulière, les aspects spirituels de l'espoir peuvent apporter plus d'autonomisation, plus de connexion et plus d'assurance.

Le réseau de l’espoir

5e NIVEAU : CROYANCES ET COMPORTEMENTS			
Croyances récurrentes sur l’espoir Sentiments récurrents d’espoir Comportements récurrents d’espoir	Je peux me prendre en main. J’ai du soutien. Collaboration	L’univers est bon. J’ai des liens. Ouverture	Une protection est disponible. Je suis en sécurité. Autorégulation
4e NIVEAU : LE SYSTÈME DE FOI			
Éléments de foi	Centres de valeur	Centres de valeur	Centres de valeur
3e NIVEAU : LES TRAITS DE L’ESPOIR			
Traits orientés vers la maîtrise	Confiance orientée vers un objectif Maîtrise par médiation (assistée) Objectifs sanctionnés		
Traits orientés vers l’attachement		Relations-confiance Liens moi-autrui Ouverture	
Traits orientés vers la survie		Confiance orientée vers la survie et concours d’autrui en matière de soins Gestion de la terreur et croyances de libération Immortalité symbolique	
2e NIVEAU : NATURE ET CULTURE			
Legs psychologiques Legs socioculturels Legs spirituels	Talent et précision des objectifs Soutien et conseils Finalité	Confiance et ouverture Soins et amour Présence	Mécanismes de défense et capacités d’adaptation Leçons de gestion de la terreur culturelle Promesses de salut
1er NIVEAU : SCHÉMAS DIRECTEURS (FONDATIONS) DE L’ESPOIR			
Legs biologique	Besoins de maîtrise et motivations connexes	Besoins d’attachement et motivations connexes	Besoins de survie et motivations connexes
LES CINQ ÉTAGES DU RÉSEAU	**BLOCS DE CONSTRUCTION DE LA MAÎTRISE**	**BLOCS DE CONSTRUCTION DE L’ATTACHEMENT**	**BLOCS DE CONSTRUCTION DE LA SURVIE**

NIVEAU 1 : *Motivations liées à l’espoir*

Le premier niveau comprend des besoins et des motivations innés, liés à la maîtrise, à l’attachement et à la survie. Il est inhérent à la nature humaine d’aspirer à la maîtrise et au contrôle, de nouer des liens étroits et de souffrir après une séparation ou une perte, de résister à l'anéantissement et de fuir devant le danger.

NIVEAU 2: *Legs et soutiens*

La famille, la culture et les croyances spirituelles jouent un rôle dans le développement de l'espoir. La maîtrise requiert de la détermination et de la guidance. En Occident, les besoins d'encadrement, de suivi et de direction spirituelle font l'objet d'une attention croissante. En revanche, dans l'hindouisme et l'ifa ouest-africain, pour ne nommer que ces deux exemples, on se fie depuis longtemps à des gourous et à des chamans, avec des rites de passage élaborés, pour veiller sur la réussite de la personne et du groupe.

Les attachements liés à l'espoir découlent de ressources indissociables: la confiance et l'ouverture. Sans ouverture, la confiance est vaine. Le manque de confiance exclut l'ouverture. Chez l'être humain, la qualité de l'attention et des soins reçus en début de vie est un facteur majeur du plein développement de ces capacités.

Certaines aptitudes rudimentaires de survie sont présentes à la naissance. Les nouveau-nés expriment du plaisir lorsqu'ils touchent de leurs lèvres un objet doux, et du dégoût lorsqu'ils respirent de mauvaises odeurs. Intensément social, l'être humain tire des couches de protection supplémentaires de l'appartenance à un nombre incalculable de groupes. Au-delà du moi et de la société, l'être humain cherche de l'assurance à l'aide de croyances religieuses et spirituelles. Les hindous ont accès à l'âtman, l'être ultime. Les Amérindiens navajos et lakotas, entre autres, se tournent vers d'anciennes coutumes tribales. Les bouddhistes trouvent le salut dans la promesse d'une autre vie libérée du désir et de la souffrance.

NIVEAU 3: *Les traits de l'espoir (le «noyau» de l'espoir)*

Un premier ensemble de traits concerne les ressources de maîtrise et d'attachement qui génèrent la «volonté d'espérer», la capacité à trouver un but et un sens par l'établissement d'objectifs. L'espoir découle d'une maîtrise du «juste milieu», de sentiments d'autonomie et de responsabilisation issus d'une relation avec une force ou une présence perçue. Sophocle écrivait: «Le ciel n'aide pas les hommes qui n'agissent pas.» Dans le Nouveau Testament des chrétiens, saint Paul déclare: «Je puis tout en Celui qui me rend fort.» Une prière coranique implore: «Accrois par lui ma force et associe-le à ma mission.» La maîtrise centrée sur l'espoir est encore renforcée par la perception que les engagements vers un objectif sont sanctionnés par la famille, la communauté ou une puissance supérieure.

Un deuxième ensemble de traits est issu de l'attachement. La confiance relationnelle est basée sur l'ouverture et la communication avec une personne précieuse ou

une présence transcendante. Qu'il s'agisse d'une personne aimée, d'un bon berger chrétien, d'un dieu intime hindou ou d'un esprit-guide des Amérindiens, l'espoir se caractérise par un fort sentiment de présence continue.

Le troisième ensemble de traits concerne l'autoprotection et comprend la confiance orientée vers la survie, la capacité de gérer la terreur et un sens d'immortalité symbolique. La confiance en la survie requiert une ressource extérieure perçue comme étant assez forte pour délivrer du mal. La capacité de gérer la terreur implique la présence de «tampons» adéquats pour rester calme en dépit de menaces de préjudice ou de perte. On acquiert l'immortalité symbolique en investissant des parties de soi-même dans la famille, la communauté ou la culture, ce qui débouche sur un sentiment de soi élargi et durable.

NIVEAU 4: *Le système de foi*

La foi est une condition préalable de l'espérance. Qu'elles soient religieuses ou non, ces croyances doivent être ancrées dans des centres transcendantaux de valeur liés à la maîtrise, à l'attachement ou à la survie. Une ou plusieurs sources de foi peuvent sous-tendre l'espoir. Une personne peut investir sa foi dans une puissance supérieure ou dans le soi, alors qu'un autre l'investira dans sa famille ou sa communauté. La foi peut se réaliser par la maîtrise et l'attachement, par l'attachement et la survie ou par l'inclusion des trois motivations: maîtrise, attachement et survie.

NIVEAU 5: *Sentiments et comportements d'espoir*

L'espoir est davantage qu'un ensemble froid et statique d'attentes. Il implique des sentiments perceptibles et un engagement dans l'action. La maîtrise basée sur l'espoir comprend des sentiments de responsabilité et la poursuite de buts transcendants. Les attachements basés sur l'espoir engendrent un sentiment de présence continue et de confiance avec des manifestations d'ouverture. La survie basée sur l'espoir peut inclure la croyance en un univers bienveillant, mais aussi une autorégulation émotionnelle et des actes pour s'assurer le concours d'autrui en matière de soins.

Anthony Scioli est une référence en matière d'espoir. Il est professeur de psychologie au Keene State College et à la faculté d'études supérieures de l'Université du Rhode Island (États-Unis). Il exerce à mi-temps en pratique privée. Anthony Scioli a obtenu son doctorat à l'Université du Rhode Island et effectué son stage de recherche postdoctorale à l'Université Harvard sur la motivation humaine et la médecine comportementale. Il a écrit deux ouvrages sur l'espoir, élaboré divers outils d'évaluation de l'espoir et étudié le rôle de l'espoir dans la survie au cancer et la non-progression du VIH. Il a également coécrit le chapitre sur les théories des émotions de l'*Encyclopedia of Mental Health*. Anthony Scioli est membre du comité de rédaction des revues *The Psychology of Religion and Spirituality* et *The Journal of Positive Psychology*.

«Nous devrions être optimistes,
et développer une mentalité positive et dynamique.»

Les interventions d'espoir

«De par leur capacité à apprendre et à désapprendre, non seulement les jeunes deviennent plus optimistes eux-mêmes, mais ils peuvent aussi renforcer l'espoir dans leurs communautés, ce qui est une nécessité urgente», dit **Raza Abbas**, organisateur de séminaires de renforcement de l'espoir pour étudiants, à Karachi, au Pakistan. «L'espoir est le nouveau préalable et la nouvelle attitude de vie pour réussir au 21e siècle. Jouir des multiples bonnes choses que nous possédons au moment présent fait partie intégrante d'une bonne hygiène de vie.»

Alors que notre population compte le plus grand nombre de jeunes dans l'histoire du Pakistan, nous sommes face au défi de mettre le potentiel de ces jeunes au service du développement socioéconomique du pays. Cette ambition ne pourra se réaliser sans une bonne compréhension des grands problèmes que rencontrent les jeunes et sans une réflexion sur les solutions à y apporter. Les obstacles au développement des jeunes sont notamment de hauts niveaux d'anxiété, le chômage et un manque d'aide pour faire de bons choix sur le plan professionnel.

Le séminaire de renforcement de l'espoir (*Hope-Centered Workshop*) utilise une approche intégrative visant à conceptualiser, à évaluer et à construire l'espoir. Cette approche est applicable dans toutes les cultures et dans tous les systèmes de croyances spirituelles. Elle est inspirée des travaux d'Anthony Scioli, qui présente sa théorie au chapitre précédent. **Le séminaire utilise une approche mobilisant la totalité du cerveau**, basée sur une combinaison d'exercices cognitivo-comportementaux, de réflexions philosophiques et d'exercices d'hypnoméditation. Cette intervention se compose de cinq modules: deux pour l'attachement, un pour la maîtrise, un pour la survie et un pour l'espoir spirituel.

Une échelle très complète d'autoévaluation du niveau d'espoir a été soumise aux participants avant et après le séminaire.

Une mentalité positive

Dans notre étude pilote, les scores en espoir ont augmenté de manière significative, avec un seuil d'effet de 1,07. La rétroaction qualitative était également encourageante. Après l'intervention, un entretien final a été mené avec chaque participant. Les thèmes fréquemment évoqués étaient la responsabilisation (maîtrise), l'ouverture (attachement), l'espoir d'une amélioration de l'autorégulation, l'adaptation (survie) et la prise de conscience des besoins spirituels. Certains participants ont dit avoir trouvé difficiles les composantes méditatives de l'intervention.

«Lorsque j'ai commencé le séminaire, j'étais très démoralisée. Ma mentalité a beaucoup changé, elle est beaucoup plus positive maintenant. Je suis reconnaissante aux séminaires de renforcement de l'espoir de m'avoir orientée vers la positivité», déclare Anushay Hussain. «Le séminaire est **une initiative extrêmement inspirante pour ceux qui veulent échapper aux ténèbres du désespoir**», ajoute Verda Butt, une autre étudiante. «L'idée d'étudier un thème aussi inhabituel dans ce pays est non seulement unique en son genre, mais aussi courageuse. L'expérience a été très enrichissante. Je suis plus optimiste aujourd'hui dans ma vie privée et dans mon travail. J'espère que des recherches de ce genre se poursuivront au Pakistan et dans la région», dit le maître de conférences Ifrah Shah.

Les porteurs de flambeau

L'objectif de la recherche était de renforcer le côté «offre» sur les plans de la construction du caractère et de l'employabilité des jeunes, en facilitant des formations de renforcement de l'espoir pour les enseignants dans les établissements scolaires. Ces formations améliorent le côté «demande» en instillant de l'espoir aux élèves à tous les niveaux, en les aidant à faire des choix de carrière éclairés et informés. Cette étude devrait inciter des groupes de réflexion socioéconomiques à redéfinir des stratégies politiques en matière d'éducation.

Ce programme pilote devrait promouvoir l'intégration de l'espoir dans les programmes scolaires de tous les pays, sous forme de cours facultatifs, afin de générer des diplômés optimistes, capables d'affronter les défis du 21e siècle. **Donner de l'espoir aux jeunes conduira à plus de justice sociale dans un monde globalisé plus sûr.** La création d'un cours de renforcement de l'espoir est une nécessité urgente pour inspirer l'humanité, indépendamment de la race, du sexe, de l'âge, de la religion et des handicaps.

Les gens de tous les milieux devraient être plus optimistes, et développer une mentalité positive et dynamique. Ils devraient croire en eux-mêmes et en l'avenir, en particulier lorsqu'ils traversent des périodes d'adversité. Pour cela, ils devraient travailler avec des professionnels qui sont des porteurs du flambeau de l'espoir partout dans le monde. Les connaissances sont disponibles, utilisons-les.

Les clés

- **Le séminaire de renforcement de l'espoir utilise une approche intégrative visant à conceptualiser, à évaluer et à construire l'espoir. Cette approche est applicable dans toutes les cultures et dans tous les systèmes de croyances spirituelles.**
- **La création d'un cours de renforcement de l'espoir est une nécessité urgente pour inspirer l'humanité, indépendamment de la race, du sexe, de l'âge, de la religion et des handicaps.**
- **Les gens devraient croire en eux-mêmes et en l'avenir, surtout lorsqu'ils traversent des périodes d'adversité.**

Raza Abbas est directeur du Pathway Global Career Institute, au Pakistan. Il a obtenu ses doubles diplômes en administration des affaires et en communication à l'Université de l'Arizona (États-Unis). Il a participé à de nombreux grands forums nationaux et internationaux, et a eu l'honneur de présenter ses recherches lors de l'inauguration, en 2013, de la Chaire UNESCO en orientation tout au long de la vie à l'Université de Wroclaw, en Pologne. Ses intérêts de recherche sont les interventions de renforcement de l'espoir, la formation des enseignants, l'orientation professionnelle, le renforcement des capacités des jeunes et l'entrepreneuriat social.

PROJET D'ESPOIR

Après le séisme: Gap Filler

Le séisme de Christchurch, la deuxième ville de la Nouvelle-Zélande, a fait 185 morts et entraîné la démolition de 80% des immeubles du centre-ville. Parallèlement au programme officiel de reconstruction, des volontaires s'efforcent de transformer la cicatrice en une source d'espoir. L'organisation Gap Filler est une des réactions les plus créatives et les plus optimistes face à cette catastrophe. Une équipe de 7 personnes et 1700 volontaires font naître l'espoir en aménageant dans les lieux désertés des jardins sonores, des pistes de danse mobiles, des cinémas alimentés à la force du mollet, des peintures murales et un «Pallet Pavilion». Comment cela fonctionne-t-il?

Gap Filler est une initiative de régénération urbaine lancée à Christchurch, en Nouvelle-Zélande. Il s'agit d'une association caritative de personnes venant de tous les horizons, notamment des arts visuels, de la gestion d'événements, de l'architecture, du cinéma et du théâtre.

Un mouvement transitoire

Depuis septembre 2010, Gap Filler a mis en œuvre plus de 45 projets dans la ville. De par sa réaction créative et communautaire à la catastrophe, cette organisation a joué un grand rôle dans la notoriété mondiale de Christchurch. Grâce à Gap Filler et à quelques autres groupes, Christchurch connaît aujourd'hui ce qu'on appelle un «mouvement transitoire». Un Festival de l'architecture transitoire est organisé chaque année en octobre.

En redonnant un souffle de vie à la ville traumatisée, Gap Filler lui a donné un profil international.

Chaque projet de Gap Filler est différent, et presque tous impliquent des volontaires. L'organisation repose sur des valeurs telles que l'expérimentation, l'apprentissage tiré de la pratique, le leadership, la créativité, l'engagement communautaire et l'inventivité. Elle veut jouer un rôle d'exemple: penser la ville comme un laboratoire dans lequel de nombreuses personnes et communautés peuvent expérimenter à leur guise. **Les expériences à faible risque et à court terme réalisées dans l'espace temporaire et transitoire constituent un apprentissage pouvant être mis à profit pour la reconstruction à long terme du tissu urbain.**

Tester des idées

Quelques projets de Gap Filler:

1. **Le Dance-O-Mat** est une piste de danse en plein air aménagée sur un site vacant. Vous vous branchez, vous insérez 2 dollars dans une vieille machine à laver reconvertie et vous avez 30 minutes pour danser.
2. Le club d'échange de livres **Think Differently Book Exchange** conserve des livres dans un ancien réfrigérateur commercial.
3. Le jardin sonore **Greening the Rubble** permet aux gens d'improviser de la musique sur des instruments faits à partir de matériaux recyclés.
4. **RAD Bikes** est un atelier de vélos où l'on peut apprendre à réparer son vélo ou à retaper de vieux vélos abandonnés.
5. **Le Pallet Pavilion** est un lieu communautaire fait de 3000 palettes en bois. Construit en 6 semaines par des volontaires, cet incroyable projet a déjà accueilli plus de 200 événements, tels que des concerts, des marchés, des séances de cinéma et des conférences.
6. **Un cinéma est alimenté à la force du mollet.**
7. **Le programme Education and Community Outreach** a pour objectif de partager les connaissances avec toute la communauté afin de stimuler l'action et le changement social.

Une catastrophe naturelle est une expérience traumatisante, profondément paralysante. Il y a des moments de grand optimisme où tout le monde est plein d'espoir pour reconstruire la ville mieux que jamais. Et puis il y a des bas – la fatigue, le découragement, la désillusion et la colère des pauvres qui se débattent avec les compagnies d'assurances et qui, après toutes ces années, vivent encore dans des maisons endommagées. Les projets de Gap Filler embellissent le paysage dévasté en y injectant de la créativité et de l'originalité. **Ils permettent aux gens de participer à la régénération de leur ville et de se sentir responsables.** Ils provoquent, critiquent, questionnent. Tout cela est essentiel pour la santé et le bien-être de la population de Christchurch.

Coralie Winn, directrice et cofondatrice de Gap Filler, Christchurch (Nouvelle-Zélande)

Pour plus d'informations: **www.gapfiller.org.nz**

«Nous préférons être avec les gens qui nous rendent plus optimistes.»

Utiliser le pessimisme à bon escient

«Un état d'esprit positif tel que l'optimisme est souvent considéré comme pouvant donner des résultats à la fois positifs et négatifs pour les gens et la société», déclare le professeur **Miguel Pereira Lopes**. Cependant, ses recherches ont montré que nous pouvons aussi nous servir du pessimisme. Mais comment?

Il semblerait que le fait de se sentir optimiste rend parfois les gens plus proactifs et plus aptes à atteindre leurs objectifs. Mais il semblerait aussi que le fait de se sentir optimiste incite certaines personnes à croire que les choses s'amélioreront sans aucune intervention de leur part. La vérité est que **nous continuerons sans doute à nous sentir à la fois optimistes et pessimistes tout au long de notre vie** et que mieux nous apprendrons à tirer le meilleur parti de chaque situation, mieux nous parviendrons à être heureux. Quel peut donc être le «clic» qui fait que l'optimisme et le pessimisme fonctionnent, au lieu de transformer les gens en êtres humains passifs? Mes recherches m'ont appris que l'espoir avait un effet très puissant!

L'espoir est un puissant instrument pour transformer à la fois les optimistes et les pessimistes qui deviennent passifs en personnes proactives qui se fixent des objectifs et les réalisent, qui exercent une influence dans le monde. Au cours d'une étude, publiée en 2008 dans *The Journal of Positive Psychology*, mes collègues et moi avons découvert que les gens qui éprouvent de hauts niveaux d'optimisme et d'espoir sont plus proactifs dans la vie. Cependant, ce qui nous a paru plus intéressant, c'est le rôle que joue l'espoir dans le pessimisme. **Quand les gens se sentent pessimistes, l'espoir réduit leur niveau de comportement passif et les transforme en personnes plus actives dans leur travail et dans la vie.** L'espoir est donc le moyen de tirer le meilleur parti de l'optimisme et d'inciter

les gens à agir de manière plus proactive lorsqu'ils se sentent pessimistes. Ainsi devrions-nous aider les autres et nous-mêmes à accroître notre niveau d'espoir comme antidote aux croyances pessimistes qui mènent à un comportement passif.

Des moyens alternatifs

Mes recherches portent également sur la manière dont nous pouvons utiliser l'espoir pour trouver une solution proactive, en particulier quand les gens se sentent pessimistes. En distinguant les deux faces de l'espoir – la volonté et les moyens –, nous avons trouvé que c'est l'aspect «moyens» qui fait la différence, car il permet d'orienter le pessimisme dans un sens favorable. Autrement dit, l'espoir peut être un levier de redressement et induire un comportement proactif lorsque les gens sont d'humeur pessimiste, en les aidant à identifier d'autres moyens possibles de réaliser leurs objectifs. Ainsi **pouvons-nous devenir des agents de changement proactifs simplement en cherchant des moyens alternatifs pour atteindre nos objectifs et réaliser nos rêves.** Cela est particulièrement efficace quand nous commençons à nous sentir pessimistes quant à la possibilité que les choses se passeront bien.

De bonnes vibrations

Mais que se passerait-il si nous pouvions contribuer aussi à rendre le monde plus proactif? Comment chacun de nous peut-il devenir un agent d'espoir et de proactivité dans son univers personnel? L'ouvrage que j'ai publié récemment, intitulé *Good Vibrations: Three Studies on Optimism, Social Networks and Resource-Attraction Capability*, réunit des recherches révélant que les gens préfèrent être avec des personnes qui les rendent plus optimistes. J'appelle cet effet l'«alter-optimisme», pour souligner le fait que ce n'est pas tant notre niveau d'optimisme qui importe, mais la mesure dans laquelle nous pouvons rendre optimistes ceux qui nous entourent, par exemple en leur envoyant de «bonnes vibrations». Un raisonnement similaire est applicable à l'espoir. **En dépit du niveau d'espoir que nous ressentons nous-mêmes, nous pouvons toujours relever le niveau d'espoir des autres.** Autrement dit, chacun de nous peut devenir un «agent alter-optimiste»! Et maintenant nous le savons: que font les agents alter-optimistes? Ils aident les autres à trouver des moyens alternatifs pour réaliser leurs objectifs et leurs rêves. Ils leur ouvrent des possibilités au lieu d'étouffer leurs rêves et leurs aspirations. Par conséquent, ne perdons plus de temps et aidons nos amis à accroître leurs niveaux d'espoir et de proactivité.

Un puissant moteur

L'espoir est aussi un puissant moteur de relance du développement socioéconomique. Dans un article scientifique récemment publié dans le *Journal of Socio-Economics* sur la psychosociologie dans l'entreprise et les cycles économiques, j'ai esquissé un modèle socioéconomique dans lequel l'optimisme irréaliste est considéré comme étant une des causes de ralentissement économique et **le pessimisme plein d'espoir, comme une des causes de relance économique et de développement.** Cela signifie que les avantages de l'action basée sur les principes scientifiques de la théorie de l'espoir peuvent aller au-delà de ses effets locaux sur les gens et avoir un impact sociétal. Cela met en évidence notre devoir de propager l'espoir dans nos relations sociales et souligne l'exigence éthique d'en assumer la responsabilité. Car s'il est vrai que l'espoir collectif peut avoir un fort impact socioéconomique, il est vrai aussi que tout commence par la simple «micro-action» entreprise par un «agent alter-optimiste».

Les clés

→ **L'espoir est le moyen de tirer le meilleur parti de l'optimisme, ainsi que d'inciter les gens à agir de manière plus proactive lorsqu'ils se sentent pessimistes.**

→ **L'espoir peut être un levier de redressement et induire un comportement proactif quand les gens sont d'humeur pessimiste, en les aidant à trouver d'autres moyens possibles de réaliser leurs objectifs.**

→ **Ce n'est pas tant votre niveau d'optimisme qui importe, mais la mesure dans laquelle vous pouvez rendre optimistes les gens qui vous entourent. L'espoir collectif a un fort impact socioéconomique.**

Miguel Pereira Lopes est professeur adjoint à l'Institut des sciences sociales et politiques de l'Université de Lisbonne (Portugal). Il est président de l'Institut de technologie comportementale (INTEC), un organisme sans but lucratif qu'il a fondé pour mener des recherches appliquées sur la qualité de vie. Il est titulaire d'un doctorat en psychologie appliquée et d'un post-doctorat en économie. Ses travaux ont été publiés dans de nombreuses revues scientifiques internationales; il est aussi coauteur de plusieurs ouvrages sur la gestion des talents et le leadership, ainsi que d'études sur l'organisation positive. Miguel Pereira Lopes prend position sur le plan éthique et essaie de vivre en accord avec les résultats de ses recherches, en tentant notamment de saisir toutes les occasions interactionnelles possibles pour agir en «agent alter-optimiste» et pour aider les autres à élargir leurs horizons et à réaliser leurs rêves.

Faire naître l'espoir

«Nous créons l'espoir instant après instant par nos choix», déclare **Shane J. Lopez**, éminent spécialiste mondial en matière de psychologie de l'espoir et auteur de l'ouvrage à succès *Making Hope Happen*. Son message est clair: l'espoir importe. L'espoir s'apprend. L'espoir est contagieux.

Pour faire naître l'espoir, il faut créer une dynamique. S'il est utile de nommer les principales croyances en matière d'espoir, il est plus important encore de savoir comment elles interagissent ensemble. J'aimerais donc présenter une nouvelle méthodologie, proposée en premier lieu par Rick Snyder, pour tenter de comprendre l'espoir en action. Cette méthodologie combine les croyances en un processus à trois volets qui nous conduit vers un avenir meilleur. Elle décrit chaque élément du processus comme un ensemble d'aptitudes pouvant être apprises. Voici ces trois volets:

1. **Les objectifs.** Nous cherchons et nous identifions une idée concernant là où nous voulons aller, ce que nous voulons accomplir, qui nous voulons être. Certains objectifs sont vagues, éphémères et vite oubliés. D'autres évoluent et changent fortement avec le temps. L'espoir se construit à partir des objectifs qui comptent le plus pour nous, sur lesquels nous revenons toujours et qui remplissent notre esprit d'images d'avenir.
2. **L'agentivité.** Le terme *agentivité* traduit notre capacité perçue à donner forme à notre vie au jour le jour. En tant qu'«agents», nous savons que nous pouvons faire (ou empêcher) que des choses se produisent et nous prenons la responsabilité d'avancer vers nos objectifs. L'agentivité fait de nous les auteurs de notre vie.
3. **Les pistes.** Nous cherchons et identifions de nombreuses pistes menant vers nos objectifs, nous prenons celles qui conviennent le mieux à notre situation et nous suivons nos progrès au fil du temps. Il s'agit des projets qui nous font avancer, mais nous sommes conscients que des obstacles peuvent surgir à tout moment. Ainsi restons-nous curieux et ouverts afin de trouver, chemin faisant, de meilleures pistes.

Je voudrais présenter ces trois éléments comme formant une boucle de rétroaction continue. Chaque élément peut mettre les deux autres en mouvement. Chacun interagit avec les deux

autres de manière à les renforcer, à les modifier ou à les diminuer. Si les trois éléments sont forts, ils forment un cycle qui renforce l'espoir. Si un seul élément est faible, l'espoir décroît jusqu'à ce que nous intervenions pour renforcer cet élément chancelant.

Ce modèle simple fonctionne quels que soient vos objectifs, votre âge ou vos circonstances personnelles, que vous soyez intéressé surtout par votre famille, votre travail, votre communauté ou votre développement personnel. L'espoir a de nombreuses facettes et il fleurit dans des endroits inattendus. L'une des caractéristiques les plus frappantes de l'espoir est que les gens optimistes communiquent de l'espoir à presque toutes les personnes qu'ils rencontrent.

Shane J. Lopez est titulaire d'un doctorat. Scientifique principal à l'institut Gallup, il vit à Lawrence, dans le Kansas (États-Unis). Éminent spécialiste mondial en matière de psychologie de l'espoir, il a publié sept ouvrages scientifiques, notamment l'*Encyclopedia of Positive Psychology*. Il a dédié ses recherches, portant sur la façon de faire naître l'espoir, à tous ceux qui croient que l'avenir peut être meilleur que le passé ou le présent, et qui travaillent à faire en sorte qu'il en soit ainsi.

«Nous donnons le meilleur de nous-mêmes quand nous sommes entourés de gens que nous aimons.»

Grands espoirs

Jennifer Cheavens a obtenu son doctorat à l'Université du Kansas sous la direction de C. R. Snyder, fondateur de la théorie de l'espoir. Alors qu'elle était encore étudiante, elle a élaboré et testé une intervention thérapeutique destinée à accroître l'espoir et à réduire les symptômes de dépression et d'anxiété. Actuellement professeure, **Jennifer Cheavens** enseigne à l'université et soigne des patients en leur chantant la chanson populaire *High Hopes*.

Chaque année, lorsque j'entame mon module de psychologie de l'espoir, je demande aux étudiants s'ils connaissent la chanson de la fourmi, celle qui a de grands espoirs de tarte aux pommes dans le ciel. Mes étudiants avouent toujours ne pas connaître cette chanson (popularisée par Frank Sinatra), ce que je trouve dommage, car c'est un très bel exemple de définition de l'espoir fondée sur des données empiriques. Dans la définition de C. R. Snyder, l'espoir consiste à identifier ce que nous désirons, à rechercher des pistes ou des moyens pour l'obtenir, et à rester motivés pour suivre ces pistes qui nous mèneront vers nos objectifs, même quand les autres pensent que nous n'y parviendrons pas. La fourmi de la chanson veut déplacer un arbre à caoutchouc, décide du meilleur moyen d'y parvenir et reste sur cette piste jusqu'à ce qu'elle réussisse.

Les avantages

Ce modèle d'espoir bénéficie d'un large soutien à la recherche. Les gens qui ont de grands espoirs réussissent à poursuivre des objectifs dans de nombreux domaines différents, notamment les études universitaires, les sports et les relations interpersonnelles. Les personnes qui ont de plus grands espoirs se fixent des objectifs plus difficiles et prennent plus de temps pour les réaliser que les gens qui ont de plus faibles espoirs. Les objectifs difficiles à réaliser semblent renforcer l'intérêt, l'attention et l'enthousiasme, et par conséquent accroître la probabilité qu'ils soient poursuivis jusqu'à leur réalisation. L'espoir est associé aussi à l'établissement d'objectifs qui impliquent d'autres gens, tout en leur bénéficiant. De nombreux ouvrages de psychologie positive suggèrent que nous donnons le meilleur de nous-mêmes quand nous sommes entourés de gens que nous aimons. **Les gens qui ont de grands espoirs établissent des objectifs qui soutiennent et enrichissent d'autres gens** d'une manière qui présente de nombreux avantages à ceux qui les établissent.

Lorsque j'ai commencé à étudier l'espoir à l'université, je me suis inspirée des personnes de mon entourage qui avaient de grands espoirs, mais je ne pouvais pas m'empêcher de me demander si l'espoir était pour une minorité ou pour la majorité. Les personnes optimistes vainquent l'adversité, surmontent les obstacles et persévèrent dans la poursuite de leurs objectifs bien précis. **Mais qu'en est-il des gens qui peinent à croire qu'il est possible**

Une chanson populaire

La chanson populaire *High Hopes* (*Grands Espoirs*), interprétée par Frank Sinatra en 1959, a remporté l'Oscar de la meilleure chanson originale. Elle parle d'animaux qui font des choses qui semblent impossibles, par exemple cette fourmi qui déplace un arbre à caoutchouc. Dans cette chanson, les difficultés et les épreuves sont comparées à des ballons. Le problème disparaît dès que le ballon est crevé. Il existe plusieurs versions de la chanson originale, allant de l'interprétation de Doris Day, des Muppets et des Simpson à la chanson-thème (avec paroles adaptées) de la campagne présidentielle de John Kennedy dans les années 1960. En voici quelques couplets:

La prochaine fois qu'on te trouvera
Le menton tombé au sol
Il y a beaucoup à apprendre
Alors regarde autour de toi
Mais pourquoi cette vieille petite fourmi
Croit-elle pouvoir déplacer cet arbre à caoutchouc
Tout le monde sait qu'une fourmi ne peut pas
Déplacer un arbre à caoutchouc
Mais elle a de grands espoirs
Elle a de grands espoirs
De grands espoirs de tarte aux pommes
Dans le ciel
Alors quand tu es déprimé
N'abandonne pas, pense à cette fourmi
Oups, un autre arbre à caoutchouc qui part (...)

Quand les problèmes se dressent
Et que tu es le dos au mur
Il y a beaucoup à apprendre
Ce mur peut tomber (...)
Tous les problèmes sont des ballons
Ils vont bientôt crever, ils éclateront
Oups, un autre problème qui part (...)

d'atteindre leurs objectifs? Qu'en est-il de ceux qui considèrent les obstacles et les échecs comme des blocages et des impasses? L'identification des mille manières qui permettent aux gens qui ont de grands espoirs de s'en sortir mieux que les individus qui ont de faibles espoirs a été informative, mais elle n'a pas répondu à la question qui m'intéressait le plus.

L'espoir est pour la majorité

Après toutes ces années, je suis convaincue que l'espérance est une aptitude qui peut s'acquérir. Nos recherches suggèrent que la plupart des gens acceptent les enseignements des personnes qui ont de grands espoirs et les appliquent à leur vie personnelle. Nous pouvons nous habituer à penser aux choses que nous désirons dans la vie d'une manière qui accroît la probabilité de les réaliser. **Réfléchir sur les détails de ce que nous désirons et développer un certain nombre de moyens pour atteindre nos objectifs semble accroître l'espoir.** De plus, la perception des obstacles comme autant de défis, et non de barrières, à ce que nous désirons peut nous aider à soutenir notre motivation au fil du temps. Finalement, une personne optimiste établit des objectifs correspondant à ses valeurs et impliquant d'autres gens. Nous pouvons développer la force de l'espoir et améliorer par là notre vie et celle des autres. L'espoir est pour la majorité.

Oups, un autre arbre à caoutchouc qui part!

Les clés

→ **Les personnes qui ont de grands espoirs parviennent à réaliser leurs rêves dans de nombreux domaines différents.**
→ **Nous acceptons, pour la plupart, les enseignements de gens qui ont de grands espoirs et les appliquons à notre vie personnelle.**
→ **Une personne optimiste établit des objectifs correspondant à ses valeurs et impliquant d'autres gens.**

Jennifer Cheavens est professeure associée de psychologie à l'Université de l'Ohio (États-Unis). Elle dirige des recherches visant à mieux comprendre le concept d'espoir et à intégrer l'espoir dans le traitement de personnes atteintes de troubles de l'humeur et de la personnalité. Elle adore être entourée de personnes optimistes, notamment d'étudiants qui cherchent de nouvelles manières de comprendre le monde et de patients qui conçoivent des plans pour améliorer leur vie.

«Les adultes sont d'importants modèles de pensée optimiste pour les enfants.»

Les modèles d'espoir

Les personnes optimistes ont souvent des niveaux de détermination plus élevés et une pensée plus flexible dans l'identification de diverses trajectoires pour réaliser un objectif. Est-ce là une attitude que nous pouvons apprendre et transmettre à nos enfants? La professeure **Kimberly Hills** affirme que oui. Nous devrions tous aspirer à être des modèles d'espoir pour les autres.

L'espoir est défini en général comme un sentiment d'attente et un désir que certaines choses se produisent. L'espoir implique la croyance ou le sentiment qu'une issue positive se profilera d'une manière ou d'une autre. Nous voyons l'espoir se manifester même dans des situations où les gens ont toutes les chances contre eux. L'espoir est-il important? Les recherches et la pratique clinique laissent penser que oui, l'espoir est important. Quand les gens espèrent qu'un certain résultat est possible, ils sont plus enclins à avoir le courage et la force de faire les efforts nécessaires pour l'obtenir. L'espoir peut être un facteur important pour la réalisation de nos rêves et de nos objectifs.

Volonté ou moyens?

Nous savons que nous avons besoin à la fois de «volonté» (agentivité) et de «moyens» (trajectoires). L'un est-il plus important que l'autre? Cet aspect de la théorie de l'espoir continue à faire l'objet de discussions dans la recherche et dans la pratique. Nous savons que l'agentivité joue souvent un grand rôle. Mais qu'en est-il des situations où aucune forte preuve objective ne permet de supposer la possibilité d'une trajectoire positive? **L'espoir est-il encore important lorsqu'une personne vient d'apprendre que le seul traitement médical disponible n'a que 10 % de chances de réussite?** Les recherches suggèrent que oui, l'espoir peut encore avoir une grande influence dans des situations où la preuve objective d'une trajectoire positive est faible ou même nulle. C'est la combinaison de volonté et de forte croyance qu'une trajectoire positive se profilera *d'une manière ou d'une autre* (p. ex. vous serez dans les 10 % qui guériront), qui est si importante dans l'espoir.

La stratégie de l'espoir: 11 choses à faire

Comment pouvons-nous stimuler notre espoir et celui des autres? Voici 11 outils:

L'établissement d'objectifs

1. **Développez et fixez-vous des objectifs réalistes, y compris des objectifs audacieux.** Les objectifs audacieux vous font dépasser en douceur votre objectif initial. De tels objectifs sont dynamisants et vous incitent à travailler davantage.

Les trajectoires

2. **Pensez de manière flexible** à vos objectifs et adaptez-les le cas échéant. Non seulement cela vous permet d'identifier davantage de trajectoires vers vos objectifs à long terme, mais cela stimule votre motivation à faire des efforts vers ces objectifs.
3. **Changez la manière de percevoir vos échecs.** Une pensée flexible est très importante pour construire à la fois la volonté et les moyens d'atteindre vos objectifs.
4. **Fractionnez vos objectifs à long terme en plusieurs étapes**, c'est-à-dire en plusieurs objectifs à court terme.
5. **Développez des stratégies pour surmonter les obstacles** qui entravent la réalisation de vos objectifs.
6. **Développez des relations avec des gens**, dans lesquelles vous vous aidez réciproquement à avancer vers vos objectifs.

L'agentivité

7. **Apprenez des stratégies d'autopersuasion** qui stimulent de manière positive des comportements propices à la réalisation de vos objectifs.
8. **Remémorez-vous d'anciennes réussites.** Cela peut être important face à l'adversité.
9. **Limitez votre autocompassion** quand les choses ne vont pas comme vous le désirez. Ne soyez pas surpris chaque fois que les choses ne tournent pas comme vous aimeriez.
10. **Renoncez à vos objectifs ou modifiez-les** lorsqu'ils se révèlent irréalistes ou que leur poursuite est bloquée.
11. **Soyez patient** envers vous-même lorsque vous apprenez des stratégies pour renforcer votre agentivité.

Développer des aptitudes

Notre environnement et notre éducation influencent nos perceptions et nos croyances qui contribuent à une pensée et à des attitudes optimistes. Les adultes sont d'importants modèles de pensée optimiste pour les enfants, et les enfants acquièrent de l'espoir par le biais d'interactions, à la fois subtiles et évidentes, avec leur environnement. **Nous pouvons stimuler l'agentivité et l'identification de trajectoires en nous-mêmes et chez les autres.** La pensée et les attitudes optimistes s'améliorent quand les gens développent des aptitudes en matière d'établissement d'objectifs et de renforcement de l'agentivité et d'identification de trajectoires. Cela signifie que, bien que notre éducation influence nos niveaux d'espoir actuels, notre environnement présent joue aussi un rôle important et que nous pouvons tous développer une attitude plus optimiste.

Mes recherches ainsi que mon travail clinique avec des enfants et leurs familles m'ont appris que la compréhension des perceptions et des aptitudes liées à l'espoir chez les autres est d'une importance cruciale si l'on veut pouvoir les guider dans des situations difficiles. Nous devrions tous aspirer à être des modèles d'espoir pour les autres. Face à l'adversité, nous devrions toujours commencer et terminer avec l'espoir.

Les clés

- → **L'espoir est important. Il peut avoir une grande influence même dans des situations où la preuve objective d'une trajectoire positive est faible ou même nulle.**
- → **Notre environnement et notre éducation influencent nos perceptions et nos croyances, lesquelles contribuent à une pensée et à des attitudes optimistes.**
- → **La pensée et les attitudes optimistes peuvent s'améliorer quand les gens développent des aptitudes en matière d'établissement d'objectifs et de renforcement de l'agentivité et d'identification de trajectoires.**

Kimberly Hills est professeure associée de psychologie à l'Université de Caroline du Sud (États-Unis). Appartenant à l'une des dernières générations pouvant se souvenir de ce qu'était la vie avant l'avènement de la technologie, elle est curieuse des nouvelles possibilités de communication offertes à ses étudiants et à ses clients, et aime relever le défi d'apprendre à connaître la culture actuelle des jeunes. Avec Scott Huebner, elle codirige le Laboratoire de recherche en psychologie positive de l'USC. Leurs travaux portent sur la compréhension du bien-être de l'enfant et sur la question de savoir pourquoi le bien-être est si important. Leur laboratoire a publié de nombreux articles sur le bien-être des enfants et des adolescents. En tant que professeure clinique, elle passe beaucoup de temps à fournir des services cliniques et à former des étudiants de troisième cycle.

«Le véritable espoir peut naître quelles que soient les circonstances.»

Le choix intime de l'espoir

La plupart des gens espèrent un avenir meilleur. Il est difficile de faire autrement. Mais il y a beaucoup de choses que nous ne pouvons pas influencer. Nous ne pouvons pas choisir tous les événements qui nous arrivent. «Le véritable espoir, disent **Maja Djikic** et **Keith Oatley**, concerne nos choix intimes, les choses que nous pouvons modifier.»

L'espoir est-il un rêve? Est-ce le fantasme d'un avenir meilleur? Si l'espoir dépendait de notre façon d'imaginer l'avenir, que pourrions-nous dire du désespoir tranquille de gens vivant dans les camps de réfugiés ou les centres d'hébergement, de personnes subissant des situations de grande pauvreté ou de longues journées d'emprisonnement physique, émotionnel, intellectuel ou spirituel: plus ils ont d'imagination, plus ils désespèrent à l'idée de perdre leur avenir?

Ce n'est pas l'inaptitude à imaginer une meilleure vie qui entraîne le désespoir. C'est la réalité des circonstances du monde qui empêche les gens désespérés de faire des choix qui leur permettent de vivre leur vie comme ils le désireraient. L'espoir est une aptitude à faire

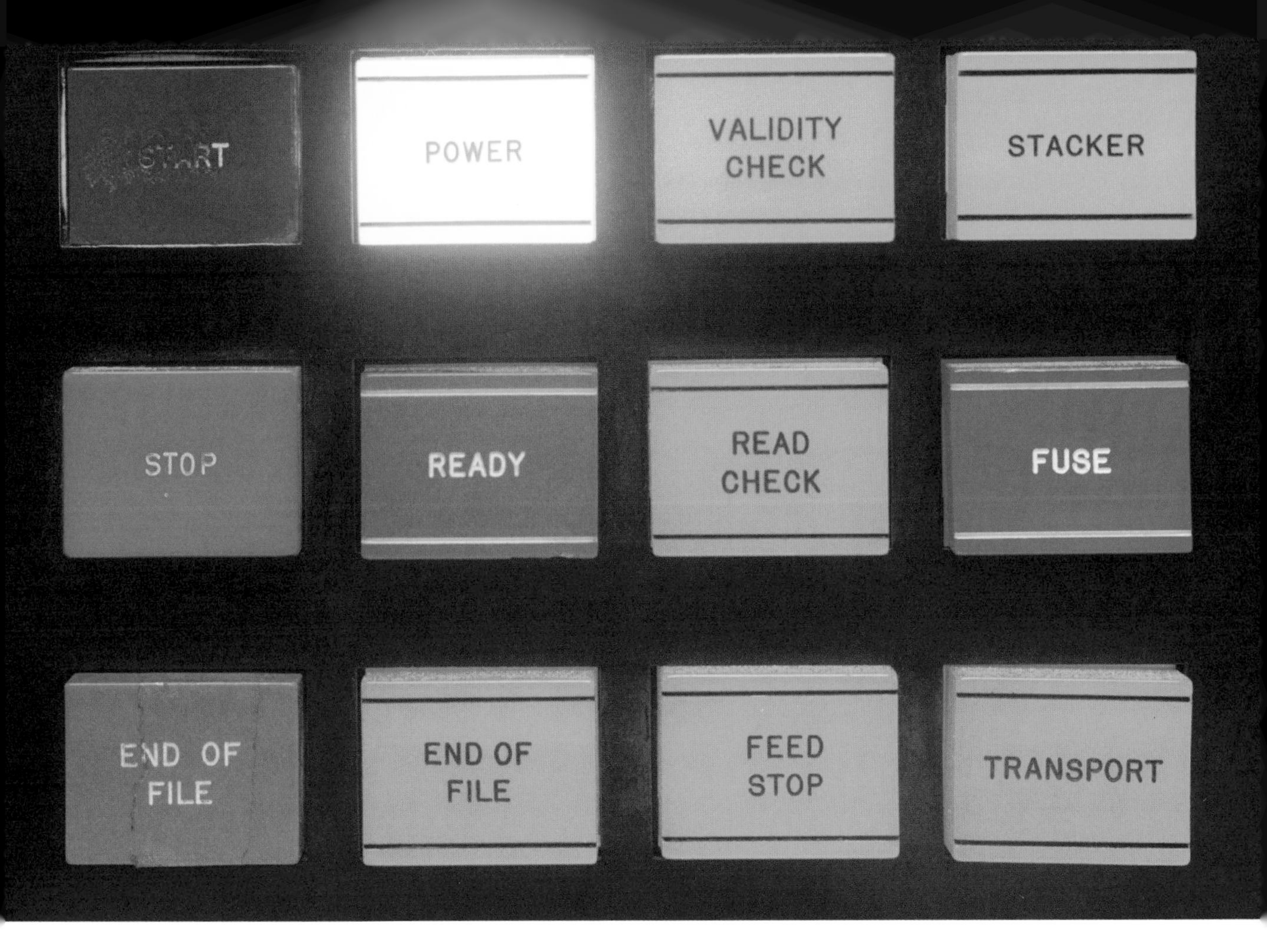

des choix qui permettent au moi de continuer à aller de l'avant en dépit des circonstances. Comme le disait la poète américaine Maya Angelou: «Vous ne pouvez pas exercer un contrôle sur tous les événements qui vous arrivent, mais vous pouvez décider de ne pas les laisser vous abattre.»

L'espoir aveugle

Chaque souffrance semble contenir en elle-même une lueur d'espoir. On peut croire que c'est parce que l'espoir est lié à un objectif futur, à l'idée que les choses pourraient aller mieux. Mais qu'en est-il d'un patient atteint du cancer qui sait qu'il va mourir? Sa situation n'est-elle pas désespérée? Tout espoir qu'il puisse avoir est-il une illusion? Est-ce de l'«espoir aveugle», que les êtres humains peuvent éprouver de façon irrationnelle, dans des circonstances difficiles, pour se protéger de vérités insupportables? Cela dépend. Si l'espoir d'un patient condamné est sa guérison, l'espoir est moins aveugle que faux. La «cécité» de l'espoir a davantage à voir avec le fait que le véritable espoir peut naître quelles que soient les circonstances. **Même la circonstance la plus contraignante peut permettre le choix de la manière de la vivre:** dans le désespoir et la peur ou avec courage et dignité.

Selon un auteur de la Grèce antique, le philosophe stoïcien Épictète, nous ne devrions pas nous identifier à notre corps parce que nous ne pouvons pas en changer ni toujours influencer ce qui lui arrive. Nous devons nous identifier à ce qui dépend de nous. Né esclave vers l'an 55, Épictète était boiteux. Un de ses commentateurs rapporte que son maître lui aurait délibérément cassé la jambe. Mais comme l'a écrit plus tard Épictète: «Vous pouvez me casser la jambe, mais pas ma volonté.» Son espoir dépendait d'une attitude intérieure qu'il avait cultivée, d'une relation intime avec lui-même, parce que ce qu'il pensait et ressentait ne dépendait pas des circonstances. Cela dépendait de lui.

Une décision interne

Dans des réflexions sur la période qu'il a passée en camp de concentration, Viktor Frankl, un psychiatre juif d'origine autrichienne, a dit: «On peut tout enlever à un homme, sauf une chose, la dernière des libertés humaines, celle de choisir son attitude en toutes circonstances, de choisir sa propre voie.» Selon Frankl et d'autres existentialistes, il y a toujours un choix possible, mais parfois on ne le voit pas. Le choix ne consiste pas à faire quelque chose d'extérieur en vue de poursuivre nos objectifs; c'est une décision interne sur la manière de vivre les événements qui nous arrivent, et peut-être de maintenir notre croissance en tant qu'êtres humains.

Tout comme Viktor Frankl, Nelson Mandela a connu la douleur de l'emprisonnement, mais il a fait un choix intime qu'il a placé au centre de son expérience: il a choisi de ne pas haïr ses geôliers, mais de compatir avec eux. **Se concentrer sur son intériorité ne signifie pas négliger le monde des autres.** À un service religieux pour la guérison et la réconciliation en décembre 2000, dédié aux personnes atteintes du VIH/sida et à la guérison de l'Afrique du Sud, Mandela a déclaré: «Notre compassion humaine nous lie les uns aux autres… en tant qu'êtres humains qui ont appris à transformer la souffrance commune en espoir pour l'avenir.»

L'état existentiel

L'espoir peut sembler n'être qu'une émotion, comme la peur ou la colère. Il va et vient, comme le font les émotions, et paraît déterminé par les circonstances. Nous pouvons considérer les autres comme étant plus ou moins optimistes ou plus ou moins pessimistes, comme si l'espoir était un trait de personnalité. Toutefois, contrairement à l'émotion qu'est la peur ou au trait de personnalité qu'est l'introversion, l'espoir peut être considéré comme un état existentiel, cultivé par une conscience croissante et par la possibilité de choisir. Quelles que soient les circonstances dans lesquelles nous nous trouvons – maladie, invalidité, emprisonnement ou conscience de l'état désastreux où est le monde –, un éclair de lucidité suffit pour trouver l'espoir, et cette possibilité est toujours présente même si nous ne la percevons pas toujours.

Les clés

- → **L'espoir semble être le désir d'un avenir meilleur, mais, en réalité, il s'agit davantage d'une attitude intérieure que l'on cultive. L'espoir est l'aptitude à faire des choix qui permettent au moi de continuer à aller de l'avant en dépit des circonstances.**
- → **Nous ne pouvons pas choisir tout ce qui nous arrive. Le choix ne consiste pas à faire quelque chose d'extérieur pour poursuivre nos objectifs; c'est une décision intime sur la manière de vivre ce qui nous arrive.**
- → **Contrairement à l'émotion qu'est la peur ou au trait de personnalité qu'est l'introversion, l'espoir peut être considéré comme un état existentiel, cultivé par une conscience croissante et par la possibilité de choisir.**

Maja Djikic est directrice du Self-Development Laboratory à la Rotman School of Management de l'Université de Toronto (Canada). À l'âge de 16 ans, elle a quitté la Bosnie avec sa famille pour fuir les obus et les tanks. Plus tard, avec une équipe, elle a documenté le génocide qui a sévi dans son pays d'origine. Psychologue de la personnalité, elle est fascinée par le processus de développement de la personnalité.

Keith Oatley est professeur émérite à l'Université de Toronto (Canada). Né à Londres six mois avant l'éclatement de la Seconde Guerre mondiale, il y a vécu toute la guerre. Il se souvient de ses premières années d'école marquées par le rationnement et les décombres. Il est psychologue cognitif et romancier. Ses ouvrages les plus récents sont *Therefore Choose*, un roman existentialiste, et *The Passionate Muse: Exploring Emotions in Stories*. Dans leurs travaux, Maja et Keith s'efforcent de faire ce qu'ils aiment et d'aimer ce qu'ils font.

«L'espoir est-il un autre piège posé par les dieux ou un dernier cadeau?»

Pandore: l'espoir dans une boîte

Lorsque, dans le mythe grec, tous les maux eurent quitté la boîte de Pandore, la seule chose qui resta au fond était l'espoir. «On ignore finalement si l'espoir est un autre piège des dieux ou un dernier cadeau», dit le professeur **Evangelos C. Karademas**, qui vit et travaille sur l'île de Crête.

Dans la mythologie grecque, Prométhée vole le feu aux dieux pour le restituer aux hommes. Zeus décide alors de le punir et, avec lui, tous les hommes pour leur utilisation du cadeau volé. Il demande à Héphaïstos de créer, à partir de la glaise, une femme semblable à une déesse mais qui parlerait et agirait comme un être humain. C'est Pandore. Zeus offre la main de Pandore à Épiméthée, le frère de Prométhée, et donne au couple en cadeau de mariage une boîte mystérieuse. Bien qu'il interdise à Pandore d'ouvrir la boîte, Zeus ne lui révèle pas ce qu'elle contient. Il sait que **Pandore est curieuse.** Finalement, elle perd la maîtrise d'elle-même, ouvre la boîte et toutes sortes de maux, de fléaux et de souffrances sont libérés dans le monde. Au tout dernier moment, Pandore parvient, avec la permission de Zeus et l'aide de certains dieux, à refermer la boîte, ne gardant à l'intérieur que l'espoir. Depuis lors, l'espoir est un agent majeur du comportement humain. Et l'un des plus intéressants, même pour la science.

L'optimisme

La recherche en psychologie utilise plusieurs termes pour désigner l'espoir. L'un des plus représentatifs est le mot *optimisme*. L'optimisme est la tendance générale à s'attendre à des résultats positifs dans l'avenir, en dépit des obstacles. De nombreuses études ont montré que **l'optimisme est un facteur de protection du bien-être et de la santé** dans diverses situations stressantes. Il est associé à une meilleure santé physique et morale, à une meilleure adaptation à la maladie chronique et à l'adoption de stratégies d'adaptation et de comportements favorables à la santé. De plus, des recherches ont montré que les personnes optimistes ont de meilleures relations sociales, sont plus aptes à classer par priorité leurs besoins et leurs objectifs, persévèrent davantage dans leurs efforts et, par conséquent, sont plus susceptibles de réaliser leurs objectifs.

La santé

À l'Université de Crète, en Grèce, nous avons étudié la relation entre optimisme et expérience de la maladie. Nous avons trouvé que l'optimisme protège les patients atteints d'une maladie chronique du désespoir et de l'impuissance, même face à de graves problèmes de santé. Nos recherches ont montré aussi que l'optimisme sert de lien entre la santé et d'autres caractéristiques personnelles. Ainsi avons-nous découvert que le soutien social et la satisfaction dans la vie sont liés à l'optimisme et, par conséquent, à une meilleure santé. Certains de nos résultats suggèrent également que l'optimisme est associé à une plus grande attention accordée à des stimuli positifs (p. ex. liés au bien-être) qu'à des stimuli négatifs (p. ex. liés à une menace). Globalement, il y a abondance de preuves que le plan initial des dieux fonctionne: **l'espoir rend la vie plus tolérable.** Mais est-ce toujours vrai?

La persévérance

Selon le mythe, l'espoir est la seule chose qui resta dans la boîte de Pandore. On peut se demander toutefois si c'était là, de la part de Zeus, un geste de bonne volonté envers les êtres humains ou bien un dernier acte de vengeance, en ce sens que même l'espoir ne peut pas vraiment aider les gens. En fait, il existe des preuves, bien que rares, que **l'optimisme peut avoir un impact négatif.** Par exemple, des recherches ont montré que les personnes optimistes ne remarquent pas toujours la perte d'un objectif spécifique et persévèrent dans leurs efforts, même après plusieurs résultats négatifs. D'autres études suggèrent aussi que les personnes optimistes, du moins dans certaines circonstances, ont tendance à ignorer les menaces et à ne voir que le bon côté des choses. De plus, une de nos études a révélé qu'à des niveaux d'optimisme plus élevés, il n'y a pratiquement aucun rapport entre l'état de santé des patients cardiaques et leur compréhension de leur état. Autrement dit, les patients très optimistes sont enclins à miser davantage sur leurs attentes positives généralisées que sur des informations précises sur leur santé, ce qui peut être une attitude dangereuse, du moins dans certains cas.

Bien que les conditions dans lesquelles un haut niveau d'optimisme peut se révéler dangereux ne soient pas claires, cette question est assurément très intéressante pour de futures recherches. Quoi qu'il en soit, la plupart des études indiquent que l'espoir, ou l'optimisme, est un atout humain positif.

En combinaison

Le mythe grec ne répond finalement pas à la question de savoir si l'espoir est un autre piège posé par les dieux ou si c'est un dernier cadeau. Il semble que ce soit à nous qu'il incombe d'utiliser l'espoir de façon constructive, en particulier en combinaison avec d'autres caractéristiques personnelles positives. S'il va de pair avec le contrôle de soi, la conscience de nos forces et de nos faiblesses ainsi que de la réalité, l'espoir peut devenir un puissant moyen pour faire face aux craintes et aux souffrances inhérentes à la vie.

Les clés

- → **L'espoir est étroitement lié à l'optimisme. Il protège les patients atteints d'une maladie chronique du désespoir et de l'impuissance. L'espoir est un agent de protection pour le bien-être et la santé.**
- → **Un haut niveau d'optimisme peut s'avérer dangereux. Il peut nous amener à ne pas reconnaître la perte d'un objectif précis ou à ignorer certaines menaces.**
- → **Nous devrions utiliser l'espoir de façon constructive, en particulier en combinaison avec d'autres caractéristiques personnelles positives, telles que le contrôle de soi et la conscience de nos forces et de nos faiblesses.**

Evangelos C. Karademas est professeur associé de psychologie clinique de la santé à l'Université de Crète (Grèce). Ses intérêts de recherche portent sur l'influence du stress sur le comportement et la santé, l'adaptation à la maladie chronique et le processus d'autorégulation. Il a développé ces thèmes dans un ouvrage ainsi que dans plusieurs articles de revues et chapitres de livres scientifiques. Pour lui, la clé d'une bonne vie est de tenter de combiner l'espoir à une bonne compréhension de la vie telle qu'elle est, et de faire un effort constant pour réaliser nos objectifs personnels.

«Pour vivre, même les gens rationnels sur le plan économique ont besoin d'espoir.»

L'économie de l'espoir

«L'espoir est quasi absent de la discipline de l'économie, la science dite lugubre», dit la professeure d'économie **Rowena A. Pecchenino**, qui étudie l'espoir et le désespoir dans la pensée économique. «Cette absence est remarquable puisque l'espoir est fondamentalement au cœur du choix et que l'économie porte fondamentalement sur le choix.»

Dans quelque perspective disciplinaire que je l'examine, je trouve que l'espoir, quelle que soit la définition qu'on en donne – et il est défini de mille manières –, insuffle un sens à la vie, alors que son absence rend la vie insupportable. En tant qu'économiste, j'ai d'abord trouvé cette absence très troublante dans mon domaine, puis j'ai compris que l'espoir n'était pas absent, mais caché. Lorsqu'on parle de l'espoir dans un contexte économique avec des économistes, en particulier avec des jeunes qui se plongent encore dans «l'économie pour l'économie» et font leurs preuves en tant qu'économistes, la plupart écartent l'espoir parce qu'il serait du domaine des optimistes incurables, des rêveurs et des insensés. L'«homme économique» est, à défaut d'autre chose, plus rationnel qu'optimiste. Et c'est là leur erreur. L'espoir n'est pas l'optimisme; l'espoir n'est pas fait de rêves infondés, détachés de la réalité; l'espoir n'est pas irrationnel. L'espoir ne nuit pas à la rationalité.

Rationnellement optimistes

Comment alors tirer l'espoir de sa cachette et l'amener à la lumière de l'analyse économique? Vu que l'espoir se manifeste de nombreuses manières, il n'y a pas de formule miracle. Cependant, une fois identifiés, les optimistes rationnels peuvent prendre place aux côtés de leurs collègues plus étroitement rationnels. Quelles sont donc les caractéristiques de ces optimistes rationnels? Ils sont orientés vers des objectifs, l'avenir – leur avenir personnel ou l'avenir en général – étant le point focal de leurs plans. Au lieu de rechercher la gratification immédiate, ils regardent devant eux et planifient comment partir de là où ils sont pour arriver là où ils désirent être, individuellement ou collectivement. Ils peuvent s'entêter dans la poursuite de leurs objectifs et écarter les informations contraires, ce qui peut suggérer des efforts en pure perte. Généralement, ils n'associent pas l'atteinte de leurs objectifs à une probabilité spécifique: pile l'objectif est atteint, face il ne l'est pas. **La réalisation de leurs objectifs dépend plutôt de leur désir et de leur aptitude à transformer ce qui est en ce qui devrait être**, ou du moins à avancer vers ce qui devrait être, même s'ils savent que leur objectif ne se réalisera pas au cours de leur vie ou uniquement par des efforts humains. De plus, ils considèrent souvent leur vie comme une aventure dans laquelle ils se sont lancés et où leur optimisme leur permet de comprendre ou d'accepter avec équanimité leurs heurs et malheurs, même quand la vie approche de sa fin.
Les optimistes rationnels sont, même à contrecœur, des «hommes économiques».

Prendre des décisions

Si ce qui caractérise les optimistes rationnels reste vague, il peut être utile d'analyser ce qui caractérise le désespoir de ceux qui ont abandonné tout espoir. Les désespérés sont marginalisés et exclus de la société. Leurs relations sociales sont quasi inexistantes ou même impossibles. La vie en elle-même a peu ou pas de sens ni de valeur. Ils sont coincés dans un présent sans avenir. Par conséquent, c'est plus la rationalité des désespérés que celle des optimistes qui pourrait être mise en question.

L'espoir, ou son absence, imprègne l'existence humaine et façonne tous les aspects du comportement humain, tant sur le plan individuel que sur le plan social. Que nous puissions fonctionner et nous épanouir dépend de notre capacité à choisir, à prendre des décisions. Cette capacité dépend souvent du fait que nous avons ou non de l'espoir, que nous pouvons ou non percevoir, planifier l'avenir et y croire, persévérer ou non dans la croyance que nous poursuivons notre objectif en dépit des échecs, de la persistance des obstacles, du flou de l'objectif ou même de son non-achèvement évident. Cela dépend également du fait que nous croyons ou non que l'aventure dans laquelle nous sommes embarqués en vaut la peine même lorsqu'elle arrive à son terme. Notre capacité de faire mieux et d'être mieux, de nous transformer nous-mêmes et de transformer nos sociétés, de nous satisfaire de ce que nous avons tout en nous efforçant d'améliorer les choses, de choisir notre parcours de vie, cette capacité tout entière dépend de l'espoir. Pour vivre, même les gens rationnels sur le plan économique ont besoin d'espoir.

Les clés

- → **L'espoir ne nuit pas à la rationalité. L'espoir est fondamentalement au cœur du choix et l'économie est fondamentalement une question de choix.**
- → **Au lieu de chercher la gratification immédiate, les optimistes rationnels regardent devant eux et planifient comment partir de là où ils sont pour arriver là où ils veulent être, individuellement ou collectivement.**
- → **Notre capacité de faire mieux et d'être mieux, de nous transformer nous-mêmes et de transformer nos sociétés, de nous satisfaire de ce que nous avons tout en nous efforçant d'améliorer les choses, de choisir nos parcours de vie, cette capacité tout entière dépend de l'espoir.**

Rowena A. Pecchenino est titulaire d'une licence en lettres de l'Université Cornell, d'une maîtrise de la London School of Economics (LES) et d'un doctorat de l'Université du Wisconsin. Elle est née à Berkeley, en Californie. Elle a été nommée professeure adjointe à l'Université du Michigan en 1985, puis professeure en 1997. Elle est actuellement professeure et chef du Département de comptabilité, finances et économie, ainsi que doyenne de la Faculté des sciences sociales de l'Université nationale d'Irlande à Maynooth (Irlande). Elle a été professeure invitée aux États-Unis, au Royaume-Uni, en Italie, en Australie et en Irlande. Elle mène des recherches dans plusieurs domaines économiques, allant de la macroéconomie et du secteur bancaire à la philosophie de l'économie. Ses travaux récents portent sur l'espoir et le désespoir dans la pensée économique. Qu'est-ce qui lui donne de l'espoir? «Que les gens tentent de rendre possible l'impossible.»

« La pensée positive devient parfois une obligation. »

La tyrannie de la pensée positive

On estime à 14 millions le nombre de cas de cancer dans le monde. Selon le Fonds mondial de recherche contre le cancer, ce nombre devrait atteindre 24 millions en 2035. Déchirés entre espoir et désespoir, des patients rencontrent sans doute des gens qui les encouragent à penser positivement. Cela peut aider. Mais le professeur **Miles Little** déclare que ce n'est pas si facile que cela.

L'espoir est un état d'esprit positif focalisé sur un certain objectif perçu comme désirable. Il peut s'agir d'un espoir de santé, de bonheur, de vengeance et de bien d'autres choses qui assureraient d'une certaine manière la survie, la sécurité ou l'épanouissement. **Le mouvement de pensée positive appelle à une approche instrumentale de l'espoir.** Selon lui, si vous bannissez le désespoir ou l'idée de menaces inhérentes à la maladie ou à la catastrophe, vos perspectives s'amélioreront en termes mesurables. Autrement dit, si vous avez le cancer et que vous modifiez votre pensée, vous vaincrez votre maladie, vous vivrez plus longtemps, vous vous sentirez mieux. Vous triompherez de la menace physique, qui terrassera votre voisin moins optimiste.

La honte

Cela donne l'espoir de guérir. La guérison est l'objectif vers lequel vous devez diriger tout votre être, même lorsqu'il est évident que la maladie ne réagit plus au traitement curatif. Pensez positivement et vous triompherez. Un certain nombre de chercheurs ont examiné cette responsabilité mise sur les épaules des personnes malades et apportent des preuves contradictoires quant à ses effets mesurables sur la guérison.

Quand je m'occupais de malades atteints d'un cancer avancé, j'ai dû faire face à l'une des choses les plus tristes qu'il m'ait été donné de vivre. **Des patients, dont la maladie avait progressé malgré leur participation sérieuse et confiante** aux programmes de psychologie positive, m'ont avoué avoir honte d'avoir échoué à remplir la promesse de leurs conseillers, qui leur avaient assuré qu'ils pourraient vaincre leur cancer s'ils parvenaient à «rectifier leur pensée». Cet «échec» alourdissait leur responsabilité.

Le miracle

Je sais très bien que la méditation et le soutien d'autrui aident les personnes atteintes du cancer à bénéficier d'une meilleure qualité de vie et je recommande ces pistes à tous ceux à qui elles semblent utiles. Mais ce n'est pas la même chose que l'obligation de penser positivement, qui est devenue une «oppression» ou même une «tyrannie». L'espoir de guérison n'est pas le seul espoir que les patients devraient être autorisés ou encouragés à caresser. **L'espoir d'une mort donnant sens à la vie peut aussi être une ambition légitime au moment voulu.** Il reste toujours l'espoir d'un miracle, mais ce ne doit pas être le seul espoir qu'une personne devrait être autorisée à caresser à l'approche de la mort.

Les clés

- → **La méditation et le soutien d'autrui aident les gens atteints du cancer à bénéficier d'une meilleure qualité de vie. Ces pistes devraient être recommandées à tous ceux à qui elles semblent utiles.**
- → **Mais ce n'est pas la même chose que l'obligation de penser positivement, qui est devenue une «oppression» ou même une «tyrannie».**
- → **L'espoir de guérison n'est pas le seul espoir que les patients devraient être autorisés ou encouragés à caresser.**

Miles Little est professeur émérite de chirurgie à l'Université de Sydney (Australie). Il est directeur-fondateur du Centre for Values, Ethics and the Law in Medicine du service de chirurgie de l'Université de Sydney.

« On peut vivre quelques semaines sans nourriture,
quelques jours sans eau,
mais pas une seconde sans espoir. »

L'affrontement entre trajectoires

Le Liban occupe de nos jours une place prépondérante dans l'actualité avec ses bombes, ses conflits et ses réfugiés. Le professeur **Shahe S. Kazarian** vit et enseigne à Beyrouth. En parlant d'espoir, il est pris dans l'affrontement entre des trajectoires divergentes.

L'espoir est une mosaïque d'émotions positives : la force de caractère (optimisme, ouverture d'esprit face à l'avenir et orientation vers l'avenir), l'espérance religieuse avec l'amour et la foi, une profonde détermination et l'adhérence aux croyances jumelles selon lesquelles les gens sont motivés à poursuivre les objectifs qu'ils se sont fixés dans la vie et trouvent les moyens nécessaires pour les réaliser. La vision occidentale individualiste et horizontale de l'espoir imprègne les jeunes d'une culture d'agentivité *personnelle,* selon laquelle les gens choisissent leurs propres objectifs et leurs propres trajectoires, et comptent sur leurs propres forces pour réaliser leurs objectifs. De la même manière, la vision collectiviste et hiérarchique de l'espoir (*amal* et *rajaa* en arabe), caractéristique du monde arabe, imprègne les jeunes d'une culture d'agentivité *collective,* selon laquelle les gens se fixent et poursuivent des objectifs et des trajectoires modelés en premier lieu par des institutions externes au moi, telles que la famille et des cercles politiques ou sectaires.

Dans les deux cultures, l'agentivité personnelle et l'agentivité collective peuvent être modelées par la dualité religieuse crainte-espoir. Cette dualité est une source d'inspiration pour la foi et l'espérance des gens dans l'amour ultime, la sagesse, la bienveillance et la miséricorde du Tout-Puissant, et l'invocation de sa volonté (*Inch'Allah* en arabe), pour que les résultats désirés se réalisent dans cette vie ou dans la vie après la mort. Une conséquence imprévue de la culture d'agentivité personnelle est la responsabilisation d'un «moi» narcissique aux dépens du bien collectif du «nous», alors qu'une conséquence imprévue de la culture d'agentivité collective est la responsabilisation du «nous» aux dépens d'un «moi» marginalisé et sacrifié, voire martyrisé.

Le premier message est le suivant: L'intégration des jeunes à la fois dans la culture d'agentivité personnelle et dans la culture d'agentivité collective a plus de chances de produire plus d'amour individuel et collectif, plus de bonheur et plus d'espoir dans le village global.

Des rêves passionnés

La culture de l'espoir au Liban est un arc-en-ciel menacé par l'affrontement entre des émotions (la peur dans le monde occidental et l'humiliation dans le monde islamique) et l'affrontement entre des civilisations au niveau mondial (l'Occident contre la domination islamique du monde), les luttes ethniques et sectaires au niveau régional et l'affrontement entre identités intergroupales sociales et religieuses. **Le tumulte et la disharmonie de la mémoire collective des Libanais se manifestent**, par exemple, par tel cercle fermé rêvant d'une nation-État séculaire et indépendante, tel autre se passionnant pour un Liban appendice d'un ensemble arabe plus large, tel autre encore aspirant à un espace réglé sur des bases religieuses, etc.

La culture de la guerre

Sur les ailes de l'adversité et de l'incertitude invoquées par l'affrontement entre identités intergroupales, la culture de la guerre est une trajectoire dominante dans la vision de l'espoir au Liban. Cette trajectoire dominante est complétée par des trajectoires périphériques, telles que le commerce d'astrologues, de médiums, de cartomanciens et autres diseurs de bonne aventure, l'«humorisation» de l'agitation politique (p. ex. faire des blagues sur les explosions de voiture) et l'adage «ni vainqueur ni vaincu» qui sauve la face et épargne l'humiliation. La conséquence de la culture de la guerre pour les Libanais est **la régression d'une «mission d'amour» à une «mission de désespoir»:** la destruction de l'espace de vie, la perte ou la disparition tragique de plus de 150 000 vies humaines, la fragilisation de la santé (y compris de la santé mentale) et des systèmes d'activités culturelles et économiques, et le désespoir collectif d'une jeunesse exsangue qui fuit le pays.

Des gens tuent des gens

La réussite limitée de la trajectoire «des gens tuent des gens» invoque **un affrontement entre la trajectoire de la «culture de la guerre et du martyre» et celle de la «culture de la paix et de la vie»** vers la justice sociale et le bonheur. À titre d'exemple, la mise en œuvre locale d'initiatives faisant la promotion de la culture de la vie, de l'espoir et de l'optimisme, est considérée avec cynisme, voire hostilité par des cercles d'opposants qui construisent un espoir collectif basé sur des programmes tels que «Crusader Hopes» ou sur des «solutions importées de l'étranger» par des colonisateurs colonisés. Ce qui est significatif, c'est que les principaux acteurs du drame humain impliquant l'affrontement d'identités intergroupales et leurs trajectoires d'espoir divergentes sont tous convaincus de leur rôle d'ocytocine de l'optimisme, le mieux défini peut-être par ce proverbe arabe: «On peut vivre quelques semaines sans nourriture, quelques jours sans eau, mais pas une seconde sans espoir.»

Le deuxième message est le suivant: Nous devons donner aux jeunes, engagés dans des trajectoires conflictuelles en raison de l'affrontement entre identités intergroupales, les moyens de s'orienter vers une culture de dialogue basée sur la confiance, l'empathie et le pardon, afin de permettre l'élaboration d'une mosaïque de paix, de justice sociale, de gratitude, d'amour et de bonheur.

Les clés

- → **L'intégration des jeunes à la fois dans la culture d'agentivité personnelle et dans la culture d'agentivité collective a plus de chances de produire un plus grand bonheur et un plus grand espoir.**
- → **Les principaux acteurs du drame humain sont tous convaincus du bien-fondé de leurs trajectoires d'espoir divergentes.**
- → **Nous devons donner aux jeunes les moyens de s'orienter vers une culture de dialogue.**

Shahe S. Kazarian est professeur au Département de psychologie de l'Université américaine de Beyrouth (Liban). Il a été président de la London Regional Psychological Association et membre fondateur de l'Association libanaise de psychologie.

Sara Michli est étudiante diplômée du Département de psychologie de l'Université américaine de Beyrouth. Ses intérêts de recherche portent sur l'interface entre psychologie positive et psychologie culturelle.

PROJET D'ESPOIR

Peer to peer

L'an dernier, il a copublié le livre *Sauver le monde – Vers une économie post-capitaliste avec le peer-to-peer.* Même si ce titre peut sembler trop ambitieux, Michel Bauwens est convaincu de la justesse de sa thèse. Pourquoi la dynamique entre pairs serait-elle une raison si puissante d'espérer?

Le concept de «peer-to-peer», «P2P» ou «pair-à-pair» a d'abord été utilisé pour parler de structures technologiques permettant aux ordinateurs et à leurs usagers de communiquer directement entre eux, sans intermédiaire. Il était utilisé, par exemple, pour échanger gratuitement de la musique et des vidéos. Ce qui importe n'est donc pas la relation technologique, mais la relation humaine qu'elle permet. Nous pouvons à présent nous connecter très facilement à l'échelle mondiale. **Le pair-à-pair nous permet de participer librement à des projets colossaux et complexes.** Encore une fois, pourquoi est-ce un signe d'espoir?

La fausse abondance

Pour répondre à cette question, nous devons chercher ce qui, **fondamentalement, ne va pas dans l'organisation de notre monde** pour que nous soyons en train d'endommager si

gravement notre planète et notre climat.

1. Notre système est basé sur la «pseudo-croyance», ou fausse croyance, que notre croissance économique est infinie.
2. Nous croyons que les choses librement échangeables – les connaissances, la culture, l'innovation, la technologie et la science – doivent être raréfiées de manière artificielle.

Nos pratiques économiques non durables créent d'énormes problèmes, et la privatisation des connaissances entrave la collaboration qui permettrait de trouver des solutions. **Les technologies pair-à-pair (ou poste-à-poste) et la dynamique humaine permettent au contraire l'échange libre et à très bas coût des connaissances du monde.** Elles rendent donc de plus en plus difficile, sinon impossible, la privatisation des connaissances. Les partisans de la privatisation des connaissances doivent alors, soit accroître la répression légale, soit saboter les instruments technologiques, ce qui est de plus en plus indéfendable et de moins en moins légitime.

Open source

Des millions de gens dans le monde partagent actuellement des connaissances (Wikipédia), un code commun (Linux) et un design commun (la voiture *open source* Wikispeed). Bien qu'elles puissent paraître «immatérielles», ces activités ont une énorme influence sur notre économie matérielle.

Comme les entreprises privées qui conçoivent des produits et des services doivent toujours le faire en vue du marché, elles préservent la tension nécessaire entre l'offre et la demande en entretenant la rareté. **L'obsolescence planifiée n'est pas un bogue, mais un élément de notre système actuel.** Or, les communautés qui conçoivent les voitures *open source* ou distribuent des solutions énergétiques n'ont pas cette motivation. Les communautés *open source* conçoivent, produisent et mettent sur le marché des produits et des services durables.

Le pair-à-pair est une source d'espoir pour une autre raison: les gens qui produisent librement le font par passion. Et les gens passionnés sont des gens heureux et hyperproductifs, contrairement aux gens contraints, pour survivre, d'accepter des emplois qu'ils n'aiment pas. **Nous voyons émerger une nouvelle économie basée sur des communautés contributives dans laquelle les gens participent, contre paiement ou non, parce qu'ils le veulent vraiment.** Autour de ces contributions, une économie entrepreneuriale

dynamique peut voir le jour et générer des emplois. Ces communautés sont assez fortes pour créer leurs propres organisations démocratiques, concevant et défendant elles-mêmes leurs infrastructures de coopération.

Sauver le monde

Imaginez ce que cela pourrait signifier pour l'avenir. Notre société civile deviendrait productive, ses citoyens contribueraient à des réservoirs communs de connaissances, de logiciels et de designs. Cette société serait constituée de participants bénévoles et heureux, serait durable et devrait être socialement juste pour pouvoir fonctionner correctement. Voilà pourquoi le pair-à-pair est une source d'espoir et pourrait «sauver le monde».

Michel Bauwens est le fondateur de Foundation for P2P Alternatives.

Pour plus d'informations: **www.p2pfoundation.net**

«Sans perspective positive,
la souffrance est insupportable.»

L'essence de l'enfer

L'espoir actif est une grande force motivationnelle. Selon **Cristiano Castelfranchi**, c'est la puissance du désir et du possible. Mais l'espoir peut avoir de dangereux inconvénients. Et pourquoi donc ce mot est-il mentionné dans l'inscription au-dessus de la Porte de l'Enfer?

L'espoir se distingue d'autres représentations anticipées. Si nous comparons l'espoir à une attente positive, nous remarquons des réactions différentes, tant en cas de déception qu'en cas de réalisation. Contrairement à l'espoir, l'attente positive implique une composante normative, selon laquelle le résultat est considéré comme «devant» arriver. C'est pourquoi les attentes positives déçues sont typiquement associées à un sentiment d'injustice, comme si l'on subissait quelque chose d'injuste, alors que les espoirs déçus suscitent plutôt le malaise, la tristesse, etc. Les attentes positives réalisées peuvent s'accompagner du soulagement devant la disparition du risque de déception; cependant, plus une attente positive est forte, plus la satisfaction associée est faible, parce qu'il arrive effectivement ce qui «devait» arriver. En revanche, la réalisation des espoirs est très loin d'être perçue comme étant un dû – c'est plutôt l'inverse; la réaction la plus probable est donc un sentiment de joie intense plutôt que de simple soulagement.

Ces distinctions permettent d'expliquer également la coexistence possible de certaines représentations anticipées, et pas d'autres. Par exemple, là où des attentes positives

et négatives ne peuvent pas coexister quant au même événement, **l'espoir peut coexister avec une attente négative**, ainsi qu'avec la peur et l'anxiété. De plus, la comparaison entre attente positive et espoir nous permet de distinguer l'espoir des sentiments de maîtrise personnelle, d'optimisme, de confiance et de foi.

L'espoir actif

L'espoir est une grande force motivationnelle. Typiques de l'espoir actif sont les attitudes de persévérance, de patience et d'empressement à profiter de conditions favorables. Ces implications motivationnelles peuvent être considérées comme responsables du rôle crucial que l'espoir semble jouer dans le renforcement du bien-être des gens. Par exemple, l'espoir peut être une condition préalable pour accepter d'entamer et de poursuivre une psychothérapie, et semble aussi avoir un effet considérable sur le succès du traitement.

L'importance de l'espoir non seulement pour le bien-être psychologique, mais aussi pour la santé physique est de plus en plus confirmée par diverses études. **L'espoir semble être un analgésique**, en ce qu'il soulage la souffrance physique, tout en renforçant l'organisme et en favorisant la guérison. Cela illustre la corrélation bien connue entre l'esprit et le corps: le corps réagit en conformité avec l'anticipation d'un état agréable (ou moins douloureux) possible en produisant ses propres analgésiques (endorphines). L'inverse est également intéressant: une amélioration concrète de la santé physique, même légère, peut favoriser l'espoir de guérison chez le patient. À son tour, l'espoir déclenchera la production d'analgésiques par le corps, ce qui favorisera donc plus encore la guérison.

L'espoir passif

En dépit de tous ces effets positifs, l'espoir peut aussi avoir certains inconvénients. Tout d'abord, entretenir un espoir malgré une attente négative peut impliquer un certain coût: le gaspillage possible de ressources. Ensuite, l'espoir peut favoriser les illusions ou une perception inexacte de soi ou de la réalité. Cependant, la perception exacte est compatible avec une attitude optimiste. **L'espoir est un bouclier** contre les conséquences négatives entraînées par l'incertitude à propos de l'avenir – découragement prématuré et abandon de la poursuite des objectifs; il favorise l'idée que le succès est plausible et motive à faire des efforts pour y parvenir. Mais «plausible» n'est pas équivalent à «probable» ni à «certain». Finalement, l'espoir en soi a une facette passive pouvant avoir des effets négatifs. L'espoir ne favorise pas toujours notre motivation à faire des efforts pour parvenir au résultat espéré. Il peut même réduire la motivation, et ce risque est intrinsèque à sa nature. En fait, l'espoir peut favoriser l'attente passive du résultat, dans la confiance qu'on l'obtiendra «spontanément».

Le résultat espéré peut aussi être considéré comme dépendant, dans une certaine mesure, de forces qui échappent à notre contrôle. Or, pour certaines personnes (ou dans certains cas), une telle confrontation aux limitations de leur propre agentivité peut les conduire à la conclusion qu'il est impossible pour elles d'atteindre le résultat X par leurs propres actions, et donc que ce résultat n'est possible que par l'intervention d'agents ou de forces externes. Cette confiance exclusive dans des facteurs extérieurs incite ces personnes à attendre passivement la réalisation du résultat désiré.

Les fantasmes positifs

Par ailleurs, il peut arriver que l'espoir se focalise sur le résultat désiré, sans considération des conditions ou de plans possibles pour l'atteindre. Dans ce cas, l'état d'esprit optimiste consiste simplement en fantaisies positives sur le résultat X, la personne imaginant qu'il est déjà réalisé. Or, **s'accrocher à des fantasmes positifs quant au résultat désiré risque**

de réduire la motivation, et ce, au moins pour deux raisons: premièrement, en se focalisant sur le résultat final, la personne peut négliger une stratégie possible pour le réaliser; deuxièmement, en ressentant la satisfaction virtuelle qui accompagne ce résultat, elle peut ne pas ressentir la nécessité d'agir pour réaliser son fantasme. C'est pourquoi, dans ce sens, l'espoir peut être dénué de tout rôle propulseur et même être néfaste, s'il reste confiné au statut de rêve.

L'espoir reste une ressource d'une valeur inestimable. Il suffit de considérer que tant qu'il y a de l'espoir, la non-réalisation des rêves et la frustration actuelle sont relativement faciles à supporter. Inversement, le désespoir peut se concevoir comme la pire des misères humaines. Si nous ne pouvons pas anticiper un avenir meilleur, nous n'avons pas d'avenir significatif et avons donc peu de raisons de vivre. Rien d'étonnant à ce que l'inscription au-dessus de la Porte de l'Enfer soit, selon Dante Alighieri: «Ô toi qui entres ici, abandonne tout espoir.» Dante nous livre une autre sentence encore plus représentative de la souffrance des désespérés: le tourment de ceux qui, «désirant toujours, vivent sans espoir». Autrement dit, la composante «désir» est toujours présente, mais dénuée de toute perspective positive, ce qui rend la souffrance insupportable. C'est là précisément l'essence psychologique de l'enfer.

Les clés

- → **L'espoir actif est une grande force motivationnelle. C'est un analgésique.**
- → **L'espoir peut avoir des inconvénients. L'espoir passif peut même réduire la motivation.**
- → **Désirer toujours mais vivre sans espoir est l'essence psychologique de l'enfer.**

Maria Miceli est coauteure de ce texte.

Cristiano Castelfranchi est professeur de psychologie économique à l'Université LUISS à Rome (Italie), et de psychologie sociale à l'Université Télématique Internationale UNINETTUNO. Il a été professeur titulaire de psychologie générale de l'Université de Sienne et directeur de l'Institut des sciences et des technologies cognitives du Conseil national italien de la recherche (CNR-ISTC) à Rome, où il est actuellement coordinateur du laboratoire de recherche axée sur les objectifs. Il est actif dans le mouvement antipsychiatrique. Il aime l'architecture moderne et baroque, écrit en secret des poèmes et transforme des objets usuels en objets d'art (*ready-made*). «Mon espoir est que la science ne sera pas seulement utile à la production de technologies, de biens, d'argent, etc., mais aussi à l'élaboration et à la diffusion de connaissances, afin que nous puissions modifier notre compréhension collective et nos comportements, améliorer notre attitude critique envers les pouvoirs dominants, fournir des instruments en vue d'une meilleure gouvernance et favoriser la participation à la vie politique.»

«L'espoir est motivant et inspirant pour qui se trouve en bas de l'échelle.»

À chacun son échelle

«L'espoir est lié à notre capacité à accepter notre situation telle qu'elle est et à notre sentiment de pouvoir exercer sur elle un certain contrôle», disent **Sjaak Bloem** et **Joost Stalpers**. Spécialistes en psychologie économique, ils étudient le comportement des patients dans les services de santé publique. «Dans la thérapie, l'espoir est une importante motivation. Il peut améliorer la "santé perçue".» Toutefois, la quiétude, la maîtrise et la fierté jouent aussi un rôle dans une thérapie optimiste.

Une échelle est un bon moyen pour indiquer comment les gens perçoivent leur état de santé. L'échelon le plus élevé représente la meilleure journée d'une personne au cours d'une certaine période de temps, et l'échelon le plus bas, sa journée la moins bonne. Plus la personne se place haut sur l'échelle, plus elle se perçoit comme étant en bonne santé. Puisque les possibilités et les limitations sont différentes pour chacun, chaque personne a sa propre échelle. Les gens indiquent de quelle manière ils perçoivent leur état de santé (c'est-à-dire leur fonctionnement physique et mental) en choisissant l'échelon qui convient le mieux à leur situation.

MA MEILLEURE JOURNÉE

fierté

maîtrise

quiétude

espoir

MA PIRE JOURNÉE

Le fait que chacun a sa propre échelle implique aussi que se trouver en bas ou en haut a une signification différente pour chacun. Une personne paraplégique peut se trouver en haut de l'échelle bien qu'elle ne puisse pas marcher, alors qu'une autre qui s'est foulé la cheville peut se trouver en bas. Des études ont permis de cerner les facteurs déterminants pour la position sur l'échelle. Ces facteurs sont **le contrôle et l'acceptation.** Le contrôle est lié au sentiment d'avoir nous-mêmes une influence sur notre situation, alors que l'acceptation est liée à la mesure dans laquelle notre état de santé fait partie intégrante de notre vie. Si nous nous plaçons en haut de l'échelle, nous avons le sentiment de contrôler notre état de santé perçu et nous lui donnons une place dans notre vie. Si nous nous plaçons en bas de l'échelle, nous n'avons pas le sentiment de contrôler notre état de santé et nous ne l'acceptons pas. La manière dont nous percevons notre état de santé n'est pas statique, mais évolue sans cesse.

En haut ou en bas

Il existe plusieurs stratégies pour aider les gens à s'élever sur l'échelle, ou à rester en haut. Si les gens se placent déjà haut sur l'échelle, le mieux est qu'ils se nourrissent de **fierté**. Ils n'ont pas besoin d'un long coaching, mais simplement d'être confortés dans leur sentiment, par le soutien moral de leurs proches ou de leurs soignants et par des informations spécifiques à leur cas.

Les gens peuvent se placer en bas sur l'échelle parce qu'ils ont le sentiment d'avoir trop peu de contrôle, mais aussi parce qu'ils acceptent mal leur état de santé. Les gens ayant le sentiment d'avoir peu de contrôle ont besoin d'acquérir une certaine **maîtrise** sur leur situation. Pour cela, ils doivent apprendre à structurer. L'utilisation d'agendas, électroniques ou non, et de certaines applis permet par exemple de faciliter la prise de médicaments. Les gens qui acceptent mal leur état de santé ont surtout besoin de **quiétude**. Une des manières de trouver de la quiétude est d'être en contact avec des compagnons d'infortune.

L'**espoir** est le mécanisme central qui leur permet de s'élever sur l'échelle. Un accompagnement individuel et une attention personnalisée, par exemple sous forme de coaching, peuvent être très utiles.

Échelon par échelon

L'espoir est nécessaire pour apprendre à reconnaître l'importance de notre propre comportement. Il est essentiel d'amener les gens à participer à la réalisation de leur objectif. L'objectif de chacun n'est pas une donnée fixe ni un résultat final tout prêt. **L'espoir est le catalyseur, la condition de base pour avancer.** Il y a quelque chose «quelque part», «plus loin», qui deviendra peut-être réalité si l'on y travaille. L'espoir a donc un sens actif. Ce n'est pas regarder en arrière vers ce qu'il y avait, vers ce que nous aurions pu faire en tant qu'individus. Seuls ou avec d'autres, ici et maintenant, les gens doivent apprendre à saisir les possibilités qui se présentent à eux, pour avancer, pour s'élever sur l'échelle, échelon par échelon, jusqu'à ce que d'autres mécanismes deviennent plus fonctionnels.

Espérer, c'est s'adapter à la situation dans laquelle on se trouve. On s'élève sur son échelle, à petits pas, en fonction de ses possibilités. Chaque échelon est un but en soi. Petit, grand, peu importe. L'espoir est motivant et inspirant pour qui se trouve en bas de l'échelle.

Les clés

- → **La manière dont nous percevons notre état de santé évolue sans cesse. Notre position sur l'échelle dépend de notre sentiment d'acceptation et de contrôle.**
- → **Si nous nous plaçons en haut de l'échelle de l'acceptation et du contrôle, le mieux est de nous nourrir de fierté (confirmation). Si nous nous plaçons au milieu, nous avons besoin de maîtrise (structure) et de quiétude (p. ex. contact avec des compagnons d'infortune).**
- → **Si nous nous plaçons en bas de l'échelle, l'espoir est le mécanisme central qui permettra de nous élever. Dans ce cas, l'accompagnement et le coaching peuvent être très utiles.**

Sjaak Bloem est professeur à l'Université de Neyenrode (Pays-Bas). Il a étudié la psychologie économique à l'Université de Tilburg, où il a été professeur assistant. Il est spécialisé dans le comportement des usagers des systèmes de soins, la méthodologie et les innovations en matière de santé.

Joost Stalpers est titulaire d'un doctorat. Psychologue économique, il étudie l'influence de facteurs psychologiques sur la perception de la santé.

«L'espoir est la dernière ressource à mourir.»

L'espoir malgré un bas niveau de bonheur

«Les recherches internationales sur le bonheur et le bien-être montrent que la Serbie se range systématiquement parmi les pays ayant le plus bas niveau de bien-être et que les Serbes sont parmi les gens les plus malheureux de la terre, disent **Veljko Jovanović** et **Vesna Gavrilov-Jerković**. Nos recherches révèlent toutefois un paradoxe illustré par la version serbe du proverbe: *Tant qu'il y a de la vie, il y a de l'espoir.*»

Bien qu'au cours des quelques décennies passées la Serbie ait été confrontée à l'adversité (deux guerres, instabilité politique, dépression économique, déchéance morale et leurs retombées sur le bien-être), les niveaux d'espoir parmi la jeunesse serbe ne sont pas particulièrement plus bas que ceux de leurs pairs dans les pays développés plus stables.

L'espoir est en effet la dernière ressource à mourir. En d'autres termes, des études montrent que la grande majorité des adolescents serbes disent être «souvent» ou «la plupart du temps» optimistes. Ce paradoxe soulève certaines questions: Comment peut-on trouver des raisons d'espérer même dans un pays où les conditions de vie sont défavorables? Pourquoi des niveaux d'espoir relativement élevés peuvent-ils être accompagnés de bas niveaux de bonheur général?

Le contrôle

Nous avançons que l'espoir est une ressource qui joue un rôle prédominant dans des circonstances adverses, en particulier dans celles qui échappent à notre contrôle. Englobant une attitude positive envers l'avenir et la croyance que les choses iront mieux, l'espoir aide les gens à gérer le stress et les crises, à atténuer les problèmes et à naviguer sur les chemins de la vie – même dans des conditions défavorables. Les recherches que nous avons menées en Serbie montrent que **la fonction de l'espoir dans des conditions de vie difficiles est de développer et de préserver des émotions positives, plutôt que de motiver une action concrète.** Autrement dit, l'espoir aide les jeunes à affronter les difficultés existentielles qui échappent à leur contrôle, en misant sur des attentes traditionnelles («J'espère que les choses iront mieux» ou «J'espère que ce sera bientôt fini»), préservant ainsi des émotions positives en dépit des circonstances défavorables, tout en sauvegardant leur respect d'eux-mêmes et leur sentiment d'autoefficacité.

En retour, cette attitude les conduit à persévérer dans l'espoir, même lorsque les conditions de vie ne s'améliorent pas vraiment, et à faire un effort supplémentaire pour s'adapter aux possibilités. Cette situation est encore compliquée par certains traits de la culture serbe (tels qu'un sens sous-développé de la responsabilité personnelle en matière de bien-être et l'attente correspondante qu'une autorité collective comme l'État devrait intervenir pour améliorer les choses), ce qui souligne l'importance de ne pas perdre espoir malgré un bien-être général déjà réduit.

Le risque

L'espoir conduit à un plus grand bien-être. Si nous sommes capables de garder espoir dans des circonstances difficiles, nous avons une chance d'être plus heureux et en meilleure santé, et de nous adapter de manière plus positive. Nos résultats de recherche montrent que de hauts niveaux d'espoir contribuent, de manière stable et à long terme, à une plus grande satisfaction dans la vie, réduisent les sentiments de détresse et favorisent les émotions positives – mais seulement lorsqu'ils sont combinés à une flexibilité émotionnelle et à une disposition à s'adapter activement à divers défis.

De manière paradoxale, de hauts niveaux d'espoir peuvent avoir des effets négatifs inattendus, en particulier chez les personnes qui expriment l'espoir d'un lendemain meilleur, mais réagissent au stress croissant en évitant passivement les problèmes.

L'espoir exige davantage que l'attente passive de l'arrivée magique d'un lendemain meilleur. Si vous n'agissez pas, vous vous exposez à la déception et au stress. Utilisez la positivité et l'enthousiasme découlant de l'espoir pour accepter ce qui échappe à votre contrôle et pour prendre les mesures nécessaires afin de changer ce que vous pouvez. Ce faisant, vous accroîtrez vos chances de réaliser vos objectifs, de vous aimer vous-même et d'aimer les autres, et de vivre une vie qui a un sens.

Les clés

- → **Les jeunes qui vivent dans des conditions incertaines parviennent à montrer autant d'espoir que leurs pairs vivant dans les pays économiquement et politiquement stables.**
- → **La fonction adaptative de l'espoir varie selon la culture et le contexte: dans les sociétés collectivistes qui connaissent de nombreux problèmes existentiels, l'espoir sert davantage à intensifier les émotions positives et à préserver l'estime de soi qu'à réaliser des objectifs de vie.**
- → **L'espoir n'est pas toujours positif. Si nous espérons une amélioration, mais que nous évitons d'affronter le problème, nous courons le risque d'une plus grande détresse émotionnelle.**

Veljko Jovanović est professeur assistant au Département de psychologie de l'Université de Novi Sad (Serbie). Il est un pionnier en matière de recherche sur le bien-être en Serbie. Il espère que ses travaux sensibiliseront les gens au bien-être en tant qu'objectif ultime de la communauté et des politiques gouvernementales dans son pays.

Vesna Gavrilov-Jerković est professeure au Département de psychologie de l'Université de Novi Sad (Serbie). Ses intérêts de recherche sont la psychologie clinique positive, les facteurs psychologiques de protection, les mécanismes de changement comportemental et les processus psychothérapeutiques, ainsi que les modèles de changements comportementaux liés à la santé.

L'optimisme et la prise de décision

«Alors que ce livre parle de l'espoir, je voudrais m'arrêter sur le mot *optimisme*, nous dit le professeur **Walter Schaeken**. L'optimisme et l'espoir sont deux concepts psychologiques qui traduisent des perspectives positives à l'égard de l'avenir. L'optimisme est la croyance générale en un avenir prospère, tandis que l'espoir est davantage la croyance en nos capacités à bâtir cet avenir prospère.» Ces deux concepts jouent un grand rôle dans les décisions que nous prenons au quotidien.

Soyons honnêtes: si l'on y réfléchit bien, il est facile de prendre des décisions. Imaginons que j'ai soif et que je me demande ce que je devrais boire. La première chose que nous pouvons faire avant de prendre une décision est de chercher des informations pertinentes et d'étudier la probabilité des actions ou choix possibles qui sont à notre disposition. Ainsi, je peux me dire qu'il y a une petite chance qu'il y ait une bière dans le réfrigérateur (disons 30 %), mais que la chance est beaucoup plus grande qu'il y ait de l'eau gazeuse à la cave (disons 70 %). L'étape suivante de notre prise de décision consiste à calculer les avantages et les inconvénients liés aux choix qui se présentent à nous et à leur attribuer des fonctionnalités, c'est-à-dire que nous cherchons à déterminer la force de nos préférences. Cela signifie, que je me dis que j'aime beaucoup la bière, mais que je dois encore travailler et que je sais que l'alcool n'améliore pas mon efficacité au travail. D'autre part, je me dis aussi que l'eau gazeuse est désaltérante, mais que je n'ai pas envie de descendre l'escalier qui mène à la cave.

En attribuant des notes à ces réflexions, les fonctionnalités de la bière peuvent s'élever à +60 pour le goût et à -20 pour l'effet négatif sur mon travail. Les fonctionnalités de l'eau gazeuse peuvent s'élever à +60 pour son pouvoir désaltérant et à -40 pour l'escalier à descendre. **L'avant-dernière étape de votre prise de décision consiste à faire quelques calculs: vous multipliez les fonctionnalités par les probabilités et vous obtenez la fonctionnalité attendue des choix possibles.** Dans notre exemple, cela donne 0,30 × (60-20), c'est-à-dire 12 pour la bière, et 0,70 × (60-40), c'est-à-dire 14 pour l'eau gazeuse. La dernière étape consiste à prendre la meilleure décision, laquelle sera l'option ayant la plus haute fonctionnalité attendue. Cela voudrait dire, que je devrais descendre à la cave chercher une bonne bouteille d'eau gazeuse.

Pondération

Des recherches indiquent cependant que cette analyse rationnelle de la prise de décision n'est pas réaliste. L'être humain agit rarement ainsi. Notre prise de décision se caractérise par son processus heuristique. Selon Shah et Oppenheimer (2008), cette heuristique consiste à examiner moins d'indices, à réduire la difficulté d'extraction et de stockage des valeurs d'indice, à simplifier les principes de pondération des indices, à intégrer moins d'informations et à examiner moins de possibilités.

Pourquoi l'être humain choisit-il si souvent un processus heuristique? Certains scientifiques avancent que nous utilisons ces heuristiques pour nous épargner des efforts et gagner du temps. Cependant, leur aspect négatif est qu'elles vont au détriment de la précision

(Shah et Oppenheimer, 2008). D'autres scientifiques, notamment Gigerenzer, affirment que certaines heuristiques sont écologiquement rationnelles dans la mesure où elles sont adaptées aux structures de l'environnement. Autrement dit, **la pensée heuristique est parfois préférable à la pensée rationnelle: la pensée heuristique est parfois plus précise que la pensée normative.**

Échec

Une fameuse heuristique dans le domaine de la prise de décision consiste à examiner la probabilité de différents résultats. Des recherches ont mis en évidence des preuves de l'existence d'un biais d'optimisme. Le biais d'optimisme est la tendance à sous-estimer la probabilité d'événements négatifs. L'étude de Weinstein (1980) révèle par exemple que les étudiants croient avoir des chances d'acquérir un jour leur propre maison et moins de chances d'encourir un problème d'alcool que leurs pairs. Cet effet a été prouvé à maintes reprises, même si Harris et Hahn (2011) affirmaient dernièrement que de nombreuses études sur le biais d'optimisme présentent des problèmes statistiques. Shepperd, Klein, Waters et Weinstein (2013) démontrent toutefois de manière convaincante que ces problèmes statistiques sont loin d'être aussi graves qu'ils peuvent le sembler au premier abord, et que les preuves d'un biais d'optimisme sont claires et cohérentes lorsque les gens émettent des jugements comparatifs.

Pourquoi avons-nous ce biais particulier? Une étude très intéressante de Marshall et Brown (2006) révèle qu'**il existe un lien entre les attentes de succès et les réactions émotionnelles des gens devant les résultats.** Les gens qui ont de grandes attentes se sentent généralement bien, et ceux qui ont de faibles attentes se sentent généralement mal. De plus, les gens qui s'attendaient à un succès évaluent leur résultat de façon plus positive que ceux qui s'attendaient à un échec, même dans les cas où ils n'atteignent pas leur objectif. Les optimistes assument la responsabilité de leurs réussites, mais attribuent leurs échecs aux circonstances. Les pessimistes font l'inverse: ils attribuent leur réussite en grande mesure aux circonstances (par exemple, «le test était très facile») et leur échec à leur propre caractère («je ne suis pas assez intelligent»). Ces observations peuvent aussi être mises en rapport avec la ligne de recherche selon laquelle **les gens qui souffrent de symptômes dépressifs présentent des troubles au niveau de la prise de décision** (voir Gradin, Kumar, Waiter, Ahearn, Stickle, Midelers *et al.*, 2011). Il est important d'ajouter que **les gens croient réellement en leurs prédictions optimistes.** Simmons et Massey (2012) ont montré par exemple que les prédictions optimistes persistaient, même quand les participants recevaient une rémunération de 50 dollars pour faire une prédiction précise.

Flexibilité

Les gens sont-ils toujours optimistes? Non, pas du tout. Les travaux de Sweeny, Carroll et Shepperd (2006) montrent que **nous ne sommes pas toujours optimistes. Plus le moment des résultats approche, plus nous bridons notre optimisme.** En témoigne l'observation que des étudiants étaient pessimistes quant à leur résultat d'examen juste avant qu'ils en prennent réellement connaissance. Une explication plausible à cet état de fait est que cette chute d'optimisme nous prépare à mieux réagir à une éventuelle mauvaise nouvelle.

Autrement dit, il semble que notre biais d'optimisme présente de grands avantages, mais aussi que les gens sont capables de faire preuve de flexibilité. Même s'il est clair qu'elle est encore imparfaite, cette flexibilité humaine est un bon point de départ pour étudier ce biais d'optimisme du point de vue de la rationalité écologique. Dans quel environnement ou dans quelles circonstances, lors de la prise de décision, l'optimisme donne-t-il des résultats positifs? Quand nous connaîtrons mieux ces conditions, nous pourrons plus facilement profiter des avantages du biais d'optimisme, sans en subir les inconvénients. Je suis optimiste quant à nos chances de réussir cette mission. Et j'ai donc décidé que c'était le moment de prendre une bière.

Les clés

- → **Le biais d'optimisme est la tendance à sous-estimer la probabilité d'événements négatifs. Des recherches ont mis en évidence des preuves de l'existence de ce biais d'optimisme.**
- → **Les optimistes assument la responsabilité de leurs succès, mais attribuent leurs échecs aux circonstances. Les pessimistes font l'inverse.**
- → **Notre biais d'optimisme présente de grands avantages, mais les gens sont capables aussi de faire preuve de flexibilité.**

Walter Schaeken est professeur titulaire de psychologie expérimentale à l'Université de Louvain (Belgique). Il est spécialisé dans la déduction, la prise de décision et la pragmatique expérimentale. Il a publié de nombreux articles dans des revues telles que de *Psychological Review*, *Cognition* et *Journal of Experimental Psychology*, ainsi que nombre de chapitres et de contributions à des travaux de congrès revus par des pairs. Il aime fatiguer son corps par de longues courses à pied, mais aussi le nourrir avec de la bonne nourriture et de bonnes boissons, en compagnie de bons amis. Et le soir, les bons livres lui sont une excellente compagnie. «Ces agréables sensations corporelles et mentales sont un terrain propice à ma confiance dans le fait que, même s'il me faudra parfois affronter des circonstances et des événements qui seront loin d'être idylliques, je m'en sortirai toujours.»

«La psychothérapie ne consiste pas à donner de l'espoir, mais à construire et à activer l'espoir.»

L'espoir en psychothérapie

«Au cours d'une séance de psychothérapie, une adolescente de quinze ans m'a dit un jour: "En construisant au présent ma vie future, je choisis ma vie passée. Je pense que c'est ma manière d'espérer et de me sentir forte dans ma vie présente. C'est pourquoi je ne renonce jamais"», raconte la professeure **Teresa Freire**. Elle rencontre des enfants et des adolescents en psychothérapie depuis près de trente ans.

L'une des choses les plus importantes que les enfants et les adolescents m'ont apprise au cours de ces trente années de pratique porte sur l'espoir et son rôle dans notre vie. Non parce qu'il est associé à la souffrance ou à un trouble psychologique, mais au contraire parce qu'il est intrinsèquement lié au fonctionnement positif, en tant que ressource essentielle du répertoire humain.

Les enfants et les adolescents nous inspirent en matière d'espoir. Non parce qu'ils sont toujours pleins d'espoir (pas du tout!), mais parce que, naïfs comme ils sont (sans la rationalité des adultes), ils nous montrent jour après jour, instant après instant, comment ils

gèrent les processus de base de l'espoir. Parfois, ils sont pleins d'espoir parce que tout va bien, et ils deviennent encore plus optimistes. Parfois, ils sont incapables de quoi que ce soit, mais ils espèrent tout de même y arriver. Parfois, ils savent comment faire pour y arriver, mais des événements inattendus (toute sorte d'adversité) se produisent, ce qui ne les empêche pas de garder l'espoir que les choses s'arrangeront, même si elles semblent désespérées.

La motivation

Mon intervention clinique est nourrie par la psychologie positive. Au sein de cette nouvelle approche, le concept de psychothérapie a déplacé son accent des symptômes et des problèmes au bien-être ou bonheur et aux aptitudes. Ce n'est pas un remplacement des premiers par les seconds; c'est un mouvement intégratif qui fait passer les enfants et les adolescents de la faiblesse à la force, des problèmes aux solutions, de la passivité à l'implication, de l'inaction à la réussite, de la perturbation au fonctionnement optimal. C'est le mouvement pour une vie digne, que ce soit en psychothérapie ou dans toute autre situation de la vie quotidienne.

La psychologie positive a développé plusieurs théories du fonctionnement positif et de son association avec la vie heureuse. Dans cette perspective, des théories de l'espoir soulignent l'importance de la motivation, de l'agentivité, de la réflexion, de la réalisation des objectifs, des intentions, et la manière dont cela implique des sentiments, des comportements ou des cognitions. Leur application à la psychothérapie ou à l'intervention positive en général est reconnue et **plusieurs études et interventions étudient le rôle de l'espoir dans l'efficacité du traitement.** En fait, l'espoir est nécessaire pour commencer et poursuivre une intervention parce que nous y sommes confrontés au changement et à la motivation au changement. Parallèlement, l'intervention montre souvent une augmentation de l'espoir du début à la fin, parce que nous travaillons au renforcement de l'efficacité dans ce processus de changement. Mais nous ne savons toujours rien des relations causales (si elles existent) entre l'espoir et les résultats de l'intervention positive.

Le fonctionnement optimal

Inspirée par les gens *en* développement (toujours mon intérêt pour les enfants et les adolescents), je dirais qu'en psychothérapie il ne s'agit pas d'avoir de l'espoir, mais plutôt de construire et d'activer l'espoir. La psychothérapie et l'intervention positive aident à construire de nombreuses autres ressources dans la vie quotidienne et à créer les conditions optimales pour le développement de l'espoir. L'intervention positive traite du meilleur et du pire, du positif et du négatif, du bien et du mal, de l'attendu et de l'inattendu, car **ce qui importe, c'est l'intégration de ces aspects dans des trajectoires de vie** (passées, présentes, futures) et de se souvenir… qu'ici il s'agit d'espoir. L'intervention positive ne porte pas seulement sur ce qui est bon dans la vie, mais sur de nouvelles capacités de réflexion, de sentiment et d'action pour réaliser le bien-être et l'épanouissement. Et cette chaîne de processus est la principale source d'espoir.

C'est un fait, nous devons créer les conditions pour faire naître l'espoir. Le fonctionnement optimal est nécessaire pour que l'espoir existe, parce que l'espoir n'est pas un déterminant, mais un résultat et un produit. Le désespoir n'est pas ce qui fait de l'espoir un besoin ou un désir émergent, car l'espoir ne porte pas sur les problèmes, le désespoir ou le malheur. L'espoir porte sur des objectifs, la réussite, la réalisation, l'accomplissement et l'équilibre. Plus ces choses se produisent, plus l'espoir se développe et devient une ressource personnelle. Cependant, l'espoir doit être nourri et activé dans des conditions de vie optimales. En fait, l'espoir porte sur le fonctionnement optimal.

Les clés

- → **L'espoir a une importance cruciale en psychothérapie. Non parce qu'il est associé à la souffrance ou à un trouble psychologique, mais au contraire parce qu'il est intrinsèquement lié au fonctionnement positif, en tant que ressource essentielle du répertoire humain.**
- → **L'espoir est nécessaire pour commencer et poursuivre une intervention, parce que nous y sommes confrontés au changement et à la motivation au changement.**
- → **L'intervention positive ne porte pas seulement sur ce qui est bon dans la vie, mais aussi sur de nouvelles capacités de pensée, de sentiment et d'action pour réaliser le bien-être et l'épanouissement. Et cette chaîne de processus est la principale source d'espoir.**

Teresa Freire est professeure assistante à l'Institut de psychologie de l'Université de Minho (Portugal). Elle est membre de l'Unité de recherche en psychothérapie et psychopathologie, où elle coordonne le groupe de recherche sur le fonctionnement optimal. Elle est membre également du Réseau européen de psychologie positive en tant que représentante du Portugal. Pour elle, l'espoir est un instrument qui permet de gérer des situations de la vie quotidienne par la construction de trajectoires développementales. « La meilleure traduction de l'espoir est de respecter chaque enfant comme une source d'un monde meilleur et de ressentir la responsabilité de leur donner les meilleures chances de mener une vie digne. »

« Un grand pessimisme n'est pas synonyme d'un faible espoir. »

De l'espoir pour les pessimistes

«Que le verre soit à moitié plein ou à moitié vide, le plus important dans notre vie n'est pas notre niveau d'optimisme (ou de pessimisme), mais notre niveau d'espoir, disent **Elizabeth A. Yu** et **Edward C. Chang**. Ce qui compte vraiment, c'est notre capacité de croire que nos objectifs sont réalisables et de garder espoir.» Il y a de l'espoir pour les pessimistes.

Une multitude d'histoires et d'anecdotes, et des décennies de recherche, nous disent qu'il est bénéfique d'imaginer le verre à moitié plein, de penser de manière positive et d'être optimiste. Cependant, face à des problèmes comme la dépression, l'anxiété et le suicide, qui touchent une grande partie de la population mondiale, de quelle manière les pensées positives (c'est-à-dire les cognitions positives), telles que l'optimisme et l'espoir, jouent-elles un rôle? Nos recherches nous ont incités à nous demander quelle importance pourrait avoir la rencontre de ces deux cognitions positives avec la dépression.

Les cognitions positives

De hauts niveaux de cognitions positives, comme l'optimisme et l'espoir, sont associés à de hauts niveaux de résultats positifs, tels que la satisfaction dans la vie et le bien-être subjectif. Ces cognitions positives sont aussi liées à de faibles niveaux de résultats négatifs, tels que la dépression et le suicide. Lorsque les taux de dépression ne cessent de croître, il importe de déterminer comment le fait de modifier la confiance en l'avenir (c'est-à-dire les cognitions positives orientées vers l'avenir) peut aider à atténuer les résultats négatifs comme la dépression. Cependant, parmi toutes les émotions positives possibles, **pourquoi l'espoir est-il si important et en quoi diffère-t-il des autres cognitions positives orientées vers l'avenir?**

Comme le définissent Rick Snyder et ses collègues, l'espoir est une construction bipartite comprenant, d'une part, la croyance que nous sommes capables de réaliser un objectif et, d'autre part, celle que nous pouvons générer de nombreuses trajectoires vers la réalisation de cet objectif. Sur le plan théorique, l'espoir se différencie des autres cognitions positives, telles que l'optimisme. Alors que l'optimisme est la confiance générale en un résultat positif, l'espoir est plus spécifiquement la confiance que notre avenir sera positif. Sachant que l'espoir est théoriquement différent des autres cognitions positives, comme l'optimisme, et que les cognitions positives sont liées à de faibles niveaux de résultats négatifs, nous avons cherché à comprendre comment l'optimisme et l'espoir pouvaient œuvrer ensemble pour prédire des résultats négatifs, tels que les symptômes dépressifs.

Les symptômes dépressifs

Dans une étude récente sur les symptômes dépressifs chez les adultes vivant en communauté (Chang, Yu et Hirsch, 2013), nous avons relevé des preuves empiriques du fait que, bien que liés, l'espoir et l'optimisme ne sont pas redondants, ce qui montre l'importance de l'étude de ces deux cognitions positives. De plus, nous avons trouvé que l'espoir et l'optimisme étaient des prédicteurs très importants de symptômes dépressifs dans ce groupe d'adultes. Finalement, nous avons remarqué une relation interactive entre l'espoir et l'optimisme dans la prédiction de symptômes dépressifs. Autrement dit, qu'une personne soit optimiste ou pessimiste, un haut niveau d'espoir est plus révélateur d'un faible niveau de symptômes dépressifs. Par conséquent, **même si une personne croit que le résultat positif se produira de toute façon (c'est-à-dire si elle est optimiste), la croyance qu'elle possède la capacité et les moyens pour réaliser ses objectifs personnels est précieuse** pour la protéger contre de hauts niveaux de symptômes dépressifs. Notre découverte la plus intéressante a toutefois été la manière dont l'espoir fonctionne pour les pessimistes. Alors que le pessimisme est lié à de hauts niveaux de résultats négatifs, il réduit, tout comme l'espoir, les niveaux de symptômes dépressifs. Bien qu'il semble **paradoxal qu'une personne pessimiste puisse avoir de l'espoir**, un plus grand pessimisme n'est pas synonyme d'un plus faible espoir, même si les deux sont liés. Une personne peut s'attendre à un résultat négatif tout en continuant à croire qu'elle réalisera ses objectifs personnels.

Accroître l'espoir

Notre étude nous a permis de mieux comprendre la relation entre cognitions positives et problèmes psychologiques. Cependant, des études plus poussées sont nécessaires pour concevoir des instruments permettant d'accroître les cognitions positives, en particulier l'espoir, chez les personnes sensibles à des résultats négatifs comme la dépression. Malgré l'existence d'une marge de développement dans ce domaine de recherche, notre étude souligne l'importance de la confluence de cognitions positives pour réduire les résultats négatifs et augmenter les résultats positifs.

Les clés

- → **L'optimisme est la croyance générale qu'il y aura un résultat positif. L'espoir est plus spécifiquement la croyance que notre avenir sera positif.**
- → **Qu'une personne soit optimiste ou pessimiste, un haut niveau d'espoir est plus révélateur de faibles niveaux de symptômes dépressifs.**
- → **Être pessimiste tout en ayant de l'espoir réduit grandement les niveaux de symptômes dépressifs. Ce qui compte vraiment, c'est la capacité de croire que les objectifs sont réalisables et de garder espoir.**

Edward C. Chang est professeur de psychologie et de travail social à l'Université du Michigan (États-Unis). Il est rédacteur adjoint de l'*American Psychologist* et membre de l'Asian American Psychological Association.

Elizabeth A. Yu poursuit ses études de doctorat en psychologie clinique à l'Université du Michigan. Elle s'intéresse aux liens entre les cognitions positives et les résultats en termes d'adaptation.
Shao Wei Chia, **Zunaira Jilani** et **Emma Kahle** sont coauteurs de ce texte.

«L'espoir se nourrit du sentiment d'avoir un objectif supérieur.»

Les gens optimistes illuminent notre chemin

«J'ai trois héros: Nelson Mandela, Aung San Suu Kyi et Abraham Lincoln, dit le professeur **Arménio Rego**, originaire d'un petit village du nord du Portugal. Comme tout le monde, j'ai connu la souffrance et la frustration sur les plans personnel, familial et professionnel. Pendant un certain temps, j'ai nourri la haine et les ruminations. Mais ces trois géants m'ont aidé à découvrir que les gémissements incessants sont un nutriment toxique pour la vie et une voie vers un désespoir encore plus grand.» Comment pouvons-nous puiser de l'espoir auprès de gens optimistes qui illuminent notre chemin?

Mes trois héros ont subi d'énormes souffrances physiques et morales; ils ont affronté de dangereux ennemis et passé des décennies à surmonter de terribles obstacles et de cuisants échecs. Confrontés à des trahisons, ils se sont souvent sentis impuissants et ébranlés. Mais ces géants n'ont jamais renoncé, même quand leur vie était en jeu.

Mandela: l'objectif significatif

Assurant lui-même sa défense lors de son procès pour sabotage en 1963-1964, Mandela, qui était passible de la peine de mort, déclara au tribunal: «Toute ma vie, j'ai lutté pour la cause du peuple africain. J'ai combattu la domination blanche et j'ai combattu la domination noire. J'ai adopté pour idéal une société démocratique et libre où tout le monde vivrait ensemble dans la paix et avec des chances égales. C'est un idéal que j'espère atteindre, **mais c'est aussi un idéal pour lequel je suis prêt, s'il le faut, à mourir.**»

Dans les années qui ont suivi, c'est l'espoir, nourri par cet objectif significatif et soutenu par d'autres composantes psychologiques (autoefficacité, optimisme et résilience), qui a permis à Mandela et à d'autres prisonniers de générer une métamorphose à Robben Island et ensuite dans toute l'Afrique du Sud. Les chercheurs Cascio et Luthans (*Reflections on the metamorphosis at Robben Island*, 2014) ont conclu que les prisonniers politiques détenus sur l'île avaient entamé un parcours psychologique et politique afin de transformer ce «trou de l'enfer» en un symbole de liberté, de libération personnelle et d'espoir pour l'avenir.

Suu Kyi: la résilience

Si nous nous penchons sur la vie de Suu Kyi, nous voyons émerger un modèle similaire: une puissante combinaison de la force de la volonté et de la force des moyens (c'est-à-dire l'espoir), nourrie par un objectif significatif et soutenue par de hauts niveaux d'autoefficacité, d'optimisme réaliste et de résilience. Suu Kyi a parlé à un journaliste de ses «jours terribles» alors qu'elle était totalement isolée en résidence surveillée: «Parfois, je n'avais pas assez d'argent pour m'acheter à manger. **J'étais si affaiblie par la malnutrition que mes cheveux tombaient** et que je n'arrivais pas à me tirer du lit. J'avais peur de m'être abîmé le cœur [...]. Je me disais que j'allais mourir d'une défaillance cardiaque, mais pas de faim [...]. Mais ils ne m'ont jamais eue ici», a-t-elle ajouté en pointant du doigt son cœur.

Lincoln: l'autoefficacité

Abraham Lincoln («Abraham l'honnête»), l'abolisseur de l'esclavage aux États-Unis, a été couvert d'éloges par Charles Francis Adams non pas parce qu'il possédait un «génie supérieur», mais parce que, «du début à la fin, il a convaincu les gens de son honnêteté et de sa fidélité à un grand objectif». En 2005, l'historienne et journaliste américaine Doris Kearns Goodwin écrivait: «À partir de ce moment-là, propulsé par le sentiment renouvelé d'avoir un but, Lincoln consacra la majeure partie de son énergie au mouvement anti-esclavagiste. Conservateur et contemplatif par tempérament, il a prudemment adopté de nouvelles positions. Cependant, une fois engagé dans la cause anti-esclavagiste, et ce, au milieu des années 1850, il a fait preuve d'une remarquable ténacité et d'authenticité dans ses sentiments.»

Ce que nous constatons cette fois aussi, c'est que l'espoir est alimenté par un objectif significatif très noble et qu'il est soutenu par l'autoefficacité par la résilience nécessaire pour rebondir et avancer et par un optimisme réaliste Guelzo, 2003). Tout comme mes deux autres héros, Lincoln a connu le désespoir et les échecs. Il a même été en proie à la dépression, mais, «nourri par sa résilience, sa conviction et sa force de volonté», il s'est ressaisi (Goodwin, 2005).

Trois lumières

En bref, ce que mes trois héros m'ont fait comprendre, c'est que leur espoir se nourrissait du sentiment d'avoir un objectif supérieur. Cet objectif était illuminé non seulement par les autres composantes du capital psychologique, mais aussi par une extraordinaire capacité à pardonner, une humilité indicible à tirer des enseignements des erreurs commises, **une prudence et une sagesse pour concevoir des objectifs clairs au milieu des ténèbres et de la confusion**, et une honnêteté incontestable. J'en ai tiré deux enseignements. Le premier est tout personnel: en dépit des difficultés, j'ai une bonne vie, je n'ai aucune raison de me plaindre et j'ai le devoir de guider ma vie avec une boussole dont le Nord se trouve là où sont placés mes objectifs supérieurs. Le second enseignement concerne mes recherches: nous pouvons beaucoup apprendre en étudiant de quelle manière l'espoir interagit avec d'autres forces psychologiques et de quelle manière les autres vertus peuvent inciter des individus (notamment nos dirigeants) à mettre l'espoir au service d'une amélioration tant individuelle qu'organisationnelle et sociale.

Les clés

- → **Nous pouvons toujours puiser de l'espoir auprès de gens forts et optimistes qui illuminent notre chemin.**
- → **L'espoir de Mandela, de Suu Kyi et de Lincoln était alimenté par le sentiment d'avoir un objectif supérieur; il était illuminé par le pardon, l'humilité et l'honnêteté, et par une sagesse permettant de concevoir des objectifs clairs au milieu des ténèbres.**
- → **Nous avons le devoir de guider notre vie avec une boussole dont le Nord se trouve là où sont placés nos objectifs supérieurs.**

Arménio Rego est professeur associé à l'Université d'Aveiro et membre du Centre de recherche en gestion de l'institut universitaire ISCTE-IUL à Lisbonne, au Portugal. Il est titulaire d'un doctorat en sciences de la gestion et a publié des articles dans des revues telles que le *Journal of Business Ethics* et le *Journal of Happiness Studies*. Ses recherches portent sur le «savoir organisationnel positif» (POS), ses intérêts de recherche étant notamment le travail significatif, le leadership authentique et la virtuosité organisationnelle. Il est coauteur de plus de 40 ouvrages, notamment *The Virtues of Leadership: Contemporary Challenges for Global Managers* (Oxford University Press, 2012, en collaboration avec Miguel Pina e Cunha et Stewart Clegg). A-t-il une ligne de conduite personnelle? «Pour parvenir au bonheur, il faut être prêt à souffrir» (Suu Kyi). De quoi se nourrit le plus son espoir? «Aimer mes enfants et respecter les vœux de mes merveilleux parents (décédés).»

«Félicitez et récompensez les jeunes pour leurs résultats, mais aussi pour leurs efforts.»

L'espoir à l'école

«Au cours des vingt dernières années, des chercheurs ont acquis une compréhension plus claire des relations entre l'espoir et d'importants aspects de la vie des écoliers, disent **Susana C. Marques** et **Shane J. Lopez**. Des recherches montrent que les écoliers plus optimistes réussissent mieux à l'école et dans la vie que les écoliers moins optimistes.»

Nos études récentes montrent que l'espoir est positivement associé à l'estime de soi, à la satisfaction dans la vie, à la santé mentale et à la réussite scolaire chez les écoliers portugais âgés de dix à quinze ans. De plus, les élèves qui ont des espoirs extrêmement grands se distinguent de ceux qui ont des espoirs moyens et de ceux qui ont des espoirs extrêmement faibles par leurs niveaux beaucoup plus élevés d'estime de soi, de satisfaction dans la vie, d'engagement dans leurs études et de réussite scolaire. Dans le même ordre d'idées, des espoirs extrêmement grands et moyens sont associés à des bénéfices pour la santé mentale que nous n'avons pas trouvés chez les écoliers qui ont des niveaux d'espoir extrêmement faibles.

La transmission

Vu que l'espoir est malléable et qu'une personne pessimiste peut apprendre à devenir optimiste, nos jeunes ont besoin d'un effort soutenu dans ce sens de la part des adultes qui prennent soin d'eux et de leur avenir. Les parents sont les premiers agents importants susceptibles de donner de l'espoir aux enfants. Ils offrent un modèle de l'espoir par la manière dont ils communiquent, établissent des objectifs, répondent aux défis et résolvent les problèmes. Les enseignants jouent également un rôle important, car ils influent sur la façon dont les enfants perçoivent leurs compétences à réaliser des objectifs et à surmonter des obstacles. Les parents ou les enseignants qui ont de grands espoirs favorisent le mode de pensée optimiste chez les enfants.

Quant aux psychologues scolaires, ils sont bien placés pour stimuler cette transmission de l'espoir. Voici quelques suggestions à cet effet:

- → Faites savoir aux parents et aux enseignants que les enfants construisent l'espoir en apprenant à se fier à la prédictibilité ordonnée et à la cohérence de leurs interactions avec eux.
- → Expliquez-leur l'importance d'être ferme, juste et cohérent dans la construction de l'espoir chez leurs enfants.
- → Expliquez-leur l'importance de créer une atmosphère de confiance dans laquelle les enfants sont responsables de leurs actions.
- → Soulignez le fait que les enfants ont besoin d'être félicités et récompensés à la fois pour leurs efforts et pour leurs résultats.
- → Encouragez-les à établir des objectifs concrets, compréhensibles et subdivisés en sous-objectifs.
- → Élaborez avec eux des objectifs à long terme plutôt qu'à court terme.
- → Soulignez l'importance de la préparation et de la planification.
- → Créez une atmosphère qui encourage les écoliers à faire des efforts et à comprendre l'information, plutôt qu'à désirer uniquement obtenir de bons résultats (p. ex. de très bonnes notes ou de brillants résultats sportifs).
- → Favorisez une ambiance où règne un processus donnant-donnant entre les parents/enseignants et les enfants.
- → Encouragez les enseignants à rester engagés et investis dans la poursuite de leurs propres objectifs de vie hors de la salle de classe.
- → Dites-leur qu'être un adulte optimiste présente de nombreux avantages. Par exemple, les gens qui ont de grands espoirs réussissent mieux dans leur travail, jouissent d'un plus grand bien-être et vivent plus longtemps.

L'école est l'endroit idéal pour travailler en groupes et intégrer des influences pertinentes. Il est sans doute juste de dire que tous les écoliers, quelles que soient leur culture et leur langue, ont besoin que leurs parents, leurs enseignants et la communauté les aident à avoir l'énergie et les idées nécessaires à la construction de leur avenir. Construire l'espoir dans les écoles est peut-être un bon point de départ pour avoir des jeunes enthousiastes et préparés à l'avenir.

Les clés

- → **Les jeunes plus optimistes réussissent mieux à l'école (engagement et réalisation) et dans la vie (estime de soi et satisfaction dans la vie) que les enfants moins optimistes.**

- **Vu que l'espoir est malléable et que le pessimiste peut apprendre à devenir optimiste, nos jeunes ont besoin d'un effort soutenu dans ce sens de la part des adultes qui prennent soin d'eux et de leur avenir.**
- **Un parent ou un enseignant qui a de grands espoirs stimule le mode de pensée optimiste chez les enfants. Il y a de nombreuses manières de stimuler cette transmission de l'espoir.**

Susana C. Marques est professeur de psychologie positive et chercheuse à la Faculté de psychologie et des sciences de l'éducation de l'Université de Porto (Portugal). Elle a publié de nombreux articles et chapitres d'ouvrages sur l'espoir, et codirige actuellement la 3e édition de l'*Oxford Handbook of Positive Psychology* (en collaboration avec S. J. Lopez et Lisa Edwards). Elle travaille également comme consultante, appliquant l'espoir et d'autres forces dans des organisations et des établissements scolaires. Elle est la chercheuse principale au sein de plusieurs projets nationaux et internationaux, notamment des études financées par la Commission européenne. L'énergie et la persévérance avec lesquelles son fils de trois ans cherche à réaliser ses propres «objectifs» lui font prendre conscience que chaque enfant peut réussir si ses espoirs sont soutenus.

Shane J. Lopez, auteur du chapitre intitulé «Faire naître l'espoir», est aussi coauteur de ce texte.

Soutenir les forces

L'un de nos programmes scolaires pour renforcer l'espoir chez les enfants et chez les jeunes a pour titre: «Construire l'espoir pour l'avenir: Programme pour soutenir les forces des écoliers».

Ce court programme comprend cinq séances d'une heure avec des écoliers et du travail direct avec les parties directement concernées (parents, enseignants et camarades d'école). Il a été conçu pour des écoliers portugais et mis en œuvre avec eux par Susana C. Marques, Shane J. Lopez et J. L. Pais-Ribeiro pour les aider à conceptualiser des objectifs clairs, à concevoir une grande gamme de trajectoires vers leur réalisation, à rassembler l'énergie mentale nécessaire pour poursuivre leurs objectifs et à reformuler des difficultés apparemment insurmontables en défis résolubles. Une première mise en œuvre et l'examen des premiers résultats du programme ont révélé que les jeunes du groupe d'intervention ont vu s'accroître leur espoir, leur satisfaction dans la vie et leur estime de soi pendant au moins un an et demi après la fin du programme.

PROJET D'ESPOIR

Des étudiants axés sur l'espoir et l'objectif

L'un des effets particulièrement prometteurs de la psychologie positive est l'intérêt croissant que portent les écoles et les universités du monde entier à l'éducation positive. L'Université Tec Milenio au Mexique est un bel exemple de cette évolution. Impliquant 38 000 étudiants, ce formidable programme d'éducation positive met l'accent sur l'espoir et l'objectif.

L'Université Tec Milenio au Mexique compte 38 000 étudiants répartis sur 29 campus dans tout le pays. L'un de ses objectifs est que, outre l'acquisition d'aptitudes professionnelles, les étudiants développent des compétences pour renforcer leur bien-être et mener une vie pleine de sens. Pour y parvenir, l'université a créé un institut des sciences du bonheur, dont Margarita Tarragona est la directrice.

Passionnée par les processus de transformation par l'éducation, le coaching, le counseling et la psychothérapie, elle intègre des résultats de recherche sur le bien-être à des pratiques collaboratives et narratives afin de générer des dialogues permettant aux gens de développer le récit de leur vie et de s'épanouir.

Quatre piliers

Margarita Tarragona: « Notre mission est de promouvoir le bien-être par l'éducation, par la recherche scientifique et par des pratiques factuelles. Elle repose sur quatre piliers. »

1. **« Enseigner le bien-être »**: le cours phare sur le bien-être est un cours de psychologie positive destiné à tous les étudiants de première année. Ce cours combine des contenus en ligne (conférences, vidéos et exercices) et 6 séminaires expérimentaux (de 4 heures chacun) au cours du semestre. Cette année, plus de 1 500 étudiants ont suivi ce cours.

La division Formation des adultes propose un programme sur les fondements de la psychologie positive. Plus de 110 professionnels actifs dans différents domaines – éducation, management, médecine, coaching, psychologie et journalisme – ont suivi ce programme et appliquent la psychologie positive dans leur travail.

Ce que Tec Milenio a d'exceptionnel, c'est qu'un grand nombre de ses administrateurs et de ses enseignants suivent cette formation de psychologie positive: le recteur de l'université, les vice-recteurs, les directeurs, les directeurs de campus, les mentors: en tout, plus de 200 personnes à des postes de direction et 120 professeurs.

2. «**Vivre le bien-être**»: c'est-à-dire joindre le geste à la parole. L'université veut construire un «écosystème de bien-être» pour toutes les personnes qui étudient et travaillent en son sein. Il s'agit de mettre l'accent sur les forces relationnelles, de cultiver l'appréciation et la gratitude, et de mettre en œuvre des pratiques factuelles permettant de promouvoir le bonheur et la santé. Les activités para-universitaires sont conçues pour répondre explicitement à divers aspects du bien-être, et des campagnes sont organisées tout au long de l'année universitaire pour explorer ces éléments de bien-être.

3. «**Étudier le bien-être**»: l'université s'intéresse plus particulièrement à l'évaluation de l'impact de ses programmes universitaires et para-universitaires sur le bien-être de ses étudiants et de ses employés.

4. «**Partager le bien-être**»: il s'agit de diffuser les connaissances scientifiques sur le bonheur au-delà des campus et d'offrir des formations et des consultations à toutes sortes d'organisations dans les communautés.

«Si t'as un pied dans l'avenir et l'autre dans le passé, tu pisses sur le présent.»

Espoir et gratitude

«"Si t'as un pied dans l'avenir et un pied dans le passé, tu pisses sur le présent." Telle est la sagesse qu'un toxicomane m'a transmise alors que je me demandais comment j'allais écrire l'introduction d'un article sur la gratitude pour un livre sur l'espoir, vu qu'en psychologie il n'est pas coutume d'étudier ensemble l'espoir et la gratitude», dit le professeur **Alex Wood**.

Effectivement, la gratitude et l'espoir semblent de prime abord *incompatibles*, étant donné que la gratitude reflète une vision positive du *présent*, alors que l'espoir implique des attentes positives pour l'*avenir*. Cependant, comme le suggère la citation un peu cavalière du début, l'espoir seul ne suffit pas pour mener une bonne vie.

L'espoir tragique

Comme en témoignent les titres de chapitre de ce livre, l'espoir peut être positif, et une vie sans espoir peut être insupportable. Toutefois, **l'espoir sans gratitude peut aussi être dangereux.** Une personne peut, par exemple, ne pas aimer la vie qu'elle mène au quotidien et vivre continuellement pour un avenir qui ne se concrétisera peut-être jamais ou qui se concrétisera mais en laissant la majeure partie de sa vie gâchée. La littérature est truffée d'exemples de cette sorte d'espoir tragique, illustré par l'archétype de la personne qui attend toute sa vie un amour qui ne sera jamais partagé. En effet, vu la finitude de la vie, *tout* le temps passé à ne pas aimer le présent, mais à toujours regarder avec envie vers l'avenir, a quelque chose de tragique.

L'aspect de la religion organisée que Karl Marx appelle l'«opium du peuple» peut être vu comme une tentative pour entretenir un espoir tragique; des agents de contrôle social encouragent les gens à supporter les conditions abusives dans lesquelles ils vivent au présent, en leur faisant miroiter un bonheur éternel dans l'au-delà (bonheur qui, au mieux, échappe au contrôle de ceux qui le promettent). De fait, la question du contrôle est généralement problématique pour l'espoir, en ce sens que **la plupart des choses que les gens espèrent échappent (totalement) à leur contrôle**, de sorte que plus ils espèrent, plus ils laissent des événements incontrôlables déterminer leur bien-être. Mais les gens changent constamment. Votre «moi» de cet instant n'existera plus comme tel dans une seconde, car les expériences de l'instant vous auront changé. Nos recherches montrent que la personnalité profonde des gens change énormément avec le temps. Dans une dizaine d'années, chaque cellule de notre corps sera différente. Par conséquent, l'avenir que nous espérons sera réellement vécu par une personne différente.

L'aide authentique

Je ne m'attarderai pas sur les bienfaits de l'espoir, car d'autres auteurs abordent ce sujet dans ce livre, mais sur l'idée que, dans la mesure où l'espoir peut avoir un côté négatif, ce côté peut être atténué si la gratitude est présente. Les gens pensent parfois que la gratitude est une émotion purement transactionnelle – que c'est ce que nous ressentons quand nous avons reçu quelque chose. Nous avons en effet constaté que l'expérience de gratitude, chez la plupart des gens, dépend presque entièrement de la manière dont ils considèrent l'aide qu'ils reçoivent. Les gens éprouvent toujours de la gratitude lorsqu'ils perçoivent l'aide qu'ils reçoivent comme étant précieuse pour eux, astreignante pour leur bienfaiteur et donnée dans des intentions altruistes. **Nous connaissons tous des personnes qui font preuve de plus ou moins de gratitude lorsque nous les aidons.** Nos recherches indiquent que cela tient entièrement à la manière dont ces personnes interprètent les événements, si elles considèrent l'aide qu'elles reçoivent comme astreignante, précieuse et donnée dans des intentions altruistes, ou bien sans valeur, inutile et liée à des motivations ultérieures.

Nos expériences avec des écoliers montrent que nous pouvons nous entraîner à avoir une interprétation plus charitable (et souvent plus juste) dans ces domaines et que, ce faisant, nous éprouvons davantage de gratitude. Mais **la gratitude est plus que la simple appréciation de l'aide reçue.** La gratitude est un sentiment plus large de l'appréciation de *tout* ce qui est bon dans le monde, y compris des aspects du monde lui-même, des possessions, du statut social relatif et de la simple existence. Nos recherches révèlent que les gens enclins à ressentir plus particulièrement une certaine forme de gratitude ont tendance aussi à ressentir toutes les autres formes de gratitude, et que ceux qui ressentent plus de gratitude en général ont une vie bien meilleure que les autres. Les gens reconnaissants sont plus heureux, moins stressés et plus épanouis dans leurs relations. Ils dorment mieux, affrontent mieux l'adversité et réussissent mieux à conserver leur bien-être lors des grands tournants de la vie.

Développer l'appréciation

Ce sentiment élargi d'appréciation peut facilement être développé. Le simple fait de tenir un journal intime où nous notons chaque jour trois choses pour lesquelles nous sommes reconnaissants a un effet spectaculaire sur le bien-être. Chose incroyable, cela s'avère tout autant efficace, pour les gens présentant des niveaux cliniques d'anxiété et de dépression ou vivant de grandes insatisfactions face à leur corps, que les techniques thérapeutiques lourdes (quoique moins efficace évidemment qu'une thérapie complète). Selon des données empiriques, cela semble tenir au fait que les gens prêtent attention à chaque instant à des choses qui autrement leur échapperaient.

La gratitude aide à surmonter de nombreux défis que peut poser l'espoir, en cela qu'elle implique une appréciation du présent et qu'elle est entièrement sous notre contrôle. Cependant, la gratitude sans espoir peut poser des problèmes. Une personne peut renoncer à tenter d'améliorer le monde si elle est trop satisfaite de ce qu'elle a maintenant *et* si elle n'a aucun espoir que les choses puissent changer. Nous avons donc besoin à la fois de gratitude et d'espoir pour ne pisser ni sur aujourd'hui ni sur demain.

Les clés

- → **Vu que nos personnalités profondes changent énormément avec le temps, l'avenir que nous espérons sera vécu par une personne différente.**
- → **L'expérience de la gratitude dépend presque entièrement de la manière dont nous considérons l'aide que nous recevons.**
- → **L'espoir sans gratitude (et vice versa) peut être dangereux.**

Alex Wood est titulaire d'un doctorat. Il est professeur et directeur du Centre de sciences comportementales de l'École de management de l'Université de Stirling (Écosse, Royaume-Uni), lequel centre intègre les sciences comportementales (qui mettent l'accent sur l'individu) aux sciences sociales (qui mettent l'accent sur la structure de la société). Il est connu au niveau international pour son approche intégrative du bien-être. Ces six dernières années, il a écrit plus de 85 ouvrages et articles universitaires et mené plusieurs recherches fondamentales sur la gratitude. Il a reçu de nombreuses récompenses, notamment la présidence d'honneur de l'Université de Manchester et le prix GSOEP pour la meilleure publication scientifique.

«Nous pouvons nous entraîner à avoir une vision optimiste du monde à l'aide d'interventions positives.»

Une porte se ferme, une autre s'ouvre

«Il est largement prouvé que les gens optimistes ont tendance à être plus satisfaits dans leur vie que les autres, ce qui soulève la question suivante: quels sont leurs secrets? On pourrait dire qu'ils voient le bon côté de la vie et le considèrent comme probable. Mais il y a plus», affirme **Sara Wellenzohn**.

Tôt le matin, alors que j'étais en randonnée dans les montagnes avec une amie, j'ai reçu un SMS d'une autre amie me disant qu'elle nous rejoindrait plus tard dans la journée. Je lui ai répondu que des nuages s'annonçaient et qu'il ne tarderait sans doute pas à pleuvoir. De plus, les prévisions météo du jour étaient plutôt mauvaises. J'ai insisté sur le fait que nous nous attendions à un après-midi pluvieux, voulant la prévenir que notre belle humeur était déjà entamée. J'ignorais à quel point mon amie était optimiste. Elle m'a récrit: «Oui, mais le temps peut s'améliorer dans l'après-midi, qui sait? Sinon, on passera un bon moment au refuge.» Je lui ai répondu en ironisant sur son message et son optimisme.

Comme vous pouvez vous y attendre, elle a finalement eu raison et nous avons eu une belle journée ensoleillée. Je suis reconnaissante envers mon amie de m'avoir appris qu'il vaut mieux s'attendre à ce qu'il arrive quelque chose de bien, plutôt que de passer son temps à s'inquiéter pour des choses qui peuvent ne pas arriver. Cet optimisme a eu un effet positif sur notre humeur à toutes les trois. Mais cet optimisme peut-il s'apprendre et a-t-il un effet sur le bien-être général de la personne?

La stratégie

Dans notre groupe de recherche, nous testons l'efficacité des interventions dites de psychologie positive, réalisables en ligne. Le but de ce type spécifique d'interventions est d'améliorer le bien-être des gens. Bien sûr, l'optimisme pourrait être considéré comme un ingrédient utile de ce type d'interventions. Plusieurs chercheurs ont testé l'efficacité de l'intervention appelée «une porte se ferme, l'autre s'ouvre». L'axe principal de cet exercice est de penser tout d'abord à des choses qui se sont mal passées dans le passé (les portes qui se ferment), mais de penser ensuite aux conséquences positives imprévues (les portes qui s'ouvrent) qui en ont découlé.

La stratégie que cette intervention est censée enseigner ne consiste pas à voir le monde à travers des lunettes roses. Il ne s'agit pas d'ignorer ou d'amoindrir les problèmes et les résultats négatifs, mais d'encourager les gens à adopter un point de vue plus équilibré sur un événement. **Bien sûr, il peut y avoir des situations qui ne permettent pas de voir «s'ouvrir des portes», mais de nombreux événements peuvent aussi avoir un aspect positif.** Si, dans certains cas, le côté négatif prédomine, se permettre de voir le côté positif peut être le premier pas vers une vision optimiste du monde.

L'entraînement

Être optimiste consiste également à être conscient des aspects positifs des choses que l'on ne peut pas changer (comme le temps dans mon exemple ou des événements situés dans notre passé). Pour beaucoup de gens, cela exige un certain entraînement; ils doivent être encouragés à être créatifs et à s'ouvrir à de nouvelles perspectives. Pour illustrer cet argument, si l'on se réfère à mon histoire, nous avions besoin de prévoir une activité de remplacement au cas où le temps serait mauvais. Autrement dit, si l'on veut adopter la stratégie «une porte se ferme, une autre s'ouvre», **il est utile d'avoir une idée de ce que pourrait être la porte qui s'ouvre.** L'intervention a pour but de renforcer cette capacité en se basant sur des situations passées. Un entraînement continu aide souvent les gens à choisir cette approche, non seulement pour des situations passées, mais aussi pour des circonstances présentes et futures et, ce faisant, à adapter la vision optimiste du monde.

Trois mois

Dans une étude récente, nous avons voulu tester de manière empirique si l'intervention intitulée «une porte se ferme, une autre s'ouvre» était susceptible d'accroître le bonheur.

Nous avons relevé les changements survenus dans le bonheur de nos participants au cours d'une période allant jusqu'à six mois. Nous avons comparé deux groupes. Les membres du premier groupe ont noté, pendant sept jours consécutifs, des situations dans lesquelles une porte se fermait, mais une autre s'ouvrait. Les changements survenus dans les niveaux de bonheur de ces personnes ont été comparés à ceux d'un second groupe (ou groupe témoin) dont les membres avaient accompli une autre tâche de même durée. Avant l'intervention (les sept jours consécutifs), ainsi que juste après avoir accompli leur tâche, après un mois, trois mois et six mois, les participants ont rempli un questionnaire standardisé sur le bonheur.

Les résultats de notre étude ont montré qu'**un ou deux mois après la semaine d'intervention intitulée «une porte se ferme, une autre s'ouvre», les participants du premier groupe indiquaient un plus grand accroissement de leur bonheur** que ceux du groupe témoin. À la question que posait notre recherche, nous pouvons donc répondre: «Oui, une intervention autogérée, basée sur l'optimisme, peut aider les gens à accroître leur bonheur.»

En résumé, il semble que l'entraînement à une vision optimiste du monde ait eu un effet sur le bien-être des participants à ces recherches.

Les clés

- → **Dans l'intervention «une porte se ferme, une autre s'ouvre», nous réfléchissons à des choses qui se sont mal passées (les portes qui se ferment) et à leurs conséquences positives imprévues (les portes qui s'ouvrent).**
- → **Être optimiste consiste aussi à être conscient des aspects positifs des choses que nous ne pouvons pas changer. Pour beaucoup de gens, cela exige un certain entraînement.**
- → **Des interventions autogérées, basées sur l'optimisme, aident les gens à accroître leur bonheur à long terme.**

Sara Wellenzohn est associée de recherche au Département de psychologie de l'Université de Zurich (Suisse). Dans sa thèse de doctorat, elle étudie des interventions de psychologie positive. Pour son mémoire de maîtrise (master), elle a travaillé en laboratoire sur la personnalité et l'évaluation. Elle est membre fondateur du conseil d'administration de l'Association suisse de psychologie positive (SWIPPA). Outre sa contribution à l'introduction de la psychologie positive en Suisse et ses recherches sur ces thèmes, elle aime passer du temps avec ses amis, faire de la randonnée dans les montagnes et nager dans les rivières. Elle cherche à voir comment nous pouvons contribuer à la préservation de cette nature qu'elle apprécie tant.

«Il faut dix ans pour faire pousser un arbre, mais cent ans pour former les gens.»

Conquérir le destin

«La croyance chinoise des étincelles qui s'enflamment n'est pas liée seulement à la croyance personnelle en ses propres potentialités, mais aussi à la traditionnelle croyance culturelle chinoise qui veut qu'il faille faire de sérieux efforts pour tenir sur ses propres jambes (*Zi Qiang Bu Xi*) et que les enfants donnent de l'espoir à la famille, nous disent **Patrick S. Y. Lau** et **Florence K. Y. Wu**. Ce trait culturel montre la manière dont les Chinois entretiennent l'espoir.»

La première fois que des élèves ayant des besoins éducatifs particuliers ont été interviewés sur leurs projets d'avenir dans le cadre d'une recherche sur la mise en œuvre de programmes de développement des jeunes en milieu scolaire, l'un d'eux a déclaré: «J'espère pouvoir utiliser mes *étincelles* particulières pour éclairer ma vie et celle de ma famille. Même si ces étincelles sont "trop particulières" pour les autres, j'espère pouvoir les utiliser. Nos parents ont dépensé trop de temps, d'argent et d'énergie pour m'élever.» À leurs yeux, la «particularité» et les défis pour l'avenir des élèves à besoins particuliers sont bien connus. Malgré les difficultés auxquelles ils pourraient être confrontés dans le futur, les élèves croient toujours fermement en l'avenir et espèrent apporter des changements dans leur vie et dans celle de leur famille en utilisant leurs *étincelles*.

Une meilleure récolte

Dans un pays qui mise sur l'agriculture, le processus répétitif des semailles, de l'attente (que les plantes poussent) et des récoltes cultive l'espoir. Les paysans prient sincèrement pour que la nature leur accorde le beau temps, et donc une bonne année pour les récoltes. Même si des inondations et des périodes de sécheresse les obligent parfois à vivre dans des conditions difficiles, ils ne perdent jamais espoir et souhaitent fortement avoir de meilleures récoltes l'année suivante. Ce n'est pas seulement l'émotion provoquée par les effets positifs qui maintient notre engagement dans des objectifs futurs. C'est la forte croyance intime dans la conquête du destin, même quand celui-ci semble échapper à notre contrôle, qui nous donne la force d'aspirer à un avenir prometteur. Le destin joue un rôle important dans le maintien de l'espoir pour notre pays. Accepter son destin ne veut pas dire réagir passivement face aux situations adverses et incontrôlables. Le destin est considéré comme un objectif pour ou contre lequel il faut lutter. Nous sommes prêts à rencontrer notre destin et heureux de cette rencontre. Nous conquerrons notre destin et nous y ferons face de manière proactive et créative.

La bonté héritée

Cette persévérance est également rendue explicite et évidente dans notre éducation. Selon un fameux dicton sur notre croyance éducationnelle, «il faut dix ans pour faire pousser un arbre, mais cent ans pour former les gens». Cette «formation» touche tous les gens du pays, et perpétue la croyance que la bonté se transmet de génération en génération. Cette croyance en la bonté héritée relie inexorablement l'espoir, tant pour les individus que pour la famille et même le pays, à la formation des jeunes générations. À Hong Kong aujourd'hui, de nombreux chercheurs locaux conviennent que la promotion de l'espoir et de l'optimisme à l'école est une manière prometteuse d'améliorer le bien-être des gens. La mise en œuvre de la planification de la carrière dans les écoles est une des manières d'inciter les élèves à visualiser leur avenir et à découvrir des étincelles – au moyen de la compréhension de soi et de l'acceptation de soi.

Une échelle pour aller au ciel

Bien que les Chinois expriment de manière subtile leur amour pour les autres, l'histoire de l'«escalier de l'amour» témoigne bien aussi de leur croyance en l'espoir. L'escalier de l'amour est l'histoire vraie d'un couple qui vivait en haute montagne. Le mari voulait «créer» pour sa femme, le long de la pente, un escalier qui relierait leur monde à celui des autres. Malgré la raideur de la pente, le mari continuait à construire l'escalier, étape par étape, de jour en jour, pour sa femme bien-aimée. Soutenu par la simple volonté de relier sa femme au monde ordinaire, le mari persistait dans son œuvre et, finalement, les deux mondes ont été reliés. En chinois, cet escalier s'appelle «l'échelle pour aller au ciel», ce qui traduit l'extrême difficulté qu'il y a à le construire. Cette histoire fait écho à la fable du vieux Yu (Yu signifiant «sot») qui déplace les montagnes. Cette fable montre bien que, même si les intentions et les actions peuvent sembler «folles» et «impossibles», certains Chinois croient encore pouvoir réaliser l'impossible. Cette croyance ne découle pas seulement de la puissance du destin. Vigilance et persévérance sont les clés qui donnent de l'espoir et ouvrent des possibilités. La force de la volonté confiante et la persévérance dans l'action et la réaction soutiennent l'espoir d'une personne, mais aussi de sa famille et de son pays.

Les clés

- → **Dans un pays qui mise sur l'agriculture, le processus répétitif des semailles, de l'attente (que les plantes poussent) et des récoltes cultive l'espoir en Chine.**
- → **Pour les Chinois, l'espoir est lié à une forte croyance dans la conquête de la destinée.**
- → **La croyance dans l'héritage intergénérationnel de la bonté et de l'espoir, pour une personne, sa famille et même son pays, est imbriquée dans la formation et l'éducation de la jeune génération en Chine.**

Patrick S. Y. Lau est doyen associé (Programmes professionnels) de la Faculté d'éducation et professeur associé au Département de psychopédagogie de l'Université chinoise de Hong Kong (Chine).

Florence K. Y. Wu est professeur chargé de recherche à l'Université polytechnique de Hong Kong (Chine). Au début de sa carrière, elle a enseigné au secondaire pendant dix ans. L'amour qu'elle porte aux autres (sa famille, ses amis et ses étudiants) et l'amour qu'elle reçoit lui donnent la force de «conquérir son destin, de persévérer face aux difficultés et de croire qu'il y a toujours de l'espoir dans l'avenir».

Le vieux Yu

Dans la fable chinoise traditionnelle «Yu Gong déplace la montagne», le vieux Yu décide de déplacer les deux montagnes qui se dressent devant sa maison. Tous condamnent sa folie de vouloir faire une chose impossible. Mais Yu s'emploie jour après jour à déplacer les pierres de la montagne. La raison qui soutient sa croyance est que les nombreuses générations qui viendront après lui achèveront cette tâche, si lui ne parvient pas à l'accomplir au cours de sa vie. Cette croyance et cette persévérance émeuvent tant les dieux qu'ils l'aident à déplacer les deux montagnes en une seule nuit. Cette fable chinoise traditionnelle doit apprendre aux enfants à persévérer dans la réalisation de leurs rêves et de leurs espoirs, même lorsqu'ils se heurtent à des difficultés.

«L'espoir est un "tampon" essentiel et une précieuse clé.»

Stimuler l'espoir

«L'espoir n'est pas la croyance que tout finira bien. C'est plutôt la certitude que quelque chose a du sens – indépendamment de la manière dont cela finira», a déclaré Václav Havel, ancien président de la République tchèque. La professeure **Alena Slezáčková** mesure l'espoir pour le Baromètre international de l'espoir, et tente de découvrir comment nous pouvons le renforcer.

L'espoir, pour moi, est la clé d'un avenir heureux. Si nous perdons la clé, la porte reste fermée. Si nous perdons l'espoir, nous restons enfermés dans l'adversité et l'impuissance. En général, les gens comprennent l'espoir en termes de pensée positive, d'expérience émotionnelle ou de quelque chose qui nous transcende – quelque chose de proche de nos objectifs ultimes et de la spiritualité. De nombreuses études indiquent que les gens heureux diffèrent des autres dans leur approche du monde.

Par nos recherches, nous avons voulu savoir comment la pensée positive se reflète dans différentes expériences de vie chez les enfants, les adolescents, les adultes, les personnes âgées. Nous avons trouvé, entre autres choses, que les adolescents optimistes obtenaient de meilleures notes à l'école que leurs camarades de classe. Chez les étudiants universitaires, l'espoir était plus étroitement lié au bien-être subjectif; les étudiants plus optimistes étaient plus reconnaissants pour les bonnes choses qui leur étaient arrivées dans la vie et pardonnaient plus facilement lorsqu'ils entraient en conflit avec d'autres. L'espoir joue également un rôle important au cours de la vieillesse: chez les personnes âgées de 75 à 80 ans, l'espoir s'avère l'un des facteurs clés d'un «vieillissement en santé», étroitement lié à une meilleure santé et à une meilleure satisfaction dans la vie.

Le baromètre de l'espoir

Par ailleurs, nous avons étudié l'espoir et l'épanouissement de personnes sans domicile fixe (SDF) ainsi que de leurs pourvoyeurs de soins dans les centres d'accueil. Il est intéressant

de noter que les SDF ne différaient guère, dans leur niveau d'espoir, de leurs pourvoyeurs de soins; cependant, leur qualité de vie était beaucoup plus mauvaise. Pour les SDF, la principale source d'espoir était leur famille, en particulier leurs enfants. Ils ajoutaient toutefois qu'**en fin de compte, les gens doivent d'abord trouver l'espoir en eux-mêmes.** Les employés des centres d'accueil puisaient eux aussi de l'espoir dans leur famille, mais leur foi et leurs croyances étaient une source supplémentaire d'espoir. En fait, la capacité à garder espoir s'est révélée être le principal indicateur de l'épanouissement des pourvoyeurs de soins.

Plus récemment, nous avons étudié l'espoir dans un échantillon beaucoup plus grand de 1 400 personnes âgées de 15 à 79 ans dans toute la République tchèque. Le projet international «Le Baromètre de l'espoir 2014» avait pour objectif d'examiner les objets d'espoir concrets et les souhaits personnels de ces personnes, ce qu'elles faisaient pour réaliser leurs espoirs et de qui elles s'attendaient à recevoir de l'espoir. Il s'est avéré que la plupart des Tchèques ont exprimé des souhaits personnels concernant leurs relations avec d'autres gens. Leurs principaux souhaits étaient d'avoir des relations amoureuses et familiales heureuses, une bonne santé, une vie harmonieuse, de bonnes relations avec les autres et une autonomie personnelle. La plupart des Tchèques ont dit qu'ils voyaient l'espoir comme une chose pour laquelle chacun est responsable envers soi-même; ils se considéraient donc comme leur propre pourvoyeur d'espoir. La deuxième source d'espoir citée par les personnes interrogées était leur partenaire amoureux ou leur conjoint/conjointe; en troisième position venaient les amis. Une autre précieuse source d'espoir était l'exemple inspirant d'autres gens qui trouvent des solutions dans des situations de vie difficiles.

L'inspiration

Nous avons aussi voulu savoir ce que font les Tchèques pour réaliser leurs espoirs. Nous avons trouvé que, dans la plupart des cas, ils réfléchissent et analysent les circonstances, lisent et réunissent des informations et prennent des responsabilités. Ainsi, conformément à la théorie cognitive de l'espoir, les Tchèques interrogés choisissent des approches rationnelles actives et individualistes dans la poursuite de leurs objectifs. De plus, nous avons trouvé que, comparativement aux gens moins optimistes, les personnes optimistes sont plus satisfaites dans la vie, ont des relations interpersonnelles de meilleure qualité, perçoivent leur vie comme ayant plus de sens et sont en meilleure santé. **Non seulement l'espoir aide à promouvoir les aspects positifs de la vie, mais c'est aussi un important facteur pour affronter les circonstances de vie difficiles.** Parmi les gens qui ont vécu une expérience traumatique, ceux qui avaient de l'espoir ont obtenu des résultats beaucoup moins négatifs au baromètre.

Si l'espoir est si important, comment devons-nous faire pour garder ou développer une attitude optimiste? Nos résultats peuvent être une source d'inspiration: les gens qui ne se contentent pas de chercher à satisfaire leurs propres besoins, mais qui participent à des activités bénévoles, montrent beaucoup plus d'espoir que les autres, ont davantage d'attentes optimistes pour l'avenir, trouvent plus de sens à leur vie et ont une vie spirituelle plus nourrie. Il s'avère donc que certaines des grandes clés vers une vie plus optimiste et plus heureuse soient un état d'esprit orienté vers les autres, un souci authentique du bien-être des autres.

Pour finir, voici quelques recommandations particulières pour stimuler l'espoir:
1. **Prenez conscience des choses positives dans votre vie.** Appréciez toutes les bonnes choses qui vous arrivent et soyez-en reconnaissant.
2. **Établissez vos priorités.** Demandez-vous ce que vous voulez vraiment réaliser dans la vie, identifiez vos vraies valeurs ainsi que les choses que vous trouvez significatives et essayez de vivre en conformité avec elles.

3. **Déterminez vos objectifs.** Fixez-vous des objectifs progressifs, adéquats et réalisables, puis examinez différents moyens et voies de les réaliser.
4. **Soyez flexible.** Gardez à l'esprit que la voie vers votre objectif n'est pas nécessairement la plus courte, la plus droite et la seule.
5. **Liez-vous aux autres.** Entretenez vos relations sociales et ne repoussez pas l'aide des autres.
6. **Donnez de l'espoir aux autres.** Détournez régulièrement les yeux de vos propres désirs et regardez autour de vous. Pouvez-vous apporter un peu d'espoir à quelqu'un d'autre?

En résumé, je dirai que, pour moi, l'espoir est ce qui construit un pont vers un meilleur avenir dans les moments d'adversité, d'incertitude et de crise personnelle, sociale ou économique. En indiquant une direction, en suggérant une voie et en renforçant notre croyance en des objectifs significatifs réalisables, l'espoir peut devenir un «tampon» essentiel qui protège les gens contre la négativité, la résignation et le désespoir. L'espoir est donc une clé précieuse vers l'épanouissement à la fois de la personne et de la société entière. Donner de l'espoir, c'est donner un avenir.

Les clés

- → **Les gens doivent d'abord trouver l'espoir en eux-mêmes, mais les partenaires de vie et les amis aident également, ainsi que les personnes inspirantes qui trouvent des solutions dans des circonstances difficiles.**
- → **Nous pouvons renforcer l'espoir en prenant conscience des choses positives dans notre vie, en établissant nos priorités, en déterminant nos objectifs, en étant flexibles, en entretenant nos relations interpersonnelles et en donnant de l'espoir aux autres.**
- → **L'espoir est un «tampon» essentiel qui protège les gens contre la négativité; c'est une clé précieuse vers l'épanouissement à la fois de la personne et de la société.**

Alena Slezáčková est titulaire d'un doctorat. Elle est professeur associé au Département de psychologie de la Faculté des lettres de l'Université Masaryk de Brno (République tchèque). Ses intérêts scientifiques et ses recherches portent principalement sur le bonheur, l'épanouissement, l'espoir et la croissance post-traumatique. Alena a fondé le Centre tchèque de psychologie positive. Elle est également l'auteur de la première monographie complète de psychologie positive en langue tchèque et d'un certain nombre de publications scientifiques et populaires dans les domaines de la psychologie positive, de la psychologie de la santé et du développement personnel. Elle adore la nature, voyager et explorer des pays étrangers, faire connaissance avec des populations et des cultures différentes. Alena croit en la bonté des gens dans le monde entier. Sa devise est la suivante: «Tout finira bien. Si ce n'est pas bien, c'est que ce n'est pas fini.»

«Les gens qui ont une vision positive du vieillissement vivent au moins sept ans de plus que les gens qui en ont une vision négative.»

Une vision positive du vieillissement

«Les mythes, la littérature et la sagesse populaire montrent que le vieillissement a toujours été considéré de manière ambivalente. Le vieillissement a de multiples facettes, dont certaines sont radieuses et positives, d'autres sombres et négatives», déclare **Martin J. Tomasik**. Selon lui, avoir une vision positive du vieillissement est bénéfique aux jeunes et aux moins jeunes.

Du côté positif, on trouve les notions d'appréciation, d'activité politique des sénateurs (du latin *senectus*, signifiant «aîné»), d'expertise, de sagesse et de pérennité. Que «les jeunes écoutent attentivement les paroles des anciens», est un modèle archétypal dont presque tout le monde a entendu parler. De nos jours, nous avons de nombreuses raisons d'être optimistes en matière de vieillissement. Beaucoup de gens vivent plus longtemps, et l'espérance de vie est en constante hausse. Cette hausse de l'espérance de vie s'accompagne d'une amélioration constante de la santé et de la condition physique, de sorte qu'au cours des cinquante dernières années, les gens dans de nombreux pays ont gagné de cinq à dix ans de «bonne vie». Les connaissances scientifiques laissent présumer qu'il y a encore un grand potentiel d'amélioration.

Cette vision optimiste nécessite toutefois un important bémol. En particulier chez les gens très âgés, ceux de plus de quatre-vingts ans, les réserves de capacités atteignent rapidement leurs limites, et de grandes pertes peuvent survenir dans divers domaines de fonctionnement. Un cas typique est **la prévalence en hausse rapide de la démence sénile dans le segment très âgé de la population**, avec des niveaux atteignant 40 % dans la neuvième décennie de

vie. Ces pertes sont souvent associées à des notions de désindividualisation, de sénilité, de dépendance, de retour à l'enfance, de débilitation, d'inutilité et de pauvreté.

Les mécanismes négatifs

Ces dynamiques négatives de gains et de pertes au cours de la vieillesse et du très grand âge se retrouvent dans nos théories et nos interprétations subjectives du vieillissement. Lorsqu'on nous demande d'exposer nos idées sur le vieillissement, nous disons tous (ou presque) que nous nous attendons au déclin de caractéristiques désirables et à l'augmentation de caractéristiques indésirables (malgré quelques exceptions comme le fait d'être «cultivé» ou «sage»). La question de savoir pourquoi il en est ainsi fait l'objet de discussions passionnées dans diverses disciplines en psychologie et en sociologie. Certains avancent qu'une vision négative du vieillissement renforce l'estime de soi des jeunes aux dépens de l'exogroupe des personnes âgées. D'autres disent que les jeunes craignent la confrontation à leur propre mortalité et tentent de se distancier psychologiquement des personnes âgées en considérant «les vieux» comme étant aussi différents d'eux que possible. Quel que soit le mécanisme sur lequel est fondée notre vision négative du vieillissement, il semble être très fort. Cela tient sans doute à l'internalisation très précoce (dès l'école maternelle) d'une vision négative du vieillissement, tendant par conséquent à fonctionner à un niveau à la fois conscient et automatique, et à la perpétuation de cette vision négative durant des décennies dans un contexte social plus ou moins âgiste.

Le fait que la vision négative du vieillissement soit très stable, si nous ne la controns pas explicitement d'une manière ou d'une autre, se reflète également dans la constatation qu'en général nous ne la modifions pas quand nous devenons vieux nous-mêmes. Ainsi, paradoxalement, **nous devenons victimes de notre vision négative du vieillissement au moment où nous commençons à l'appliquer à nous-mêmes de manière plus ou moins explicite.** C'est le moment où la vision négative se retourne contre nous et devient une prophétie autoréalisatrice négative. Nous arrêtons de faire de l'exercice parce que nous croyons que les personnes âgées ne doivent pas s'engager dans des activités physiques trop intenses et nous affaiblissons donc notre condition physique. Nous arrêtons d'attacher notre ceinture en voiture parce que nous croyons que nous n'avons plus grand-chose à perdre et nous devenons donc statiquement plus souvent victimes de graves accidents de la route.

Les interventions positives

Par ailleurs, une pléthore d'études psychologiques très convaincantes montrent qu'une vision positive du vieillissement présage chez les personnes âgées toute une série de résultats très positifs, notamment un meilleur fonctionnement cognitif, une moindre réactivité cardiovasculaire au stress, une plus grande autonomie dans les activités de la vie quotidienne, une moindre consommation de tabac et d'alcool, une plus grande activité physique, une meilleure santé subjective et objective, ainsi qu'un moins grand nombre d'examens médicaux, et finalement une plus longue espérance de vie. En effet, des résultats d'au moins deux vastes études de haute qualité menées aux États-Unis et en Allemagne suggèrent que les gens qui ont une vision positive du vieillissement vivent au moins sept ans de plus que les gens qui en ont une vision négative. Selon ce que nous savons jusqu'à présent, c'est plus que ce que font gagner tous les autres facteurs contribuant à allonger l'espérance de vie, notamment une alimentation végétarienne ou la réduction du poids. De plus, la recherche en psychologie expérimentale a montré de manière convaincante que **la vision que nous avons du vieillissement n'est pas immuable, mais peut être modifiée**

de manière efficace à l'aide d'interventions très simples. On peut, par exemple, organiser un court programme de «rééducation» dans les maisons de retraite (pour apprendre aux personnes âgées que de nombreuses maladies ne sont pas la conséquence inévitable du vieillissement, mais plutôt d'un style de vie malsain), ou intensifier les contacts et la coopération entre jeunes et moins jeunes (pour aider les jeunes à revoir leur vision négative stéréotypée du vieillissement). Il est prouvé que ces interventions orientent de manière positive notre vision du vieillissement; la vieillesse est vue comme quelque chose en quoi il vaut la peine d'investir, ce qui, par conséquent, stimule des comportements favorables à la santé tels que la marche et la randonnée. Plus ces interventions sont appliquées à un stade précoce, plus leurs effets positifs sont censés être puissants.

Il y a actuellement suffisamment de preuves empiriques des effets néfastes de la vision négative du vieillissement, ainsi que des effets positifs d'une intervention, pour justifier le lancement d'interventions dans les écoles et les garderies afin d'orienter notre vision vers les bienfaits de la vieillesse ou, du moins, éviter une dépréciation stéréotypée de tout ce qui est lié à la vieillesse et au vieillissement. Comme effet secondaire positif, ces interventions pourraient réduire la ségrégation et la discrimination fondées sur l'âge, courantes dans nos sociétés.

Les clés

→ **Une vision négative du vieillissement est internalisée très tôt dans la vie et devient une prophétie autoréalisatrice négative.**

→ **Une vision positive du vieillissement chez les personnes âgées présage toute une série de résultats très positifs, notamment un meilleur fonctionnement cognitif, une moindre réactivité cardiovasculaire au stress, une plus grande autonomie, une plus longue espérance de vie, etc.**

→ **Nous pouvons et nous devons changer l'attitude des jeunes et des moins jeunes envers le vieillissement à l'aide d'interventions positives spécifiques.**

Martin J. Tomasik travaille actuellement à l'Université de Zurich (Suisse) dans un groupe de recherche qui étudie les différences d'âge en matière d'engagement et de désengagement par rapport aux objectifs. Né à Wrocław (Pologne), il est allé à l'école à Coblence (Allemagne), a étudié la psychologie à l'Université libre de Berlin (Allemagne) et a écrit sa thèse de doctorat sur les barrières développementales et les bénéfices du désengagement à l'Université Friedrich Schiller de Iéna (Allemagne). Ses intérêts de recherche portent sur le développement social, émotionnel et motivationnel tout au long de la vie. Il est marié et père de trois garçons d'âge scolaire. Après s'être installé en Suisse, il a décidé d'apprendre le ski, sport dans lequel il fait des progrès lents mais sûrs. Il espère que ses recherches contribueront au moins à nous permettre de mieux vieillir dans l'avenir.

« Dessinez une personne sous la pluie et analysez votre dessin. »

L'espoir contre la pluie

Avant de lire le texte ci-dessous, essayez ceci vous-même: dessinez une personne sous la pluie. Ni plus, ni moins. C'est fait? Alors vous être prêt maintenant à lire l'analyse de la professeure **Sage Rose** et de ses collègues.

Les étudiants sont confrontés à de nombreux obstacles durant leur parcours universitaire. Lorsqu'ils se multiplient et paraissent insurmontables, les étudiants désireux de satisfaire en permanence aux hautes exigences universitaires risquent d'être victimes d'un *burn-out* et d'un épuisement étudiant. Ceux qui souffrent le plus du désarroi causé par ces hautes exigences sont les étudiants en médecine. Ils sont particulièrement vulnérables au *burn-out* ce qui peut déboucher sur un épuisement émotionnel et une réduction du sentiment d'accomplissement. Selon certaines recherches, l'espoir est une puissante mesure de protection contre l'anxiété, la dépression et le désespoir. Stimuler l'espoir des étudiants en médecine pourrait réduire leurs risques de *burn-out* et soutenir leur réussite universitaire en général.

Un parapluie

Mes collègues D. Elkis-Abuhoff, R. Goldblatt et E. Miller (2012) et moi-même avons mené des recherches sur les niveaux d'espoir de 103 étudiants en médecine de première et deuxième année dans un institut médical du nord-est des États-Unis. Mes collègues et moi avons tenté de mesurer objectivement leurs niveaux d'espoir à l'aide de l'Échelle d'espoir – un test qui évalue la disposition à avoir de l'espoir – et de déterminer, chez les mêmes participants, si une mesure projective de l'espoir donnerait des résultats similaires. Pour cette mesure projective, nous avons utilisé le dessin d'une personne sous la pluie.

Contrairement à l'Échelle d'espoir, qui est un test d'autoévaluation, le test du dessin de la personne sous la pluie demande au participant de réagir à un élément environnemental, la pluie, en vue d'obtenir des informations sur son image de soi lorsqu'il est confronté à un facteur environnemental déplaisant. Cette procédure est conçue pour déclencher la vulnérabilité émotionnelle du participant à travers le dessin d'une projection de soi. **Cette technique permet d'évaluer la tension interne de la personne et si ses stratégies d'adaptation se maintiennent lorsqu'elle est confrontée à une pression supplémentaire.** Dans le test du dessin de la personne sous la pluie, les symboles de protection contre la pluie – un parapluie, un manteau ou des bottes – indiquent les niveaux de défense émotionnelle, d'adaptation et, plus important encore, de pessimisme ou d'optimisme. Les personnes ayant des difficultés à suivre des stratégies d'adaptation positives auront tendance à dessiner une personne sans défense, tenant un parapluie cassé ou debout dans une flaque d'eau.

Le stress des étudiants

Les résultats de notre analyse de corrélation montrent un léger chevauchement psychométrique entre les scores obtenus à l'Échelle d'espoir et ceux obtenus au test du dessin de la personne sous la pluie. Cela fournit une validité concomitante pour les mesures tant objectives que projectives de l'espoir en identifiant les capacités d'adaptation des étudiants et les contextes générateurs de stress. Les scores obtenus au test du dessin de la personne sous la pluie sont fortement corrélés avec les caractéristiques de l'Échelle d'espoir pour ce qui est de la poursuite des objectifs et de la préparation à l'avenir. La préparation et l'engagement dans la poursuite des objectifs sont des actions nécessaires à la réussite de tout étudiant. Ces deux domaines étaient les plus présents dans les dessins des étudiants en médecine et indiquent le niveau de stratégies d'adaptation et d'aptitudes que possèdent les étudiants pour aborder leur environnement lorsqu'ils doivent affronter le stress externe d'un cursus médical.

Comme tous les étudiants, **les étudiants en médecine doivent pouvoir identifier d'importants objectifs et des stratégies d'adaptation à utiliser quand la réalisation de leurs objectifs s'avère difficile.** À certains moments, une mesure d'autoévaluation de l'espoir peut ne pas révéler tous les aspects de désespoir que ressent une personne. Le test du dessin de la personne sous la pluie peut aider les étudiants à dépister de manière visuelle leur niveau d'espoir et à mieux comprendre à quel point ils peinent pour rester optimistes. Une fois les niveaux d'espoir identifiés, on pourrait concevoir des interventions pour aider les étudiants à réaliser leur objectif.

Notre étude a montré aussi que le score obtenu au test du dessin de la personne sous la pluie était beaucoup plus élevé chez les étudiants en médecine de deuxième année que chez ceux de première année. Pour l'Échelle d'espoir, nous n'avons relevé aucune différence significative entre les deux années d'étude. Cela peut être dû au caractère spécifiquement contextuel du dessin et refléter le fait que les étudiants de deuxième année ont accumulé davantage d'expériences de réussite et ont plus confiance dans la réalisation de leur objectif, qui est de terminer leurs études. L'Échelle d'espoir est une mesure plus globale de l'espoir et peut être moins prédictive d'expériences contextuelles de désespoir. Dans de futures recherches sur l'espoir, il serait utile de comparer le test du dessin de la personne sous la pluie à l'Échelle d'espoir afin de savoir comment prédire au mieux des réponses contextualisées au stress des étudiants.

Les mesures de l'espoir

L'application pratique de mesures à la fois projectives et objectives de l'espoir peut être utile dans de nombreux contextes scolaires et thérapeutiques. Sur la base des résultats de cette étude, il semble que le test du dessin de la personne sous la pluie soit le plus utile pour examiner l'espoir actuel d'une personne dans un laps de temps donné. Ce test s'avère être une mesure de qualité des niveaux d'espoir, alors que l'Échelle d'espoir reste une mesure globale. Le test du dessin est utilisé également pour travailler au niveau individuel. Par exemple, **un conseiller demande à une personne de se dessiner elle-même sous la pluie, afin d'évaluer ses niveaux de désespoir lorsqu'elle se heurte à des difficultés à l'école ou à la maison.** En se basant sur les composantes clés du dessin, le conseiller devrait déterminer si une intervention pour stimuler l'espoir est nécessaire ou pas. L'Échelle d'espoir, elle, permet de mesurer de manière efficace les niveaux d'espoir perçus par un grand groupe de participants. Un chercheur peut choisir ce test pour découvrir les niveaux d'espoir d'un grand échantillon et les comparer à d'autres mesures du bien-être. Ces niveaux d'espoir devraient rester constants, étant donné le caractère global de l'instrument. Les mesures objectives et projectives de l'espoir servent différents objectifs de mesure, mais sont comparables sur le plan de la validité.

Les clés

- → **Stimuler l'espoir chez les étudiants pourrait réduire leur risque d'épuisement et de *burn-out*, et soutenir leur réussite universitaire en général.**
- → **La préparation et l'engagement dans la poursuite de ses objectifs sont des actions indispensables pour la réussite de tout étudiant.**
- → **L'application pratique de mesures à la fois projectives et objectives de l'espoir peut être utile dans de nombreux contextes scolaires et thérapeutiques.**

Sage Rose est professeur associé de recherche à l'Université Hofstra (États-Unis). Elle a écrit l'article ci-dessus en collaboration avec ses collègues D. Elkis-Abuhoff, R. Goldblatt et E. Miller. Dans le cadre de leurs recherches, ils ont publié la «Math Hope Scale», un test d'autoévaluation très prédictif de réussite en mathématiques. En combinaison avec l'espoir en matière de mathématique, Sage Rose valide actuellement une «Writing Hope Scale» permettant de prédire la réussite des étudiants en écriture. Elle a présenté ses recherches lors de nombreuses conférences nationales et internationales, et publié plusieurs articles et chapitres d'ouvrages scientifiques sur l'espoir et des thèmes connexes.

«Pour comprendre les pensées de Dieu, il faut étudier les statistiques.»

Mesurer l'espoir

Keith Sykes fait partie d'une équipe de recherche sur l'espoir. Au cours des dix dernières années, lui et son équipe ont développé trois questionnaires pour mesurer l'espoir: deux pour les adultes et un pour les enfants. Oui, nous pouvons mesurer l'espoir!

Notre point de départ était un modèle de l'espoir en quatre volets, à savoir l'attachement (confiance et ouverture), la maîtrise (responsabilisation et objectifs supérieurs), la survie (autorégulation et options perçues) et la spiritualité (voir «Le réseau de l'espoir»).

Chez les adultes, l'espoir s'exprime soit comme un trait de personnalité, soit comme un état. L'espoir-trait est une base solide et stable, comparable à la résilience. C'est l'optimisme de la personne, provenant de son ADN, de sa parentalité, de sa culture et de sa communauté. Par contre, l'espoir-état est un mélange plus superficiel de pensées, de sentiments et de comportements. C'est un va-et-vient constant de réponses aux défis d'attachement, de maîtrise, de survie ou de spiritualité.

La conception d'un questionnaire est un mélange d'art et de science. L'essence même de l'espoir devait être saisie et rendue dans un langage simple. Le travail sur les mots devait être jumelé à des tests statistiques de fiabilité (résultats constants) et de validité (comparaison avec des tests déjà établis et capacité prédictive). De plus, un bon questionnaire sur l'espoir devait donner des résultats relativement exempts d'interférences de déni et de masquage social pouvant produire des rapports de faux espoirs.

Nos mesures de l'espoir excèdent les normes scientifiques de fiabilité et de validité. De plus, lorsque nous soumettons nos questionnaires sur l'espoir conjointement avec des mesures de refoulement, de déni et de désirabilité sociale, nous trouvons peu de chevauchements.

Les adultes

Notre questionnaire sur l'espoir-trait pour les adultes comporte 56 questions. Les domaines de l'attachement, de la maîtrise, de la survie et de la spiritualité sont divisés en 14 sous-catégories comportant chacune 4 questions.

Sept sous-catégories sont non spirituelles et touchent des éléments comme la confiance, l'ouverture, la responsabilisation et la capacité de gestion de la peur. Ces éléments sont tirés de textes de psychologie, de psychiatrie, de soins infirmiers, de philosophie et de théologie. Les sept autres sous-catégories sont spirituelles. Nous abordons de nouveau le pouvoir, la présence et l'adaptation, mais nous cherchons cette fois à déterminer la charge spirituelle de chaque élément.

Les gens qui obtiennent des résultats plus élevés en espoir-trait obtiennent des résultats plus élevés en confiance et en efforts pour réussir, et des résultats plus faibles en sentiment de vulnérabilité personnelle. Ils rapportent plus souvent travailler en collaboration avec une puissance supérieure, plutôt que d'exclure toute contribution spirituelle ou de s'attendre au contraire à ce que l'«esprit» assume la pleine responsabilité.

Dans une expérience, nous avons présenté des extraits d'un film montrant une personne atteinte du VIH/sida en phase terminale à des personnes ayant de grands espoirs ainsi qu'à des personnes ayant de faibles espoirs. **Celles qui avaient des résultats plus élevés en espoir-trait rapportaient beaucoup moins d'anxiété devant la mort après le visionnement du film.**

Notre questionnaire de l'espoir-état chez les adultes comporte 40 questions. La formule est similaire à celle du questionnaire de l'espoir-trait, mais ne comporte que 10 sous-catégories (sept non spirituelles et trois spirituelles). Les questions portent cette fois sur des expériences récentes et non pas sur des attitudes durables.

Les personnes qui obtiennent des résultats plus élevés en espoir-état disent trouver un plus grand sens à leur vie et ressentir moins de solitude et d'anxiété. Nous avons conçu l'échelle de l'espoir-état comme une mesure de changement (par exemple, après une psychothérapie ou un événement de vie important). Dans une de nos expériences, nous avons montré le discours filmé de Martin Luther King «J'ai un rêve». La moitié de nos participants regardait le film pendant que l'autre moitié effectuait une tâche écrite neutre. Nous avons mesuré l'espoir-état avant et après chaque activité. **Le groupe qui avait regardé le discours de Martin Luther King a rapporté des niveaux d'espoir beaucoup plus élevés.**

Les enfants

Chez les enfants, les psychologues mesurent les états, puisque les traits n'apparaissent souvent que vers la fin de l'adolescence. Notre questionnaire pour les enfants est similaire à celui pour les adultes. Il comporte 40 questions, 10 sous-catégories, reflétant l'attachement, la maîtrise, la survie et la spiritualité. Cependant, nous avons simplifié le langage employé et le mode de réponse. Pour chaque question, l'enfant doit encercler l'une des trois possibilités suivantes: «jamais», «parfois» ou «toujours». La fiabilité du questionnaire pour enfants est légèrement plus faible que celle du questionnaire pour adultes, mais elle excède toujours les normes scientifiques.

En termes de validité, les résultats en espoir autoévalués par les enfants étaient fortement corrélés à de faibles taux de dépression évalués par les parents ou les tuteurs. Cela était le cas aussi bien pour la dépression-anxiété que pour la dépression-repliement, les deux formes de dépression les plus courantes chez les enfants prépubères.

Deux pistes?

Le psychiatre Jerome Frank, un observateur averti de la condition humaine, suppose que certains aspects de la vie émotionnelle et de la vie spirituelle, en particulier les états transcendants, passent par l'hémisphère droit, l'hémisphère dit silencieux. En fin de compte, une évaluation à deux pistes pourrait s'avérer nécessaire, l'une pour l'espoir du cerveau gauche et l'autre pour l'espoir du cerveau droit. La première aurait plu à Florence Nightingale et la seconde aurait eu la faveur de poètes comme Emily Dickinson qui ont rendu hommage au «ton sans les mots».

Les clés

→ **Chez les adultes, l'espoir s'exprime sous forme de trait ou sous forme d'état. L'espoir-trait est une base solide et stable, comparable à la résilience. Par contre, l'espoir-état est un mélange plus superficiel de pensées, de sentiments et de comportements.**

→ **Les personnes qui obtiennent des résultats plus élevés en espoir-trait obtiennent des résultats plus élevés en confiance et en efforts pour réussir, et des résultats plus faibles en sentiment de vulnérabilité personnelle. Les personnes ayant des résultats plus élevés en espoir-état disent trouver un plus grand sens à leur vie et ressentir moins de solitude et moins d'anxiété.**

→ **Les résultats en espoir autoévalués par les enfants sont plus fortement corrélés à de plus faibles taux de dépression évalués par les parents ou les tuteurs.**

Keith Sykes est spécialiste des trajectoires de guérison au Community Health Resources à Manchester, dans le Connecticut (États-Unis). Il dirige des évaluations fonctionnelles et aide les gens à se fixer des objectifs et à développer un éventail de capacités d'adaptation. Il a obtenu avec mention d'excellence son B.A. en psychologie au Keene State College. Sa recherche portait sur l'espoir parmi les survivants du cancer, ainsi que sur le perfectionnement et la validation d'instruments d'autoévaluation pour les adultes et les enfants, et de méthodes d'analyse de contenu. «Je m'intéresse surtout aux effets salutaires de l'espoir sur la survie, dit-il. J'ai toujours été fasciné par la résilience de ceux qui, ayant traversé de longues périodes d'obscurité, ont trouvé un moyen pour focaliser sur la lumière.»
Anthony Scioli, **Michael Ricci** et **Thanh Nguyen** sont coauteurs de ce texte.

Vous pouvez passer le test de l'espoir sur: www.gainhope.com

«L'espoir est en contradiction flagrante avec la politique de l'autruche.»

Espérer, c'est œuvrer au changement

«Ce qui me donne de l'espoir, c'est de voir que de plus en plus de gens et d'entreprises – toujours à contre-courant – privilégient le respect des limites écologiques et la solidarité aux dépens du matérialisme et de l'égoïsme, dit le sociologue **Dirk Geldof**. Ils sont les porteurs d'une plus grande justice socioécologique, dans le respect de l'être humain et de l'environnement», malgré tous les nuages qui nous menacent. Espérer, c'est assumer ses responsabilités pour le changement.

Nous vivons à une époque paradoxale. La richesse et la complexité de notre société n'ont jamais été aussi grandes qu'au 21e siècle, en particulier sur le continent européen. Nous sommes propulsés par la mondialisation galopante, les innovations technologiques constantes et l'accélération de notre société. Notre bien-être matériel n'a jamais été aussi considérable, et nous n'avons jamais jusqu'ici disposé d'autant de moyens permettant de donner forme à l'avenir. Nous vivons sur le continent le plus privilégié, pour le moment au sommet de la croissance de la richesse matérielle et des possibilités technologiques.

En même temps, les défis sociaux n'ont jamais été aussi importants. Dans notre «société du risque» – comme l'appelle le sociologue allemand Ulrich Beck –, **le réchauffement climatique est peut-être le risque le plus sous-estimé pour la génération actuelle et les suivantes.** Allons-nous parvenir, dans les années qui viennent, à élaborer une politique climatique radicalement différente et à limiter à 2 ou 3 degrés l'élévation de la température? D'autres risques – donc d'autres défis – attendent des solutions, notamment l'inégalité croissante entre le Nord et le Sud, la crise qui fait rage depuis 2008, la transition vers des sociétés «superdiverses». Malgré notre richesse sans précédent, beaucoup de gens sont dans l'incertitude quant à l'avenir. Les familles s'inquiètent de leurs emplois ou de l'avenir de leurs enfants, les politiciens se demandent (ou devraient se demander) si des mesures à court terme suffisent pour relever des défis à long terme.

Un processus de recherche

Aussi paradoxal que cela puisse paraître, ces défis sans précédent sont justement le terreau de l'espoir. L'espoir est en contradiction flagrante avec la politique de l'autruche, selon laquelle les gens enfouissent leur tête dans le sable pour ne pas voir les risques sociaux. L'espoir est aussi diamétralement opposé aux sentiments d'impuissance, sentiments parfois entretenus comme excuse pour ne pas s'attaquer aux défis.

L'espoir réside justement dans la volonté de voir les défis sociaux d'aujourd'hui et dans la volonté de les surmonter. C'est également l'essence de ce que des sociologues tels que Ulrich Beck ou Anthony Giddens décrivent comme l'élaboration d'une «modernité réflexive». Le processus de modernité réflexive n'est pas une réflexion libre de tout engagement. **Il s'agit d'une confrontation d'individus, et de la société avec elle-même, comme forme d'autocritique sociale.** La modernité réflexive porte sur la manière dont nous essayons de changer notre gestion des risques. Cela exige un débat: aujourd'hui plus que jamais, nous devons déterminer, sur les plans communicatif et politique, quels risques nous trouvons acceptables et lesquels nous trouvons inacceptables. Le résultat de ce processus de modernité réflexive est ouvert. La modernité réflexive ne garantit pas un meilleur avenir, mais un avenir différent. Ce n'est pas un schéma directeur, il n'y a pas d'obligation de résultat, mais il s'agit d'un processus dont le résultat dépend de l'interaction entre les acteurs. La solution se développe au sein du processus de recherche et c'est là justement que réside l'espoir.

Faire des choix

Mais qui sont les porteurs ou les acteurs de ce processus de modernité réflexive?
Dans la société industrielle, les identités collectives étaient déterminantes: les employés s'unissaient en syndicats qui défendaient leurs droits et luttaient pour le progrès social. Dans notre société mondiale du risque, l'individualisation croissante crée une image plus fragmentée. Il n'y a pas un seul acteur universel – tel que le prolétariat chez Marx – dans lequel nous pouvons placer l'espoir de l'humanité. Au 21e siècle, l'espoir réside en partie en nous-mêmes: en tant que citoyens, nous avons tous un rôle à jouer et des responsabilités à assumer.

Les citoyens que nous sommes n'ont jamais été aussi bien informés et aussi bien qualifiés. C'est là que se trouve le potentiel pour la réflexion personnelle comme réaction nécessaire à la complexe société du risque. Nous pouvons et nous devons faire des choix pour lutter contre le réchauffement climatique, pour limiter les inégalités et la pauvreté, et pour mieux organiser la vie dans la diversité. Cependant, ces choix ne doivent pas être confinés au niveau personnel, mais être traduits au niveau des structures sociales. Une telle traduction sociale et politique est nécessaire, car le changement dépasse les choix et les moyens individuels sur lesquels il est basé.

Une utopie réaliste

L'espoir réside dans la reconnaissance de la nécessité de changement pour lutter contre les risques climatiques et autres. C'est un espoir qui part de la raison et de la rationalité, d'une croyance dans la force de persuasion des arguments avancés: si nous prenons conscience des défis urgents qui menacent notre société du risque, la réflexion croissante conduira au changement. Le sociologue britannique Anthony Giddens parle d'«utopie réaliste»: réaliste parce que cette théorie s'appuie sur des processus sociaux actuels, et utopie parce que nous vivons dans un univers social imprégné de réflexion sociale, permettant à d'éventuelles visions d'avenir d'influer sur la manière dont nous donnons forme à l'avenir.

Prendre au sérieux les défis écologiques et sociaux qui menacent notre société mondiale du risque constitue un appel à l'engagement dans la vie personnelle et à l'engagement dans la société. Qui veut s'occuper d'une manière réaliste des risques actuels – et avons-nous le choix de faire autrement? – doit s'ouvrir à des solutions alternatives pour notre société actuelle. **Car l'espoir est aussi la responsabilité collective pour les futures générations.**

Dans *Le Mythe de Sisyphe*, Albert Camus décrit comment Sisyphe doit sans cesse rouler jusqu'au sommet d'une montagne un rocher qui, une fois en haut, redescend inéluctablement dans la plaine. Camus considère qu'«il faut imaginer Sisyphe heureux». Dans la société du risque du 21e siècle, nous sommes tous des Sisyphe, dans notre devoir de surmonter les risques et d'assumer des responsabilités. Nous devons imaginer Sisyphe optimiste.

Les clés

- **Nous sommes devant d'énormes défis (dont le plus sous-estimé est le réchauffement climatique). Aussi paradoxal que cela puisse paraître, ces défis sans précédent sont justement le terreau de l'espoir.**
- **La modernité réflexive porte sur la manière dont nous essayons de changer notre gestion des risques. Cela ne garantit pas un meilleur avenir, mais un avenir différent. La solution se développe au sein du processus de recherche et c'est là justement que réside l'espoir.**
- **L'espoir réside dans la reconnaissance de la nécessité de changement pour gérer les grands risques. Il part de la raison et de la rationalité, de la croyance dans la force de persuasion des arguments avancés: «l'utopie réaliste».**

Dirk Geldof est titulaire d'un doctorat. Il est sociologue et professeur à temps partiel à la Faculté de sciences du design de l'Université d'Anvers (Belgique). Il est chercheur et chargé de cours en «Sociologie & Société» à l'Institut supérieur des sciences de la famille (Odisee), à Bruxelles. Dans le cadre de la formation «Travail social», à la Haute École Charlemagne d'Anvers, il donne un cours intitulé «Diversité, Pauvreté & Ville». Il a publié notamment les ouvrages *Onzekerheid. Over leven in de risicomaatschappij* et *Superdiversiteit. Hoe migratie onze samenleving verandert.* (*L'insécurité. Vivre dans la société du risque* et *La superdiversité. Comment les migrations changent notre société*).

«Les gens ayant un attachement anxieux obtiennent des scores d'espoir plus faibles dans les domaines sociaux et de performance.»

L'impact de l'espoir sur les domaines de la vie

«La compréhension des modèles d'enfance menant à la dépression est essentielle pour renforcer la résilience des gens qui risquent de perdre espoir et développer des interventions pour ceux qui l'ont déjà perdu», déclare le professeur **Hal S. Shorey**. Comment l'appréhension de l'espoir dans certains domaines spécifiques peut-elle protéger les gens contre la dépression? Et comment pouvons-nous aider les autres à développer et à maintenir l'espoir?

Mes recherches ont commencé par la vérification de la proposition de C.R. Snyder selon laquelle l'espoir se développe au cours de l'enfance dans le contexte d'attachements sécurisants à des adultes attentionnés. Les résultats ont clairement montré que le fait d'avoir des parents aimants et disponibles, ayant de grandes attentes pour leurs enfants, menait à des modèles d'attachement sécurisant, qui à leur tour menaient à des niveaux d'espoir plus élevés et à des niveaux d'anxiété et de symptômes dépressifs plus faibles à l'âge adulte. Il s'est avéré pourtant que **les gens ayant grandi avec des parents attentionnés n'ont pas tous de grands espoirs** et que ceux ayant grandi avec des pratiques parentales moins qu'optimales n'ont pas tous de faibles niveaux d'espoir. Le niveau d'espoir d'une personne dépend plutôt d'une part de son style d'attachement et de ses traits de personnalité de base, et d'autre part du domaine de vie auquel elle pense lorsqu'elle évalue son espoir personnel.

Neuf domaines de la vie

L'Échelle d'espoir, demande aux gens d'évaluer la confiance qu'ils ont dans la réalisation de leurs objectifs et le degré auquel ils ont développé des stratégies pour atteindre ces objectifs. Cependant, les chercheurs qui utilisent cette mesure ne peuvent pas dire à quel domaine de la vie pensaient les gens en effectuant ce test. Par exemple, la personne A a obtenu des scores élevés parce qu'elle pensait à ses études. La personne B ne songeait pas du tout à ses études, mais elle a obtenu des scores élevés parce qu'elle pensait à sa vie amoureuse. Les personnes A et B ont obtenu toutes deux des scores élevés mais leurs expériences et les résultats de ce grand espoir sur leur santé mentale sont qualitativement différents.

La nouvelle version de l'Échelle d'espoir que j'ai développée avec un groupe de collègues a été spécialement conçue pour résoudre ce problème. Elle évalue l'espoir dans neuf domaines de la vie (vie sociale/relations avec les pairs, amour, famille, travail, études, sports, religion/spiritualité, santé physique et santé mentale). **Dans chaque domaine, l'espoir est lié d'une manière différente à la santé mentale et à la performance.**

Les symptômes dépressifs

Dans une étude sur la relation entre les styles d'attachement, l'espoir et la santé mentale, j'ai trouvé que les gens ayant un attachement anxieux obtenaient des scores d'espoir plus faibles dans les domaines sociaux et de performance. Les gens ayant un attachement «évitant» avaient aussi des scores d'espoir plus faibles dans les domaines sociaux, mais obtenaient des scores plus élevés dans les domaines de la performance! Cette constatation est conforme à ce que pensent les théoriciens de l'attachement sur le style d'attachement «évitant». **Les gens dont les expériences vécues pendant l'enfance conduisent à éviter l'intimité et les relations intimes à l'âge adulte compensent en réussissant dans les domaines du sport, des études et du travail.**

Le problème est qu'un plus grand espoir dans les domaines de la performance ne semble pas mener à moins de dépression ou à une meilleure santé mentale, s'il n'existe pas en même temps un grand espoir dans les domaines sociaux. Cette constatation est confirmée par des propositions théoriques selon lesquelles **les gens développent des symptômes dépressifs dans la mesure où les domaines où ils rencontrent des problèmes sont liés à leur concept de soi.** Une étude récente parmi des étudiants universitaires a révélé par exemple que l'espoir dans les domaines des relations sociales et des relations avec les pairs, des relations familiales, des études et du sport présageait de plus faibles niveaux de dépression sur une période de deux à cinq semaines, même après la prise en compte des niveaux initiaux de personnalité dépressive et de symptômes dépressifs. Globalement, cela signifie que l'espoir en l'avenir dans ces domaines peut l'emporter sur la tendance, inhérente à leur personnalité, à développer une dépression.

Les grands performants

Pour renforcer la résilience des personnes à risque ou aider des gens à sortir d'une dépression, il faut déterminer quels domaines de la vie sont essentiels au concept de soi de la personne et mettre l'accent sur le développement de l'espoir dans ces domaines. Toutefois, une mise en garde s'impose ici. En effet, le concept de soi de la personne doit être authentique et non pas une défense contre des sentiments d'inadéquation. Par exemple, des personnes ayant un style d'attachement «évitant» sont très orientées sur la performance comme une façon de se sentir estimées sans risquer les souffrances pouvant résulter de relations intimes. Renforcer l'espoir de ces personnes dans le domaine des études ou du travail aura sans doute pour effet de les remettre sur la voie de la haute performance et d'accroître temporairement leurs niveaux d'espoir, mais en l'absence d'un soutien significatif de la part de la famille et de personnes chères, ces résultats risquent de ne pas être durables et de déboucher à long terme sur des symptômes dépressifs. Il est donc très important d'aider les grands performants à prendre conscience que ce qu'ils recherchent en réalité en gravissant l'échelle organisationnelle, c'est l'estime sociale et l'appréciation des autres. **On ne doit jamais sous-estimer l'importance de faire l'éloge des autres et de leur dire ce qu'ils signifient pour nous.**

Les clés

- → **Le niveau d'espoir d'une personne dépend d'une part de son style d'attachement et de ses traits de personnalité de base, et d'autre part du domaine de la vie auquel elle pense lorsqu'elle évalue son espoir personnel.**
- → **Les gens développent des symptômes dépressifs dans la mesure où les domaines où ils rencontrent des problèmes sont liés à leur concept de soi.**
- → **Il faut considérer quels domaines de vie sont essentiels au concept de soi de la personne et mettre l'accent sur le développement de l'espoir dans ces domaines.**

Hal S. Shorey est professeur associé à l'Institut de psychologie clinique universitaire de l'Université Widener en Pennsylvanie, aux États Unis. Il dirige le programme PsyD/MBA, ainsi que le Widener's Organizational Development Services. Ses recherches portent sur la combinaison de l'espoir et de la théorie de l'attachement, en vue de renforcer la résilience des populations à risque et d'optimaliser la performance des dirigeants organisationnels.

PROJET D'ESPOIR

L'arc-en-ciel de vos lois de la vie

L'un des moyens les plus efficaces pour renforcer l'espoir chez les jeunes consiste à leur demander d'écrire quelque chose sur leurs «lois de la vie», c'est-à-dire sur les valeurs auxquelles ils se réfèrent au présent et dans l'avenir. Cela peut vous laisser sceptique, mais Maurice J. Elias et son équipe démontrent que c'est un projet porteur d'espoir. Dans les milieux défavorisés, vous pouvez cultiver l'espoir en racontant votre histoire à des gens qui vous aiment et croient en vous.

La poète Maya Angelou est persuadée que l'espoir est responsable des choses qu'elle a réalisées dans sa vie – et de son existence même. Elle raconte une histoire d'esclaves qui travaillent dans des plantations et chassent le désespoir en chantant une chanson inspirée du Livre de la Genèse: «Quand tout semble perdu, Dieu place un arc-en-ciel dans les nuages.» Cela se rapporte, bien sûr, aux pluies diluviennes qui se sont abattues sur le monde pendant 40 jours et 40 nuits.

Cette histoire lui rappelait sa grand-mère qui lui disait, alors qu'elle souffrait de mutisme sélectif dû à un traumatisme, qu'elle était sûre qu'elle serait un jour un grand professeur. Maya Angelou compare les personnes qui donnent de l'espoir et de l'amour à ceux qui souffrent, à des arcs-en-ciel dans les nuages des autres. **Elle nous invite à être des arcs-en-ciel dans les nuages des autres, même quand nous ne sommes pas sûrs qu'ils nous entendent ou nous écoutent.**

Les aptitudes émotionnelles

Mes collègues et moi, nous redécouvrons une vieille sagesse et nous nous rendons compte du rôle central que joue l'espoir dans la vie. Je travaille dans des écoles urbaines défavorisées, où de nombreux enfants vivent dans la pauvreté, n'ont souvent qu'un seul parent et lorsqu'ils en ont deux, ces derniers sont assaillis de problèmes d'argent et de santé physique et mentale. Certains sont nouveaux en Amérique, ne parlent pas l'anglais et ne connaissent pas les coutumes scolaires.

Avec la misère vient le découragement. Notre travail consiste à ouvrir des possibilités. Comment faisons-nous? Nous apportons dans les écoles une culture et une atmosphère positives, aimantes, encourageantes. Nous veillons à

ce que l'école enseigne à tous les élèves les aptitudes sociales et émotionnelles nécessaires pour maîtriser les tâches scolaires et pour faire face à la vie quotidienne, et nous leur donnons la possibilité de raconter leur histoire. L'un de nos moyens les plus efficaces consiste à demander aux élèves d'écrire quelque chose sur leurs «lois de la vie», c'est-à-dire sur les valeurs auxquelles ils se réfèrent au présent et dans l'avenir. Nous avons constaté qu'à partir de 10-11 ans, les élèves étaient capables d'identifier leurs lois de la vie de manière significative. Le plus souvent, ils parlaient d'arcs-en-ciel dans leurs nuages – de grands-parents qui croyaient en eux, d'un parent qui travaillait dur pour leur permettre de réussir, d'un voisin qui les avait recueillis quand les services de protection de l'enfance allaient les séparer de leurs frères et sœurs. Nous avons rassemblé ces histoires dans un ouvrage intitulé *Urban dreams: Stories of hope, resilience, and character* (2008).

L'espoir est puissant

L'initiative qui a introduit les lois de la vie dans les écoles de Plainfield, dans le New Jersey, a été financée à même les profits provenant des recherches publiées. Son objectif est de renforcer les aptitudes socioémotionnelles des élèves, de réduire leurs problèmes de comportement et d'améliorer leurs résultats scolaires. Et ce n'est pas un cas isolé. L'espoir est puissant.

C'est peut-être le message. Mes travaux consistent à apporter de l'espoir, un soutien et des aptitudes aux plus défavorisés. Les enseignements que j'ai tirés de ces travaux peuvent se résumer en une série de recommandations: **Laissez les autres raconter leur histoire, montrez-leur que d'autres les écoutent et les aiment, amenez-les à croire qu'il leur arrivera de bonnes choses dans l'avenir, même si cela ne semble pas évident au présent.** Voilà ma définition de l'espoir. L'espoir donne du courage et ouvre des possibilités.

Maurice J. Elias est titulaire d'un doctorat. Il est directeur du Laboratoire d'apprentissage socioémotionnel du département de psychologie de l'Université Rutgers (États-Unis).

« Ce qui nous rend heureux à court terme nous rend souvent malheureux à long terme. »

Une guimauve en signe d'espoir

Comment vous donnez-vous l'espoir de devenir la personne que vous avez toujours voulu être? «Le test de la guimauve peut être le signe de l'espoir, dit le professeur **Hanno Beck**. Il porte sur toutes ces choses qui détruisent nos espoirs: la cigarette, l'alcool, les aliments malsains, la procrastination . . . Quand nous devons faire face à des choses déplaisantes, nous avons tendance à les contourner. Le plus drôle, c'est qu'en écrivant sur la procrastination, j'ai failli rater la date butoir pour l'envoi de cet article!»

Au lieu de mener une vie saine, de faire de l'exercice ou de préparer notre examen, nous restons comme nous sommes, nous sentant coupables de nos vices, de nos mauvaises habitudes, toujours conscients de la façon dont notre vie pourrait être si nous avions seulement la volonté nécessaire pour faire les choses que nous aimerions faire à long terme, alors que nous les sacrifions au profit du plaisir à court terme.

«Actualisation hyperbolique», c'est ainsi que les économistes appellent cet étrange trait de l'esprit humain: nous savons que cela nous ferait du bien d'arrêter de fumer, de ne plus boire, de faire de l'exercice, de préparer notre examen, et nous désirons vraiment le faire – mais seulement à long terme. À court terme, nous sommes submergés par la passion, le désir ou le manque de volonté et nous continuons à fumer, à boire, à manger des choses malsaines et à procrastiner. Pourtant, ce qui nous rend heureux à court terme nous rend souvent malheureux à long terme.

La tentation

Mais quel rôle le test de la guimauve joue-t-il dans ce drame? Depuis les années 1970, des chercheurs ont mené des expériences avec des enfants de la maternelle pour tenter de découvrir quand et comment ils acceptaient ou non de différer une gratification. L'expérience de base était assez simple: on accompagnait les enfants un à un dans un local expérimental de l'école où on leur montrait une récompense, une guimauve. On leur disait qu'ils pouvaient manger cette guimauve immédiatement, mais que, s'ils attendaient quinze minutes, jusqu'au retour du chercheur, pour la manger, ils auraient droit à deux guimauves. Voici donc la situation: «Vais-je me laisser tenter et manger la guimauve immédiatement ou vais-je différer la petite récompense immédiate pour obtenir plus tard une plus grande récompense?» Traduit en termes des problèmes énoncés plus haut: «Vais-je préférer la récompense immédiate d'un verre d'alcool, d'une cigarette ou d'un petit gâteau, ou vais-je résister afin d'obtenir plus tard une plus grande récompense – une bonne santé, un corps (presque) parfait ou une bonne note à mon examen?»

Le plus déconcertant dans ces expériences est que des études longitudinales ont montré que **les enfants capables de patienter pour avoir la plus grande récompense réussissaient souvent mieux dans la vie** à un âge plus avancé, qu'ils avaient de meilleurs scores à l'examen d'admission dans les universités, atteignaient un niveau d'instruction plus élevé, possédaient un meilleur indice de masse corporelle et réussissaient mieux sur d'autres plans dans la vie. Il semblerait que la capacité des enfants à patienter pour obtenir deux guimauves au lieu d'une détermine leur vie ultérieure et leur satisfaction générale dans la vie. Êtes-vous capable de patienter pour obtenir deux guimauves?

Liez-vous les mains

Y a-t-il de l'espoir dans cette expérience? Oui, sans doute, si l'on examine les stratégies utilisées par les enfants pour résister à la tentation: ils ferment les yeux, tournent le dos à la guimauve, la reniflent, la lèchent, font semblant de la manger, se mettent à hésiter, écartent hors de leur portée l'assiette sur laquelle elle est posée et essayent parfois de tricher. Pouvons-nous utiliser ce genre de stratégies pour résister à nos guimauves personnelles? Voici trois idées:

1. **Fermez les yeux et écartez l'assiette.** Rangez tout ce qui pourrait vous rappeler votre tentation. Débarrassez-vous des bouteilles d'alcool et des cigarettes que vous avez à la maison, rangez tout ce qui vous fait penser à fumer, à boire ou à manger. Si vous devez préparer un examen, rangez tout ce qui peut vous distraire de votre étude.

2. Liez-vous les mains. Une parfaite stratégie pour perdre du poids est de verrouiller votre réfrigérateur et de jeter la clé. O. K., ce n'est pas toujours possible, mais l'idée est parfaite: arrangez-vous pour ne pas pouvoir faire ce que vous ne voulez pas faire à long terme. Et que diriez-vous d'un pari? Un pari – que vous arrêtez de fumer ou de boire – rend l'abandon de vos résolutions très coûteux et réduit vos risques de succomber à la tentation. Un bon moyen de faire ce pari est de vous connecter à un site Internet comme www.stickk.com: vous inscrivez votre objectif sur la page d'accueil et vous choisissez votre mise, c'est-à-dire la somme que vous voulez mettre en jeu, et l'endroit où vous voulez qu'aille cet argent si vous échouez. Si vous échouez, stickk.com débite votre carte de crédit de la somme misée et la transfère au bénéficiaire que vous avez choisi. Par ailleurs, vous désignez une personne que vous connaissez et à qui vous faites confiance pour agir en tant que tierce partie indépendante pour suivre vos progrès et vérifier l'exactitude des rapports que vous soumettez à stickk.com.

3. Pensez à la récompense. Oui, il ne s'agit pas seulement d'austérité, mais aussi de récompense. Promettez-vous une récompense si vous réalisez votre objectif. Tout le monde a besoin d'un incitatif positif.

O. K., personne ne vous a dit que ce serait facile, mais ces idées peuvent vous aider à réaliser vos objectifs. Elles peuvent vous donner l'espoir de devenir la personne que vous avez toujours voulu être. Continuez et ne perdez pas de temps. Il n'y a pas de meilleur temps que le temps présent.

Les clés

→ **Quand nous sommes devant des choses déplaisantes, nous avons tendance à les contourner.**

→ **Si nous sommes capables de patienter pour avoir plus tard une plus grande récompense, nous avons plus de chances de réussir dans la vie.**

→ **Nous pouvons apprendre des stratégies pour résister aux tentations à court terme: fermer les yeux, se lier les mains et penser à la récompense.**

Hanno Beck est professeur d'économie à l'Université de Pforzheim (Allemagne). Il a travaillé comme rédacteur en économie politique pour l'un des plus grands quotidiens allemands. Il adore le sport, se promener dans les bois avec son petit Angel au poil brun et jouer de la guitare – voilà exactement ce qui lui donne de l'espoir au quotidien.

«Nous sommes une bougie qui se consume.
Mais nous pouvons recharger nos batteries.»

À la recherche de ressources intérieures

«Alors que je participais à des ateliers pour personnes souffrant de différents types de cancer, j'ai réalisé que nous possédions tous une certaine quantité d'énergie (appelée énergie vitale), suffisante pour vivre jusqu'à 120 ans, nous dit la professeure **Adriana Zagórska**. Nous pouvons comparer cette énergie à une bougie qui se consume au fur et à mesure que nos jours passent.» Existe-t-il des ressources pour recharger nos batteries?

Nous ne pouvons pas empêcher la bougie de se consumer et nous ne pouvons pas non plus la rallonger. Chaque jour, une partie de la bougie (la quantité quotidienne d'énergie) se consume pour nous maintenir en vie et, si nous sommes enclins à dissiper notre énergie, nous risquons de découvrir à 40 ans qu'il nous en reste bien peu pour continuer à avancer.

L'énergie de vie

De nos jours, les gens aiment vivre à crédit, en oubliant qu'il leur faudra un jour ou l'autre rembourser. **Quand nous dépensons notre énergie quotidienne, notre système immunitaire s'affaiblit.** Si nous sommes imprudents, nous pouvons subir une importante baisse d'énergie, de cette énergie dont nous avons besoin pour affronter nos problèmes quotidiens. Et quand notre résistance diminue, nous sommes plus sensibles aux maladies. Quand notre système immunitaire est affaibli, toutes sortes de maladies menacent notre santé. Ce qui m'a frappée à l'écoute des récits des participants à l'atelier, c'est que la plupart étaient des gens actifs qui avaient vécu comme s'ils pouvaient reporter indéfiniment le paiement de leurs dettes (vivre «à crédit»), des gens qui, dans une certaine mesure, considéraient la vie comme un dû. Ils voulaient s'épanouir, garder leur enthousiasme professionnel, tout en dissipant frivolement leur précieuse énergie vitale comme si elle serait toujours abondante.

L'autoefficacité

Parallèlement à cet atelier, j'ai mené des recherches sur notre sentiment d'autoefficacité. Ce sentiment repose en particulier sur nos ressources intérieures. Albert Bandura, le fondateur de la théorie de l'apprentissage social et de l'autoefficacité, décrit l'autoefficacité comme étant «les croyances en ses propres capacités à élaborer et à exécuter des plans d'action nécessaires à la production d'une tâche donnée.» **L'autoefficacité présume des efforts, de la persévérance et des résultats.** Il est impossible d'expliquer des phénomènes tels que la motivation humaine, l'autorégulation et l'accomplissement, sans examiner le rôle des croyances d'autoefficacité.

Les croyances d'autoefficacité se construisent à partir de quatre principales sources d'information, lesquelles peuvent s'énoncer brièvement comme suit: les expériences de maîtrise passées – connaître notre passé facilite la création de notre avenir –, les expériences vicariantes – les autres peuvent nous faire éviter beaucoup d'erreurs car nous apprenons par le biais de leurs erreurs –, la persuasion verbale – nous sommes ouverts à ce que disent les autres, nous sommes conscients de notre faillibilité –, les états physiologiques et affectifs – nous sommes à l'écoute de notre propre corps et nous lui fournissons ce dont il a besoin (énergie, repos) pour compenser les dépenses dues à nos tâches quotidiennes. Les sources d'autoefficacité les plus déterminantes sont nos expériences passées.

M'inspirant de la théorie de Bandura, j'ai décidé d'élaborer un programme pour soutenir l'autoefficacité des athlètes. Ce programme original permet aux athlètes d'apprendre à accéder à leurs ressources intérieures afin de relever leurs niveaux d'autoefficacité. Les résultats de recherche indiquent que le programme a été efficace. **Les participants ont montré une augmentation substantielle de leur autoefficacité.**

Recharger nos batteries

Le sport n'est pas le seul domaine où les ressources intérieures sont les facteurs clés. Mais quelles sont ces «ressources»? La plupart sont les ressources comportementales, matérielles, physiques, sociales et psychologiques dont nous disposons pour relever les défis quotidiens. Souvent décrites comme étant nos «batteries», ces ressources peuvent être aussi simples qu'une activité récréative, le temps passé en famille, la poursuite de rêves ou d'objectifs de vie, le souci d'une alimentation saine, une activité physique, un hobby, une recherche de spiritualité ou même le soin apporté à un animal de compagnie. Nous utilisons nos ressources pour recharger nos batteries et compenser l'énergie que nous dépensons en relevant nos défis quotidiens. Il serait bon de dresser une liste de nos ressources intérieures et de la garder toujours à portée de main – non seulement pour les moments où nous sentons notre vitalité menacée et notre énergie au bord de l'épuisement, mais **surtout pour éviter ces baisses catastrophiques d'énergie.** Je crois que le moment d'une prise de conscience est venu et que nous devons commencer à agir de manière préventive. Le développement de la civilisation nous a habitués au fait que nous «opérons après l'action». La théorie de Bandura et les expériences de personnes atteintes de cancer donnent matière à réflexion. Bandura soulignait toujours l'importance de l'apprentissage tiré des erreurs des autres. Alors pourquoi attendre que quelqu'un tire un enseignement de nos erreurs?

Les clés

→ **De nos jours, les gens aiment vivre à crédit, oubliant qu'il leur faudra un jour ou l'autre rembourser.**

→ **Il est impossible d'expliquer la motivation humaine, l'autorégulation et l'accomplissement sans examiner le rôle des croyances d'autoefficacité. Nous disposons des ressources comportementales, matérielles, physiques, sociales et psychologiques nécessaires pour relever nos défis quotidiens. Elles nous permettent de recharger nos batteries et de compenser l'énergie que nous dépensons en répondant à nos défis quotidiens.**

Adriana Zagórska-Pachucka est titulaire d'un doctorat. Elle travaille à l'Académie d'éducation physique de Varsovie (Pologne). Psychologue du sport recommandée par le Comité olympique polonais, elle travaille avec le Legia Varsovie, le club de football champion de Pologne. Elle a écrit de nombreux articles sur l'autoefficacité chez les athlètes. Pour elle, «l'espoir est une chose que j'ai toujours dans ma poche, une chose à ne jamais oublier, à ne jamais perdre.»

« Travail persévérant peut faire d'une barre de fer une aiguille à broder. »

Ren ding sheng tian

«Il existe diverses croyances chinoises sur l'espoir, et l'on peut en déduire plusieurs thèmes, en particulier dans le contexte de l'adversité, déclare le professeur **Daniel T.L. Shek**. Il y a tout d'abord la croyance "*ren ding sheng tian*" (l'homme est le maître de son destin) qui sous-tend la mentalité optimiste selon laquelle l'être humain peut surmonter toutes les adversités de la vie.» Mais il y a plus.

La patience et l'endurance sont considérées comme des clés de l'espoir face à l'adversité, comme en témoignent les croyances culturelles de «*chi de ku zhong ku, fang wei ren shange ren*» (on n'a rien sans rien) et «*zhi yao you heng xin, tie zhu mo cheng zhen*» (travail persévérant peut faire d'une barre de fer une aiguille à broder). Par ailleurs, une forte volonté est aussi une clé du succès, comme l'indique la croyance «*you zhi zhe shi jing cheng*» (là où il y a une volonté il y a un chemin). En particulier, considérer la souffrance comme une école de la vie motive les gens à endurer les difficultés et à rester optimistes. Cette idée se retrouve dans la pensée de Mencius. Selon lui, «**quand le ciel est prêt à donner un grand destin à quelqu'un, il commence par exercer son esprit par la souffrance**, ses nerfs et ses os par l'effort. Il soumet son corps à la faim, le condamne à l'extrême pauvreté, ruine toutes ses entreprises. Par toutes ces épreuves, il stimule son esprit, fortifie sa nature et réduit ses faiblesses.»

La croyance en l'avenir

Des nombreuses recherches sur l'espoir et le désespoir que nous avons menées parmi la population chinoise, nous avons tiré les cinq observations suivantes:

1. **Par rapport aux personnes qui ont de l'espoir, celles qui n'ont pas d'espoir manifestent des symptômes psychologiques plus négatifs** (p. ex. anxiété et dépression) ainsi que des comportements à risque (p. ex. abus d'alcool ou de drogue). De plus, les gens sans espoir ont un niveau de santé mentale positive plus faible, se traduisant par des niveaux d'estime de soi et de bien-être existentiel plus faibles.
2. **Les croyances en l'avenir sont positivement liées à plusieurs atouts développementaux des jeunes**, tels que l'attachement, la résilience, les compétences psychosociales (cognitives, sociales, émotionnelles, comportementales et morales), l'autodétermination, l'autoefficacité, une identité claire et positive, la recherche de spiritualité, des normes prosociales et un engagement prosocial.
3. **Plusieurs facteurs sociodémographiques sont liés aux croyances en l'avenir.** Par rapport aux hommes, les femmes ont souvent un niveau d'optimisme plus élevé. De plus, par rapport aux adolescents désavantagés sur le plan économique, les adolescents non pauvres ont de plus fortes croyances positives en l'avenir. Par ailleurs, les adolescents qui grandissent dans des familles intactes sont plus optimistes que ceux qui grandissent dans des familles non intactes.
4. **La spiritualité est directement liée aux croyances en l'avenir.** Les gens qui ont un objectif élevé dans la vie sont plus optimistes. Par contre, ceux qui n'ont pas de raison de vivre sont enclins à être plus pessimistes.
5. **Divers processus familiaux contribuent également aux croyances en l'avenir.** Les principales caractéristiques du fonctionnement familial, telles que la réciprocité, la communication, l'harmonie et l'expression émotionnelle, sont positivement liées aux croyances en l'avenir. Les caractéristiques de la parentalité telles que la réceptivité et la sollicitude sont positivement liées aux croyances en l'avenir. Le contrôle parental du comportement des adolescents est positivement lié aux croyances en l'avenir, alors que le contrôle psychologique est négativement lié à l'optimisme. Les qualités relationnelles parents-enfants, telles que la confiance mutuelle et la communication parents-enfants, sont également positivement liées aux croyances en l'avenir des adolescents.

La promotion de l'espoir

Malheureusement, un très petit nombre de programmes validés mettent l'accent sur les ressources personnelles, familiales et culturelles dans la promotion de l'espoir parmi la population chinoise, en particulier chez les adolescents. Quels enseignements pratiques pouvons-nous tirer de la littérature chinoise sur l'espoir?

→ Trouver un **objectif significatif** dans la vie et cultiver les atouts développementaux (c'est-à-dire les ressources personnelles) permet de promouvoir l'espoir chez les adolescents.
→ Promouvoir une **parentalité positive**, un bon fonctionnement familial et les qualités relationnelles parents-enfants permet de nourrir l'espoir chez les adolescents. Promouvoir la qualité de la vie familiale (c'est-à-dire les ressources familiales) est également important pour nourrir l'espoir.
→ Utiliser nos **croyances culturelles** concernant l'adversité (c'est-à-dire les ressources culturelles) permet de promouvoir l'espoir.

Les clés

→ **Considérer la souffrance comme une école de la vie motive à endurer les difficultés et à rester optimiste.**
→ **Des processus familiaux harmonieux, une recherche de spiritualité et des jeunes positifs contribuent aux croyances en l'avenir et à une meilleure santé mentale.**
→ **Utiliser les croyances culturelles, adopter la parentalité positive et trouver un sens à sa vie sont des moyens de promouvoir l'espoir, en particulier chez les adolescents.**

Daniel T.L. Shek est vice-président associé (programme de premier cycle) et professeur titulaire à l'Université polytechnique de Hong Kong, en Chine. Il est directeur du Centre de programmes novateurs pour les adolescents et les familles. Il a publié dans des revues scientifiques internationales plus de 500 articles sur l'adolescence, la santé, le bien-être et la qualité de vie dans des contextes chinois, occidentaux et mondiaux. Il est rédacteur du *Journal of Youth Studies* et membre du comité de rédaction de plusieurs revues internationales, notamment *Social Indicators Research* et *International Journal of Adolescent Medicine and Health*. Il aime chanter, faire de la randonnée et du cyclisme, et écrire. Il puise une certaine forme d'espoir dans l'amour humain, les rencontres humaines authentiques et les services rendus aux autres.

«L'espoir n'est pas une émotion fugace indépendante de tout contrôle.»

L'espoir et le caractère

L'espoir et l'optimisme ont un impact sur la motivation et la résilience. C'est ce que révèlent les recherches de **Charles Martin-Krumm**. En tant que professeur de sport et ancien membre de l'équipe de France d'aviron, il cherche à savoir si l'espoir est un trait de caractère et comment nous pouvons éventuellement l'influencer.

En étudiant les fondements historiques et théologiques de l'espoir, on s'aperçoit que l'espoir est d'abord appréhendé comme un phénomène passif, soumis à une intervention extérieure, voire divine. Dans les années 1950, le concept d'espoir a fait son apparition en psychologie clinique dans le cadre du traitement des symptômes dépressifs, car les psychologues pensaient que l'espoir pouvait avoir une influence positive sur le bien-être et la résilience. Ce n'est que depuis le début des années 1990, avec l'émergence de la psychologie positive, que la communauté scientifique considère l'espoir non plus comme un phénomène passif, mais comme une vertu, une force de caractère, dont l'origine se trouve en grande partie dans l'individu lui-même. **Nous pouvons aujourd'hui définir l'espoir comme un processus psychologique actif**, nécessitant la détermination par l'individu d'objectifs importants pour lui, la mise en œuvre de moyens et de ressources pour atteindre ces objectifs, et le développement d'une motivation suffisante pour y parvenir. En ce sens, l'espoir n'est pas qu'une émotion fugace indépendante de tout contrôle, mais un processus cognitif sur lequel l'individu exerce une influence en orientant ses choix et ses motivations.

Le sport

Si l'espoir est un trait de personnalité relativement général, il est possible toutefois de développer différents niveaux d'espoir, selon que l'on se réfère à tel ou tel domaine de vie (le sport, le travail, les relations amoureuses, les relations sociales), voire à une situation spécifique. En cela, nous pouvons parler d'«espoir d'état» dans l'«ici et maintenant». En revanche, il est possible aussi d'envisager un niveau plus général d'espoir, très proche de la variable de personnalité. Nous parlons alors d'«espoir de trait».

Nos recherches portent surtout sur deux choses. La première concerne la part imputable respectivement à l'espoir de trait et à l'espoir d'état, dans la performance. En d'autres termes, le fait de disposer d'un haut niveau d'espoir «général» permet-il d'être plus performant dans différents types d'activités, ou bien est-il plus important de développer un haut niveau d'espoir dans un domaine d'activité (p. ex. le sport), ou dans une certaine situation, pour y être plus performant? Dans le cas d'une performance scolaire réalisée dans le cadre d'un cours d'éducation physique et sportive, nos résultats montrent que l'espoir de trait n'a pas d'effet direct sur la performance. Son action est en revanche indirecte, c'est-à-dire «médiée» par le niveau d'espoir d'état. Autrement dit, le niveau d'espoir général propre à l'individu aurait un impact sur le niveau d'espoir développé à l'égard des activités physiques, lequel aurait en retour un impact sur la performance. **L'effet est indirect, à savoir qu'il passe par le niveau d'«espoir d'état».**

Les interventions

Notre deuxième champ d'investigation concerne l'identification de variables intermédiaires intervenant dans la relation espoir-performance. Nous appelons ces entités des «variables médiatrices», car elles jouent un rôle à l'interface entre l'espoir et la performance. En ce sens, l'espoir aurait un effet sur ces variables médiatrices qui, en retour, auraient un effet sur la performance. Si nous savons bien aujourd'hui que l'espoir est généralement un bon prédicteur de la performance dans différents domaines, nous connaissons mal ces variables médiatrices et la façon dont elles interagissent. Notre objectif est donc de comprendre quelles sont ces variables, comment elles agissent et s'il est possible d'intervenir pour modifier le niveau d'espoir des gens, avec pour finalité d'améliorer leur performance. Les recherches que nous avons menées dans le cadre de la pratique des activités physiques et sportives montrent que la perception par l'individu de sa propre compétence dans une certaine activité a un effet considérable sur sa performance. **Cette perception de la compétence influence le niveau d'espoir dans l'activité pratiquée**, ce qui influence en retour la performance finale.

La résilience

Nous cherchons aujourd'hui à comprendre comment l'espoir influence la performance physique et la capacité des individus à rebondir après un échec. L'hypothèse est que les individus ayant un haut niveau d'espoir sont **plus aptes à faire face à l'échec**, en trouvant des solutions alternatives et des sources de motivation pour rebondir après une performance perçue comme mauvaise.

Dans une perspective plus macroscopique, et en collaboration avec d'autres chercheurs européens, nous cherchons à comprendre comment différentes variables peuvent interagir, et s'il existe des distinctions sur ce plan entre les populations de chaque pays. Cette étude a débuté en 2011 et se poursuit actuellement. Les populations ont-elles les mêmes sources d'espoir? Comment le niveau d'espoir évolue-t-il avec l'âge? Cette évolution est-elle la même d'un pays à un autre? La passion est-elle susceptible d'avoir un effet sur l'espoir, ou bien est-ce l'inverse? Il y a encore beaucoup de questions auxquelles nous cherchons à répondre.

Les clés

- → **L'espoir n'est pas un phénomène passif, mais un processus psychologique actif.**
- → **L'espoir influence le bien-être, la performance et la résilience. Nous devons faire une distinction entre «espoir d'état» et «espoir de trait».**
- → **À l'interface entre l'espoir et la performance, nous pouvons influer sur les «variables médiatrices» (telles que la perception de l'individu de sa compétence spécifique).**

Charles Martin-Krumm est professeur à l'Université européenne de Bretagne (France), où il est chargé de la formation des professeurs d'éducation physique. Ses recherches ont montré l'influence de l'espoir et de l'optimisme sur la motivation et la résilience. Les résultats sont rassemblés dans le *Traité de psychologie positive* (Martin-Krumm & Tarquinio, 2011).

Yann Delas en **Fabien Fenouillet** sont coauteurs de ce chapitre.

Yann Delas (Université Rennes 2) étudie la relation entre l'espoir et la performance dans divers contextes ayant un rapport avec le sport. **Fabien Fenouillet** (Université Paris Ouest-Nanterre La Défense) est professeur de psychologie cognitive. Il étudie l'influence de la motivation et du bien-être sur les mécanismes cognitifs afin de comprendre comment on peut utiliser la technologie pour encourager les gens à apprendre.

«L'espoir est un carburant qui nourrit l'action désirée.»

Espérer l'espoir

«Récemment, ma collègue a vécu une tragédie: la mort soudaine de sa fille de vingt et un ans. Enterrer son enfant est sans aucun doute la plus grande crainte et la plus profonde souffrance d'un parent, affirme la professeure **Lotta Uusitalo-Malmivaara**. Comment surmonter une telle perte et recouvrer l'espoir qui a disparu lorsque les policiers sont venus sonner à votre porte?»

Je savais qu'il était trop tôt pour demander à ma collègue d'écrire un texte sur l'espoir quelques mois seulement après le décès de sa fille. Cependant, elle m'a promis de me parler un peu de ce que c'est que d'espérer l'espoir. Auparavant, c'était une personne optimiste qui caressait de grands espoirs, mais toute sa force lui avait été arrachée. «J'ai toujours été quelqu'un qui ne renonce pas, dit-elle, mais l'injustice de la vie est paralysante.»

La réparation

De toutes les forces de caractère étudiées, l'espoir semble celle qui prédit le plus clairement le bien-être et le bonheur. Les gens pour qui l'espoir est la principale force se fixent des objectifs et trouvent un sens dans leurs tentatives pour les réaliser. Les personnes qui ont de grands espoirs poursuivent leurs objectifs et semblent même dépasser les attentes. L'espoir est le carburant qui nourrit l'action désirée. L'espoir est associé au succès et à la réalisation dans de multiples domaines, allant de la réussite scolaire à la compétence sociale. Les sentiments et les émotions sont des ingrédients de l'espoir, mais ce sont des composantes cognitives qui orientent le processus motivationnel vers des objectifs. Les gens qui souffrent d'une grave dépression décrivent leur état comme étant totalement sans espoir. On pourrait comparer le désespoir à une impasse sans fin ou à un scénario vide d'objectifs. Même ceux qui se sont relevés d'une dépression disent que l'espoir doit renaître chaque matin, que les sources d'espoir qui fonctionnaient hier semblent avoir perdu leur importance aujourd'hui.

Selon les définitions scientifiques, la *réparation* est une des principales fonctions de l'espoir. Nous avons besoin d'espoir en tant que force motrice quand nous sommes face à des situations insatisfaisantes, préjudiciables ou menaçantes. On dit que l'espoir est à son plus haut niveau lorsqu'il existe des probabilités de réalisation d'objectifs intermédiaires. L'espoir est inutile lorsque les chances de gagner sont à 100 % ou, au contraire, nulles. Dans les situations catastrophiques, les chances de gagner sont très faibles. Ma collègue a écrit sur la consolation qu'elle trouvait dans la musique, dans la contemplation sans fin de photos et de vidéos de sa fille bien-aimée, dans la relecture de ses SMS et de ses messages sur Facebook, et dans la présence chaleureuse de sa famille et de ses amis. **Nous apprenons et pratiquons un mode de pensée optimiste et orienté vers l'avenir dans le contexte d'autres personnes.** Lorsque nous perdons une personne chère à notre cœur, cet élan est brisé. Survenant de manière totalement inattendue, la rupture est si brutale qu'elle nous laisse de faibles chances de survie. Quelles sont alors nos chances d'espérer? Et que pouvons-nous espérer? La vie peut-elle jamais retrouver un sens comparable?

Ce qui nous est précieux

Éprouver de la gratitude et savourer les bons souvenirs sont parmi les activités les plus efficaces pour accroître le bonheur. Ma collègue m'a parlé de la précieuse valeur des petits actes d'amour et des paroles importantes qui avaient été dites quand sa fille était encore en vie. Ces souvenirs se sont révélés indispensables lorsqu'elle faisait ses premiers pas sur la voie de l'espoir recouvré. La gratitude qu'elle ressentait d'avoir eu une magnifique fille de vingt et un ans était pour elle une grande source de force. Le fait d'avoir eu la chance de connaître sa personnalité, d'aimer cette enfant particulière, avait été un vrai rayon de soleil. La métaphore de l'espoir comme un arc-en-ciel de l'esprit était évidente dans la voix de la mère. Un jour, les couleurs réapparaîtront quand la lumière aura envahi les ténèbres.

Des événements traumatiques et révoltants peuvent ravir l'espoir de manière permanente. Le fait d'avoir été gravement maltraité et d'avoir subi un grand malheur peut faire que les gens renoncent au grand objectif de leur vie, ce qui risque d'entraîner la perte de tout intérêt et de toute ambition. «Qu'est-ce que cela peut encore faire?» Des recherches montrent toutefois que **les gens qui ont de grands espoirs considèrent que même les événements qui mettent la vie en danger ont un sens et sont enrichissants.** Après une disparition tragique, un chagrin dévastateur, des sentiments de culpabilité et de colère, l'espoir peut renaître sous forme de sentiments de gratitude, de gentillesse et de compassion qui n'existaient pas auparavant. Le fait de devoir apprendre à vivre sans un membre de la famille, bien que cette situation ne soit jamais totalement acceptée, peut évoluer en une compréhension plus profonde de notre humanité, une appréciation plus intense de la beauté, du courage et du pardon. Cette épreuve qui touche aux fondations des forces humaines n'affecte pas seulement les proches de la famille, mais aussi l'humanité entière. Avoir la chance de donner de l'espoir par procuration, c'est un cadeau pour ceux qui entourent les personnes aux prises avec une grande tristesse. Pour ces personnes, l'espoir des autres peut être une force ascensionnelle qui les maintient à la surface jusqu'à ce qu'elles puissent se raccrocher à leur propre espoir.

Les clés

- → **Les personnes qui ont de grands espoirs poursuivent leurs objectifs et semblent dépasser les attentes. Les sentiments et les émotions sont les ingrédients de l'espoir, mais ce sont des composantes cognitives qui orientent le processus motivationnel vers les objectifs.**
- → **On dit que l'espoir est à son plus haut niveau lorsqu'il existe des probabilités de réalisation d'objectifs intermédiaires. La *réparation* est une de ses principales fonctions.**
- → **Après une disparition tragique, un chagrin dévastateur, des sentiments de culpabilité et de colère, l'espoir peut renaître sous la forme de sentiments de gratitude, de gentillesse et de compassion qui n'existaient pas auparavant. Éprouver de la gratitude et savourer les bons souvenirs sont parmi les activités les plus efficaces.**

Lotta Uusitalo-Malmivaara est professeure adjointe au Département d'éducation spécialisée de l'Université d'Helsinki (Finlande). Ses intérêts de recherche portent sur les difficultés d'apprentissage, le bien-être des enfants et des adolescents, en particulier le bonheur lié à l'école. Les forces de caractère, la pleine conscience, la compassion et les conditions optimales d'apprentissage pour les enfants à besoins particuliers lui tiennent également très à cœur. Elle est profondément reconnaissante envers Terhi Ojala de lui avoir fait connaître son histoire.

«Le pardon est un don généreux.»

L'espoir de Mandela

Nelson Mandela a passé 27 ans de sa vie en prison avant de devenir en 1994 le premier président noir d'Afrique du Sud. Il n'a pas choisi la vengeance, mais l'espoir basé sur le face-à-face avec la vérité et la capacité à pardonner. Vingt ans plus tard, les professeures **Marie Wissing** et **Tharina Guse** analysent les processus en jeu ici et mesurent l'espoir qu'expriment de jeunes Sud-Africains. Une source d'inspiration pour le monde.

En Afrique du Sud, nous avons étudié le bien-être psychosocial, l'espoir et les processus de renforcement de l'espoir dans de nombreux contextes et sous de nombreuses formes, en particulier les processus de la Commission Vérité et Réconciliation (CVR), tant parmi les populations des zones rurales reculées que dans les zones urbaines de haute technologie. Nous avons remarqué qu'**un niveau d'espoir plus élevé est un produit secondaire d'expériences transformatives** et de processus d'amélioration du bien-être psychosocial, lié à la spiritualité, à l'ouverture vers l'avenir, au sens donné à la vie, et à la paix.

Vingt ans se sont écoulés depuis l'aube de la «Nouvelle Afrique du Sud». L'espoir s'est-il embrasé et ensuite propagé jusqu'aux jeunes du pays? Oui, dans une grande mesure, cela semble le cas. Nous avons trouvé que les niveaux d'espoir des adolescents sud-africains étaient relativement élevés et similaires à ceux des adolescents américains. Il n'existait pas non plus de différences en matière d'espoir parmi les adolescents de différents groupes de population. Un modèle similaire s'est dégagé de nos recherches sur l'espoir parmi les étudiants universitaires d'une grande institution urbaine. Par ailleurs, de hauts niveaux d'espoir étaient systématiquement liés au bien-être psychologique. **Les jeunes Sud-Africains semblent bien positionnés pour aborder l'avenir de manière optimiste et psychologiquement saine.** Nous tournant vers l'avenir, nous découvrons beaucoup d'espoir parmi les jeunes de la nation arc-en-ciel. Nous tournant vers le passé, nous voyons comment le processus de réconciliation a semé l'espoir en Afrique du Sud. Une source d'inspiration pour le monde.

Une voix aux victimes

La Commission Vérité et Réconciliation a joué un rôle crucial. Comment a-t-elle fonctionné? La CVR d'Afrique du Sud a été créée en tant que processus de transition vers un gouvernement démocratique et vers la reconnaissance des droits de l'homme au lendemain de l'abolition du système d'apartheid. En regardant à travers le prisme de la psychologie positive les processus et les résultats de la commission, nous relevons un grand nombre de forces psychosociales et beaucoup d'espoir pour le développement d'une nation plus saine.

Les lauréats du prix Nobel de la paix, Nelson Mandela et Willem de Klerk, ont fait preuve d'un grand *leadership* au cours du processus de négociation. **La force du leadership de Mandela se retrouve dans sa sagesse et son optique**, dans l'intégrité et l'intelligence sociale avec lesquelles il a choisi la manière de gérer ce qui s'était passé pendant l'apartheid. La création de la CVR a été le choix de l'équilibre, de l'équité, de la justice, de la compassion et de l'espoir en un avenir meilleur. Les victimes de l'apartheid ont été placées au centre de ces processus – on devait commencer par écouter les récits de leurs souffrances et des violations des droits de l'homme. Ce processus reconnaissait la dignité des victimes et imposait du respect à leur égard.

Les processus de la CVR construisaient l'espoir en facilitant la *conscience sociale* et le *recouvrement d'une histoire perdue*. Ils ouvraient la voie à un avenir plein d'espoir de réconciliation au-delà des anciens clivages. En comblant les lacunes dans la connaissance de ce qui était arrivé à des personnes chères, en prenant conscience des conséquences de ses propres actions pour les autres et en guidant les gens vers un avenir réconcilié, *de nouvelles significations étaient construites* au niveau individuel et social, permettant au pays de devenir une nation plus positive et plus optimiste.

La CVR créait un espace pour *instaurer et consolider la paix*. Elle facilitait l'*harmonie* au niveau à la fois intrapersonnel et interpersonnel, ce qui renforçait l'équilibre, l'acceptation, la réconciliation et l'intégration des contraires en un tout. La *compassion* était manifeste tant dans le public que parmi les officiels à l'écoute des récits des victimes. **La *spiritualité* a joué un rôle majeur (inattendu)** dans ces processus. En tant que président de la CVR, l'ancien archevêque Desmond Tutu a dit au début des audiences que nous devons puiser profondément dans les sources spirituelles de nos différentes traditions religieuses afin de tirer la force et la grâce nécessaires pour relever les défis de guérison et devenir une nation plus responsable sur le plan moral. Certains ont critiqué ce puissant thème spirituel dans les travaux de la CVR, mais les victimes, les membres de la commission et les coupables eux-mêmes l'ont apparemment accepté. Dans la mise en œuvre de son mandat pour promouvoir la réconciliation et la reconstruction, la CVR était fortement *ouverte vers l'avenir* et créait de l'*espoir* en un avenir meilleur.

Des fenêtres ouvertes

Des processus individuels, sociaux et spirituels ont été intégrés pour frayer une voie vers l'avenir en *disant la vérité*. Nous avons écouté des vérités judiciaires, spirituelles et personnelles – ces dernières étant une recherche de compréhension, de connaissance de soi, d'acceptation de la responsabilité personnelle, de guérison, de justice et de réconciliation. La reconstruction narrative des expériences vécues dans le contexte socialement favorable de la CVR a facilité la guérison des traumatismes du passé, ainsi que la *croissance posttraumatique* manifeste dans des remarques reflétant une plus pleine humanité grâce au pardon et au repentir comme éléments d'interconnexion. **En disant toute la vérité, les transgresseurs *ont assumé leur responsabilité***, ce qui leur a permis d'évoluer en intégrité.

Le *pardon* a joué un rôle positif crucial dans les processus de la CVR vers la construction d'une nation plus positive. Tutu a souligné que l'acte de pardon ouvre une fenêtre sur l'avenir à la fois pour le pardonneur et pour le coupable. Dans une perspective africaine face au pardon, les victimes devenaient les gardiens de la réintégration des transgresseurs dans la communauté humaine. Le pardon est un don généreux aux transgresseurs qui ne sont pas en mesure de le demander ou de le mériter. Ce qui est apparu lors des travaux de la CVR au sujet du pardon et de la croissance enrichit la compréhension du concept de pardon en psychologie positive d'un point de vue culturel. Grâce aux travaux de la CVR, nous avons remarqué que, dans une perspective collectiviste africaine, **le *pardon* n'est pas seulement un processus individuel, mais aussi un processus social incluant la réconciliation** – ce qui est une condition préalable de l'évolution vers une plus pleine humanité des victimes, des transgresseurs et de la société tout entière. Antjie Krog, une poète sud-africaine membre de la CVR, appelle ce processus «l'interconnexion vers l'intégration». Selon les termes d'une mère: «Cette chose qu'on appelle réconciliation... si je comprends bien... si ça signifie que ce coupable, cet homme qui a tué Christopher Piet, si ça signifie qu'il redevient humain, cet homme, de sorte que moi, de sorte que nous tous, nous retrouvons notre humanité... alors je suis d'accord, alors je l'approuve entièrement.» C'est ainsi que s'est construit l'espoir pour un avenir meilleur.

Dans le contexte de la CVR sud-africaine, la *gratitude* était aussi liée à des processus sociaux et en particulier au pardon au niveau interpersonnel et à la nécessité de faire réparation. Un grand nombre de Sud-Africains, noirs et blancs, nous ont été reconnaissants d'avoir trouvé une voie conduisant à la paix et à la réconciliation. **Cette gratitude et cet émerveillement général nous ont unis** et poussés à faire encore plus d'efforts vers la réconciliation et donné de l'espoir en un avenir meilleur. La CVR avait rendu possible les *rêves d'avenir*.

Les clés

- → **La transition en Afrique du Sud est une source d'inspiration pour le développement de nations saines. Elle se caractérise par le leadership, la signification, la compassion, la responsabilité, le pardon, la gratitude, etc.**
- → **L'espoir nous aide à transformer les aspects négatifs du passé, et a un énorme impact sur les jeunes.**
- → **Construire l'espoir est bénéfique pour chacun et pour la société dans son ensemble.**

Le professeur **Michael Temane**, registraire adjoint à l'Université d'Afrique du Sud (Unisa), est coauteur de ce texte. **Marie Wissing** est professeure à l'Université du Nord-Ouest à Potchefstroom (Afrique du Sud), et **Tharina Guse** est chef du Département de psychologie de l'Université de Johannesburg. Toutes deux sont titulaires d'un doctorat en psychologie et sont actives dans l'enseignement, la recherche et le management. Pour elles, la famille est très importante. Marie est grand-mère et Tharina est mère. Elles apprécient la richesse de la vie qui s'exprime dans la beauté de la nature, dans les gens et dans l'art. Leur espoir en l'avenir ne consiste pas seulement en une vie paisible pour leurs enfants et leurs petits-enfants, mais aussi en une plus grande paix mondiale et en des relations plus harmonieuses entre les êtres humains et leur environnement, et au sein même des âmes humaines.

La vérité

La Commission Vérité et Réconciliation était un organe de justice réparatrice, créé en Afrique du Sud, à l'instar d'un tribunal, après l'abolition de l'apartheid. Les victimes étaient invitées à témoigner de leurs expériences au cours d'audiences publiques. Les coupables de violences pouvaient témoigner et demander l'amnistie. Commencées en 1996, les audiences ont eu un énorme impact sur la manière dont le pays a fait face à son passé et dont il s'est tourné vers l'avenir.

«L'espoir fournit une plateforme sur laquelle nous pouvons grimper pour scruter l'horizon bien au-delà du présent.»

Gimme Hope Jo'anna

«*Gimme Hope Jo'anna*» est un célèbre hymne reggae des années 1980, écrit pendant l'apartheid en Afrique du Sud. Le gouvernement sud-africain l'a interdit à sa sortie, mais il a été chanté dans le monde entier: «Donne-moi de l'espoir, Jo'anna, de l'espoir avant que vienne le matin.» Qu'en est-il de l'espoir chez les jeunes Sud-Africains d'aujourd'hui? **Gerard Boyce** fait des recherches.

Rares sont ceux qui contesteraient que l'Afrique du Sud est un bout de terre où il est difficile de vivre. Ses hauts niveaux de pauvreté et de chômage, ses taux parmi les plus élevés au monde d'inégalité économique et de prévalence du VIH/sida, sans parler de sa réputation de société parmi les plus violentes en temps de paix sur la planète laisseraient facilement supposer que la plupart de ses habitants ont sombré dans le désespoir. Ce sont sans doute les jeunes qui seraient les plus susceptibles de tomber dans le désespoir, vu les faibles perspectives de réalisation de leurs rêves que laissent présager ces indicateurs.

Pour explorer davantage cette hypothèse, nous avons étudié l'espoir dans un échantillon multiracial de jeunes de plusieurs écoles de Durban, dans la province du KwaZulu-Natal, une région souvent considérée comme l'épicentre mondial de l'épidémie de sida. Nous avons examiné la relation entre **les niveaux d'espoir et une série d'attitudes s'avérant affecter la prise de décisions économiques.** Pour ce faire, nous avons recensé les gains et pertes que les acteurs économiques perçoivent comme étant liés aux diverses options à leur disposition dans chaque situation donnée. Les attitudes étudiées correspondaient aux concepts économiques suivants: escompte, espérance subjective de vie, attitudes face au risque dans l'incertitude et aspirations professionnelles.

Accepter les risques

Nos résultats ont révélé que les gens plus optimistes avaient des aspirations professionnelles plus élevées que les gens moins optimistes, et étaient plus positifs quant à leurs possibilités de poursuivre la carrière qu'ils s'étaient choisie. Ils étaient aussi plus entreprenants. Cela tient peut-être à leur plus grande propension à accepter certains risques dans la quête de gratifications dans des conditions incertaines. Ils étaient également plus positifs quant à leurs perspectives de survie que les gens moins optimistes. Ajoutons que tous ces résultats étaient statistiquement significatifs aux niveaux traditionnels de test et sont restés constants même après la prise en compte de toute une série de variables démographiques (p. ex. race, sexe) et socioéconomiques.

Combinés, ces résultats indiquent non seulement que les gens plus optimistes attendent davantage de l'avenir que les gens moins optimistes, mais qu'**ils sont plus prêts à faire le nécessaire pour que ces attentes se réalisent** et qu'ils croient qu'ils profiteront plus longtemps des gratifications afférentes que ne le font les gens moins optimistes. Vu sous cet angle, nous pouvons dire que l'espoir fournit une plateforme sur laquelle les jeunes peuvent grimper pour scruter l'horizon bien au-delà des circonstances immédiates défavorables et envisager ainsi un avenir plus radieux.

Exploiter la promesse

En théorie, l'espoir pourrait prémunir les jeunes Sud-Africains contre les effets potentiellement négatifs des perceptions psychosociales de l'inégalité relative.

À l'appui de cette affirmation, nous avons trouvé que les niveaux d'espoir étaient plus liés au statut socioéconomique autoévalué et aux perceptions du statut socioéconomique relatif qu'à des mesures objectives de ce statut.

Une précédente étude des niveaux d'espoir dans un échantillon national d'environ 3 500 personnes de tous âges (Boyce et Harris, 2012) indique qu'en moyenne les jeunes ne sont ni plus ni moins optimistes que leurs compatriotes plus âgés. Il serait donc **injuste de dire que les jeunes se complaisent dans le désespoir** ou de continuer à colporter la rumeur d'une «jeunesse désespérée» ne faisant qu'intensifier les peurs sociétales envers ce groupe démographique.

Sur la base de ces constatations, nous avançons qu'au lieu de se lamenter et de se demander pourquoi les jeunes sont si désespérés, il serait bien plus gratifiant d'étudier ce qui soutient leurs niveaux d'espoir face à l'extrême adversité et d'explorer la manière dont la promesse sur laquelle ils s'appuient pourrait être exploitée pour le bien de tous les membres de la société. J'espère que les enseignements que nous pouvons tirer de ces recherches seront utilisés pour renforcer notre détermination collective à faire face aux redoutables défis mondiaux qui, par définition, menacent toute l'humanité et peuvent plonger même les plus vaillants d'entre nous dans les profondeurs du désespoir.

Les clés

- → **De hauts niveaux d'espoir améliorent la prise de décisions économiques. Les gens optimistes sont plus prêts à faire le nécessaire pour que leurs attentes se réalisent.**
- → **Les niveaux d'espoir sont davantage liés aux perceptions d'un statut socioéconomique relatif qu'à des mesures objectives de ce statut.**
- → **Il est gratifiant d'étudier ce qui soutient les niveaux d'espoir des jeunes et d'explorer comment la promesse sur laquelle ils s'appuient pourrait être exploitée pour le bien de tous les membres de la société.**

Gerard Boyce est titulaire d'un doctorat en économie. Il est stagiaire postdoctoral à l'École de comptabilité, économie et finance de l'Université du KwaZulu-Natal (UKZN) à Durban, en Afrique du Sud. Sa thèse de doctorat porte sur la relation entre les perceptions de l'identité raciale, l'espoir et les aspirations des jeunes en Afrique du Sud en matière éducative. Il s'intéresse en particulier aux effets que produisent des variables psychosociales, telles que les perceptions en matière de hiérarchie, d'identité et d'engagement, sur la prise de décision des jeunes, ainsi que la manière dont cela peut influer sur le potentiel de ce groupe à réaliser une transformation sociétale dans l'avenir. Environnementaliste engagé, il espère que les jeunes seront assez courageux pour prendre les décisions que leurs aînés n'ont pas osé prendre en matière de protection de notre environnement naturel.

« L'espoir peut ne pas être une chose sur laquelle nous comptons, mais quelque chose qui embellit notre vie. »

Nous ne parlons pas d'espoir

« Au Japon, on parle très rarement d'espoir. Mon espoir, ton espoir, notre espoir, l'espoir de la société… on entend rarement ces mots dans les conversations », disent **Naoko Kaida** et **Kosuke Kaida**. Cependant, les Japonais ont de l'espoir, ou du moins pensent à l'espoir, mais peut-être de manière très particulière.

L'origine du mot japonais pour espoir remonte à la littérature chinoise du 5e siècle, et le mot exact pour espoir, *kibo*, apparaît dans le premier dictionnaire japonais au 12e siècle. La définition courante du mot japonais pour espoir ne semble pas différer grandement de la signification de l'espoir dans les autres langues : c'est le souhait que quelque chose se réalise et la perspective désirée d'un avenir radieux. La manière dont les Japonais perçoivent l'espoir diffère pourtant grandement de celle d'autres cultures – et même au sein de la société japonaise à différents moments.

Pessimiste

L'espoir est étroitement associé à des visions optimistes ou pessimistes, car il se définit par des perspectives positives pour l'avenir. La recherche psychologique révèle que

les Asiatiques ont tendance à être plus pessimistes que les Occidentaux. Cependant, ces résultats doivent être interprétés avec précaution.

Premièrement, les gens de culture asiatique ne sont pas habitués à exprimer leur état d'esprit optimiste ou pessimiste. Par exemple, **les Japonais éprouvent de la gêne à exprimer une opinion positive sur leurs résultats, leur vie et leur bonheur.** Ils ont tendance à se montrer réservés dans l'expression de leurs pensées positives. Cela explique peut-être pourquoi les Japonais parlent rarement d'espoir. Deuxièmement, l'équilibre des états psychiques couplés varie selon les différentes cultures, ce qui entraîne diverses conséquences. L'optimisme et le pessimisme sont négativement associés, mais des études transculturelles ont révélé que cette association négative est beaucoup plus faible dans la culture asiatique que dans la culture occidentale. Dans la culture asiatique, **l'optimisme et le pessimisme ne sont pas un couple bipolaire contradictoire, mais un couple complémentaire.** Troisièmement, la science ne nous permet pas de bien traduire comment les individus développent et ressentent l'espoir dans d'autres cultures, puisque **la plupart des échelles psychologiques sont basées sur les valeurs occidentales.** La science de l'espoir doit s'efforcer d'établir un rapprochement entre la diversité culturelle de l'espoir et sa réalité dans les sociétés.

L'aisance matérielle

Un grand nombre d'études, de romans et de rapports médiatiques prouvent que, durant les années 1960 et 1980, la société japonaise était animée d'un grand espoir collectif – à savoir l'aisance économique et matérielle. Cette très forte notion d'attente d'un avenir positif était partagée (moins souvent verbalement) par les baby-boomers de l'après-guerre, qui étaient alors dans la fleur de l'âge. Le niveau de revenu avait quadruplé et la qualité de la vie s'était considérablement améliorée: leur espoir était réalisé. Ensuite, surtout après le dégonflement de la bulle économique au début des années 1990, les Japonais ont perdu leur optimisme quant à la croissance économique. **Les gens sont allés à la recherche de leur *propre* espoir.**

Les Japonais du 21e siècle ne sont pourtant pas des gens désespérés. Selon une enquête nationale menée en 2006, pratiquement 80 % des Japonais avaient de l'espoir et la majorité d'entre eux croyaient qu'il pouvait se réaliser. Ils avaient de l'espoir dans les domaines de l'emploi et de la carrière, de la famille, de la santé, des loisirs, de l'apprentissage, de l'engagement social, de l'amitié et du mariage. D'autres résultats de cette enquête indiquent que 60 % des Japonais pensaient que l'espoir leur permettait de mieux vivre et 7 % seulement qu'ils ne pourraient pas vivre sans espoir. Cela amène à poser une hypothèse intéressante: pour les Japonais, l'espoir n'est pas une chose sur laquelle ils comptent pour survivre, mais quelque chose qui embellit leur vie et les motive à faire ce qui leur tient à cœur.

Le tsunami

Le 11 mars 2011, le Japon a été dévasté par un grand tremblement de terre, un tsunami et un accident nucléaire. Ces catastrophes ont inévitablement incité les gens à revoir leurs idées sur la vie et la mort, la nature et les systèmes humains, en termes à la fois de cadeaux et de menaces, de bonheur et d'espoir pour l'avenir. **Un profond désespoir a submergé le pays juste après les événements, mais bientôt l'esprit volontariste s'est développé** et s'est répandu dans les régions ravagées et d'autres parties du pays. Les gens se sont mis à croire en l'espoir et ont choisi de redonner vie à leur communauté au lieu de sombrer dans le désespoir. Cela indique que l'espoir ne disparaît jamais complètement, même dans des situations très difficiles, et qu'il peut être renforcé, même dans les circonstances les plus pessimistes. L'année 2011 aura sans doute été le moment où les Japonais ont le plus sérieusement parlé d'espoir, au cours des cinq dernières décennies.

Aujourd'hui, en 2015, **les gens se taisent de nouveau.** Les résultats de notre enquête de 2013 indiquent que les Japonais pensent que leur bonheur futur restera au même niveau que maintenant. Les résultats montrent aussi que les générations actives sont moins optimistes quant à leur bonheur futur, alors que les personnes âgées s'attendent à une vie meilleure dans l'avenir. Ce contraste entre générations reflète les incertitudes et les anxiétés pour l'avenir qui sous-tendent le courage de la société. Il est donc probable que les Japonais se remettront bientôt à parler sérieusement de l'avenir, qu'il soit optimiste ou pessimiste, mais il n'est pas du tout sûr qu'ils parleront d'espoir.

Les clés

- → **Les Asiatiques ont tendance à être plus pessimistes que les Occidentaux. Cependant, ces résultats doivent être interprétés avec précaution.**
- → **Pour les Japonais, l'espoir n'est pas une chose sur laquelle ils comptent, mais quelque chose qui embellit agréablement leur vie et les motive à faire ce qui leur tient à cœur.**
- → **La réaction publique après le tsunami semble indiquer que l'espoir ne disparaît jamais complètement, même dans des moments très difficiles, et qu'il peut être renforcé, même dans les circonstances les plus pessimistes.**

Naoko Kaida est professeure assistante en économie environnementale et en comportement respectueux de l'environnement, au Département des sciences de formulation et de planification des politiques de l'Université de Tsukuba (Japon). **Kosuke Kaida** est chercheur principal en neuroscience cognitive et dans le domaine du sommeil, au Life Human Technology Research Institute de l'Institut national de la science et des technologies industrielles avancées (AIST), au Japon. Ensemble, ils ont coécrit plusieurs articles sur les sentiments positifs, le bien-être subjectif et le comportement respectueux de l'environnement. En tant que partenaires de vie et de recherche, ils sont optimistes et enthousiastes à l'idée de poursuivre leurs recherches, afin de contribuer à l'amélioration du bien-être physique et psychologique, grâce à un sommeil de qualité, à une vie agréable et à un engagement social respectueux des autres et de l'environnement.

«L'espoir n'est pas un luxe réservé à quelques privilégiés.»

Les «big five» de l'espoir

Oui, la plupart d'entre nous veulent être optimistes. Pourtant, nous avons parfois l'impression d'être les seuls optimistes dans une mer de désespoir. Que nous apprennent exactement les recherches sur l'espoir? Le professeur **Matthew W. Gallagher**, l'un des chercheurs de pointe en matière d'espoir, étudie la façon dont l'espoir et d'autres formes de pensée positive favorisent la santé mentale, ainsi que la guérison du trouble de stress post-traumatique et autres troubles de l'anxiété. Voici les «big five» de ce que nous savons de l'espoir.

1. L'espoir est universel. L'une des choses qui m'ont le plus frappé en étudiant l'espoir est l'universalité des attentes optimistes pour l'avenir. Même si les sceptiques disent parfois que l'espoir est un luxe réservé à quelques privilégiés, les recherches ont montré que de hauts niveaux d'espoir sont universels. Dans une étude publiée récemment, que j'ai menée avec mes collègues Shane Lopez et Sarah Pressman, nous avons examiné les variations mondiales dans les attentes positives pour l'avenir, sur la base de données internationales recueillies par l'institut Gallup. Cette étude portait sur des échantillons représentatifs de plus de 1 000 personnes originaires de 142 pays différents, représentant 95 % de la population mondiale. Ce que nous avons trouvé était frappant: **84 % des personnes de cet échantillon mondial avaient une orientation optimiste vers l'avenir** et 89 % pensaient que leur vie serait aussi bonne, ou même meilleure, dans les cinq ans à venir qu'elle ne l'était à ce moment-là. En étudiant les variations par pays, nous avons trouvé que les populations de 141 des 142 pays examinés avaient une orientation optimiste vers l'avenir. Nous avons également constaté que les effets de variables démographiques comme l'âge, le sexe et le revenu étaient assez faibles. Ces résultats indiquent que l'espoir n'est pas un luxe réservé à quelques privilégiés, mais une ressource psychologique universelle que l'on peut trouver aux quatre coins du monde.

2. **L'espoir est utile.** Une autre question qui se pose souvent est de savoir si l'espoir est une bonne chose et si le faux espoir est vraiment une illusion dangereuse. Ce qui ressort clairement de mes recherches, et de celles de nombreux collègues, est que l'espoir est une ressource psychologique positive, favorable au bon fonctionnement psychologique et physique. **L'espoir favorise un large éventail d'indicateurs de bonne santé mentale**, tels que les émotions positives, la satisfaction, le sens de la vie et les relations positives, et ce, bien davantage que d'autres constructions psychologiques reconnues utiles.

3. **L'espoir est actif.** Les recherches ont démontré à maintes reprises que les personnes ayant de hauts niveaux d'espoir n'attendent pas passivement des résultats positifs. Elles prennent un rôle actif dans la poursuite de leurs objectifs et entreprennent des activités qui favorisent les résultats positifs. Elles sont plus en mesure de s'engager dans des formes adaptatives de régulation émotionnelle, **plus en mesure d'accomplir des tâches difficiles** et plus en mesure de persévérer dans la poursuite de leurs objectifs lorsqu'elles se heurtent à des obstacles. Il a même été prouvé que l'espoir renforce la résistance à la douleur, ce que Rick Snyder a démontré au cours d'une expérience en direct, réalisée avec les correspondants de l'émission télévisée *Good Morning America*.

4. **L'espoir influence la santé mentale.** L'espoir est un bon indice de prédiction pour un large éventail de maladies mentales et une importante ressource pour leur guérison. Mes recherches portent sur le rôle que joue l'espoir dans la promotion de la résilience et de la guérison du trouble de stress post-traumatique (TSPT) et des troubles de l'anxiété. Malheureusement, il faut reconnaître que la plupart des gens traversent un ou plusieurs événements traumatisants au cours de leur vie. Même s'il est déraisonnable de croire que l'espoir peut empêcher les événements traumatisants de se produire, des recherches montrent que **l'espoir joue un rôle très important dans la guérison et dans le retour au fonctionnement normal après un traumatisme.** La raison en est que l'espoir favorise des styles d'adaptation actifs et une régulation émotionnelle très efficaces pour gérer l'anxiété. Ces modes d'adaptation efficaces renforcent la résistance à l'anxiété, lorsque nous sommes confrontés à des situations difficiles ou incertaines.
5. **L'espoir encourage le changement.** Il est de plus en plus prouvé que l'espoir est l'un des mécanismes de changement utilisés par les thérapies comportementales cognitives pour les TSPT et les troubles de l'anxiété. De nombreux essais contrôlés randomisés ont montré que les changements sur le plan de l'espoir au cours du traitement prédisaient des changements dans les symptômes de TSPT. Il apparaît donc que l'espoir n'est pas seulement une ressource psychologique puissante favorisant les aspects positifs de la santé mentale, mais que **l'espoir fonctionne aussi comme une importante source de résilience** qui empêche les gens de développer des troubles et les aide à surmonter l'adversité.

Les clés

→ **La plupart d'entre nous ont une orientation optimiste vers l'avenir et savent que l'espoir est une ressource psychologique positive.**

→ **Les gens ayant de hauts niveaux d'espoir n'attendent pas passivement des résultats positifs, mais jouent un rôle actif dans la poursuite de leurs objectifs.**

→ **L'espoir est un bon indice de prédiction d'un large éventail de maladies mentales et une importante ressource pour leur guérison.**

Matthew W. Gallagher est titulaire d'un doctorat. Psychologue de recherche à la Division des sciences comportementales du Centre national pour trouble de stress post-traumatique au Système de santé de VA Boston, il est également professeur adjoint de psychiatrie à l'École de médecine de l'Université de Boston (États-Unis). Ses recherches ont été récompensées par l'Association for Psychological Science. Lorsqu'il n'étudie pas l'espoir, il aime jouer au soccer et regarder des matchs. Il espère que le FC Barcelone reviendra bientôt en tête des championnats.

« Une musique adéquate nous aide à construire des attentes positives et à renforcer notre espoir. »

La musique et l'espoir

Ne vous est-il jamais arrivé d'avoir le cafard et de vous être dit, après avoir écouté une chanson, que les choses n'allaient pas si mal que cela? **Naomi Ziv** explore ce mécanisme. La psychologie de la musique étudie empiriquement la manière dont la musique influence nos pensées, nos émotions et nos comportements. Y compris l'espoir.

Nous connaissons tous le sentiment d'être profondément émus par la musique. Nous savons quelle musique a la plus forte influence sur nous. Mais quelle est donc cette émotion que nous éprouvons quand nous sommes émus par la musique que nous aimons? Pourquoi la musique a-t-elle le pouvoir de changer notre humeur et même notre vision de la vie?

La structure musicale

Quand nous écoutons un morceau de musique, les sons que nous entendons se déployer dans le temps sont intégrés dans une représentation d'un ensemble cohérent. Les notes ne sont pas une série aléatoire de tons sans lien entre eux, mais une structure harmonieusement organisée. Afin de percevoir cette structure, nous utilisons des **processus ascendants** – la perception de sons, de tons et de timbres. Ce sont des éléments que notre cerveau perçoit dans le stimulus musical. Parallèlement, certains **processus descendants** sont impliqués. Il s'agit d'une série d'attentes plus ou moins spécifiques qui nous poussent à anticiper les notes à venir. Ces attentes sont basées sur une connaissance antérieure des normes musicales de notre culture.

Même sans avoir étudié la musique ni savoir jouer d'un instrument, **les gens acquièrent une connaissance implicite des normes structurelles de la musique de leur culture.**

Cette connaissance s'apprend par une familiarisation avec la musique dès la petite enfance. De nombreuses études en cognition musicale ont montré qu'à l'âge de dix ans, les enfants possèdent une représentation mentale relativement stable de la «grammaire» musicale de leur culture. Cette connaissance implicite de la structure musicale nous pousse, quand nous écoutons de la musique, à former des attentes quant à la direction et au développement de la mélodie. Cela nous aide à saisir la signification du morceau de musique que nous écoutons, au fil du déploiement de la musique dans le temps.

Humeur et émotion

Évidemment, écouter de la musique n'est pas un processus purement cognitif. L'une des principales raisons que les gens donnent pour expliquer le fait qu'ils écoutent de la musique est l'émotion qu'elle exprime et le sentiment qu'elle leur donne. La portée de l'impact de la musique sur l'humeur est extrêmement large – soit qu'elle nous aide simplement à passer un moment agréable, qu'elle nous émeuve aux larmes ou même qu'elle change notre vision de la vie.

Nous apprenons tous à utiliser la musique de diverses manières dans différentes circonstances. Nous savons quelle musique nous aidera à nous relaxer après une dure journée de travail ou quelles chansons nous donnent de l'énergie quand nous avons besoin de nous concentrer. Nous choisissons la musique qui nous motive à faire nos exercices physiques, celle qui nous met dans l'humeur souhaitée pour sortir ou celle qui nous aide à maîtriser nos émotions.

Repensez aux moments où vous avez été triste. Parfois, dans ces situations, nous choisissons une musique dont nous savons qu'elle nous remontera le moral. D'autres fois, nous préférons une musique qui nous aidera à pleurer et à exprimer nos émotions.

À y bien réfléchir, **cette aptitude finement réglée que nous développons tous est assez étonnante.** Après tout, personne ne nous apprend à le faire, mais nous développons tous une fine sensibilité et une grande sagacité dans nos réactions à la musique, et nous apprenons à utiliser la musique pour satisfaire nos besoins émotionnels.

Les différences individuelles

Bien sûr, toutes les musiques n'influencent pas tout le monde de la même façon. Nous avons tous nos préférences personnelles et nos façons subjectives d'utiliser la musique et d'y réagir.

Nos goûts en matière de musique évoluent tout au long de notre vie et sont influencés par nos expériences, par des facteurs sociaux et par notre personnalité. Une chanson peut susciter en nous une forte émotion par son association à une personne aimée, nous rappeler un événement ou une période de notre vie, ou nous inspirer.

Dans une de nos études, nous avons constaté qu'écouter une musique inspirante accroissait les niveaux d'espoir chez les participants qui avaient échoué dans l'exécution d'une tâche expérimentale. Les participants qui n'avaient pas écouté cette musique après leur échec n'étaient pas très optimistes quant à leurs chances de réussir la tâche suivante. Cependant, un examen plus approfondi a révélé que l'effet de la musique sur l'espoir n'était significatif que pour les personnes ayant de hauts niveaux d'espoir ancrés dans leur personnalité. Autrement dit, **la musique n'a soutenu la construction d'attentes positives que chez les personnes qui avaient une disposition stable pour l'espoir.** Mais puisqu'il existe des différences individuelles dans les préférences musicales, on peut supposer qu'un autre choix de musique aurait pu aider d'autres personnes à construire l'espoir.

Réfléchissez à la musique que vous aimez et aux émotions qu'elle suscite en vous. Apprenez à utiliser la musique pour vous inspirer, pour construire des attentes positives et pour renforcer votre espoir.

Les clés

- → **La connaissance implicite de la structure musicale, quand nous écoutons de la musique, nous pousse à former des attentes quant à la direction et au développement de la mélodie.**
- → **Nous développons tous une fine sensibilité et une grande sagacité dans nos réactions à la musique, et nous apprenons à utiliser la musique pour satisfaire nos besoins émotionnels.**
- → **Nos préférences musicales diffèrent. Écouter une musique adéquate peut nous aider à construire des attentes positives et à renforcer notre espoir.**

Naomi Ziv est titulaire d'une licence de psychologie de l'Université de Tel-Aviv (Israël), ainsi que d'une maîtrise et d'un doctorat de l'Université Paris X Nanterre (France). Elle enseigne et fait des recherches en Israël. Son principal domaine d'étude est la psychologie de la musique. Elle publie des recherches sur les effets de la musique sur les émotions, les cognitions et les comportements. La musique a toujours joué un grand rôle dans sa vie. «À l'adolescence, dit-elle, quand j'étais aux prises avec des difficultés caractéristiques de cet âge, écouter de la musique et jouer de la guitare avaient toujours sur moi un effet positif très intense. Je me demandais toujours comment certaines combinaisons de sons pouvaient avoir un tel impact. Finalement, c'est ce qui m'a poussée à étudier la psychologie de la musique.»

PROJET D'ESPOIR

Les interventions positives: l'espoir en action

Comment transformer nos rêves en objectifs? Espérer n'est pas souhaiter, mais agir. Helena Águeda Marujo et Luis Miguel Neto ont créé au Portugal des interventions positives très inspirantes. Le pouvoir de la recherche transformationnelle.

Dans une série d'études impliquant 1 200 familles vivant de l'assistance sociale, des jeunes délinquants, des enfants placés en institution et des communautés tziganes marginalisées, nous avons créé et mis en œuvre un modèle de recherche transformationnelle dont le but était une prise de conscience, dynamique et orientée vers l'avenir, des forces individuelles et collectives, afin de renforcer l'affirmation de soi et la confiance dans les autres, pour une plus grande foi dans la vie et la justice sociale dans l'avenir.

Des questions positives

La plupart des projets de développement s'adressant à des gens qui vivent dans des circonstances difficiles utilisent des approches participatives pour faire face aux difficultés locales, aux ressources limitées, aux besoins primordiaux non satisfaits et aux droits humains bafoués. Cette méthodologie est extrêmement intéressante, car elle stimule la participation, transmet du pouvoir et permet des changements, tout en reconnaissant l'importance des connaissances locales pour trouver des solutions originales. Néanmoins, elle a souvent des conséquences négatives, telles que l'échec de la participation communautaire après la fin de la mise en œuvre par l'organisation. Cela peut s'expliquer par le fait qu'une fois le projet terminé, les gens continuent à percevoir leur communauté comme étant défavorisée, minée par les carences et les problèmes.

La méthode transformationnelle **porte plus sur les réalisations de la communauté que sur ses problèmes.** Lorsqu'un groupe d'une communauté se mobilise, de manière dialogique et appréciative, autour de questions positives qui le touchent directement, un sens collectif, une action et une sagesse se concrétisent de façon durable. Des processus qualitatifs et narratifs de recherche et d'action imbriqués favorisent simultanément le changement et la recherche.

Le World Café

L'une des méthodes que nous utilisons est celle du World Café (un processus conversationnel structuré pour groupes). Dans le cadre de la démarche appréciative et de l'approche positive basée sur les forces, cette méthode a prouvé sa capacité à rassembler des gens. En tant que **«méthode conviviale centrée sur le meilleur des gens et sur les gens sous leur meilleur jour»**, et soutenue par un réseau dynamique de conversations entre personnes qui, normalement, ne sont pas en relation, cette

approche vivifie l'espoir individuel et l'espoir collectif. Son résultat est l'espoir en action.

Incluant toujours le partage de nourriture et des conversations empathiques, et même comiques, éveillant des émotions positives, cette méthode incite les participants à apprendre les uns des autres, à générer ensemble des connaissances faciles à mettre en pratique, à échanger de façon authentique et à définir de nouvelles trajectoires pour devenir une communauté factuelle. Les histoires individuelles et collectives échangées font prendre conscience des injustices.

L'espoir construit en commun

Ces processus ont donné naissance à d'étonnants projets durables: des groupes de femmes ont organisé des activités pour améliorer la santé des membres de leur communauté, construire des fours communautaires, lancer des projets fondés sur la technologie dans le but de promouvoir l'engagement scolaire et le sens dans la vie chez les adolescents. **Ces projets génèrent un large éventail de solutions**, des relations chaleureuses et respectueuses, et des visions d'un avenir radieux, pour le triomphe d'un invincible espoir construit en commun.

Helena Águeda Marujo

«Les parents indifférents ou contrôlants ont des enfants qui auront une plus faible résilience à l'âge adulte.»

Résilience, espoir et croissance

Observez les enfants et leurs parents dans la cour de récréation. Placez des gens en isolement pendant 520 jours pour un voyage en simulation vers Mars. Faites monter des membres d'équipage et des touristes sur un cargo à voile pour une croisière transocéanique. Qu'advient-il de leur état émotionnel? Les scientifiques **Iva Šolcová** et **Vladimir Kebza** présentent leurs conclusions en matière de résilience, de croissance, d'espoir et d'éducation.

Nos recherches nous ont appris plusieurs choses importantes sur la résilience. Les trois premières concernent la résilience en général:

1. **La résilience n'a rien d'exceptionnel.** C'est une chose courante qui découle de capacités, de relations et de ressources humaines ordinaires.
2. La deuxième constatation est que **la résilience n'est pas une capacité ou une caractéristique humaine universelle, précise et limitée.** C'est plutôt un processus au cours duquel nous pouvons échouer dans une situation et nous retrouver dans une autre. Après s'être senti sans ressource dans telle situation, on peut se sentir plein de ressources dans telle autre.
3. Le troisième enseignement est que **nous pouvons apprendre à utiliser nos forces et nos vertus pour combattre l'adversité.** Comme l'a dit Nelson Mandela: «La plus grande gloire dans la vie n'est pas de ne jamais tomber, mais de se relever à chaque chute.»

Les styles parentaux

Dans nos études, nous avons tenté de dresser une liste de facteurs associés à la résilience. Lorsque vous observez des enfants qui jouent dans la cour de récréation et leurs parents, vous observez en fait deux puissants facteurs déterminants pour la résilience adulte: *le comportement enfantin et le style parental*. Notre étude longitudinale (commencée à Prague dans les années 1950 et à Brno dans les années 1960) a montré une relation entre un *comportement actif dans la petite enfance* (mesuré par observation) et la *résilience à l'âge adulte* (mesurée par questionnaires). Le comportement actif était représenté par l'activité générale, la désobéissance/non-conformité, la réactivité générale et le comportement violent envers certaines choses à l'âge de 12, 18, 24 et 30 mois.

Les psychologues du développement étudient depuis longtemps la question de savoir comment les parents influencent le développement de l'enfant. Nous avons constaté **des relations positives entre la chaleur et l'engagement perçus dans le parentage, et la résilience à l'âge adulte** (ainsi qu'un lien négatif entre le style parental indifférent et le style parental contrôlant, et la résilience à l'âge adulte).

Sur la base de nos données sur la résilience à l'âge adulte, nous avons conclu que la résilience comporte deux facteurs. Le premier, appelé *Compétence/Contrôle*, est représenté par le contrôle sur la vie individuelle, l'efficacité personnelle et professionnelle, et la compétence. Le second, appelé *Vitalité/Bien-être*, est représenté par l'énergie, l'engagement, le dévouement et la responsabilité. Cette recherche ne portait pas sur l'espoir, mais nous pouvons poser l'hypothèse que l'espoir fait partie du facteur Vitalité/Bien-être. **Le facteur Vitalité/Bien-être nous paraît essentiel dans la promotion de la résilience.**

Mars et la croisière transocéanique

Notre étude répond à la question de savoir si des changements positifs sont possibles dans les conditions d'expérimentation de Mars500, la plus longue simulation de mission spatiale (520 jours d'isolement en groupe) à ce jour. Nos résultats montrent que **la majorité des membres de l'équipage ont été capables de croissance personnelle** dans les conditions difficiles et stressantes de simulation d'un long voyage spatial. Même si l'expérience de simulation d'un voyage spatial est sans doute moins gratifiante et moins puissante que celle d'un vrai voyage spatial, elle a eu un impact positif sur la personnalité des membres de l'équipage. Le plus évident a été leur croissance *sociale*.

Une autre situation très difficile où nous avons relevé une croissance positive a été une croisière transocéanique sur un cargo à voile. L'équipage se composait de 16 personnes (8 professionnels et 8 touristes – 9 hommes et 7 femmes) représentant 9 pays différents. Pour les participants, ce voyage signifiait le parcours de 4 732 milles marins, de l'île Maurice au port de Fremantle en Australie, ainsi que 5 semaines d'isolement et de confinement dans des conditions extrêmes. La croisière terminée, tous les participants ont montré une croissance positive. **Le plus évident était la croissance cognitive et sociale.** Les réponses les plus fréquentes indiquant une croissance sociale étaient: «J'ai noué de nouvelles relations avec des gens serviables», «J'ai pris conscience que j'avais beaucoup à offrir aux autres», «J'ai appris à apprécier la force des gens qui ont eu une vie difficile». Les réponses les plus fréquentes indiquant une croissance cognitive étaient: «J'ai appris de nouvelles choses sur le monde» et «J'ai appris à voir les choses de façon plus positive».

Un objectif commun

Dans ces deux études, nous avons observé le phénomène de croissance personnelle et de meilleur fonctionnement psychologique après l'expérience partagée d'une situation difficile. Cherchons pourquoi. Un élément important est le fait qu'ils formaient une «bonne équipe» – des gens bien choisis pour l'objectif donné. Le sentiment de faire partie d'une équipe qui fonctionne bien a sans doute joué un rôle important.

Étrangers les uns aux autres au départ, les participants ont travaillé en groupe dans un espace partagé vers un but commun. Grâce à des expériences de solidarité basées sur une interaction face-à-face, à des émotions partagées et à un objectif commun, **les participants ont pu s'investir émotionnellement dans leurs relations avec les autres.** Cela a sans doute été le moteur de la croissance sociale notoire dans les deux groupes. Comme L. Vygotsky l'a formulé: «C'est par les autres que nous devenons nous-mêmes.» Et comme G. Vaillant résume ses découvertes de toute une vie: «La seule chose qui compte vraiment, ce sont nos relations avec les autres.»

Les clés

- → **La résilience n'a rien d'exceptionnel et n'est pas une capacité humaine précise. Nous pouvons apprendre à utiliser nos forces et nos vertus pour combattre l'adversité.**
- → **Un style parental chaleureux donne des enfants plus résilients qu'un style parental contrôlant ou indifférent. Les adultes résilients ont besoin d'éprouver un bien-être vital et de contrôler leur vie personnelle.**
- → **Nous sommes tous capables de croissance cognitive et sociale, en particulier grâce à l'interaction avec d'autres gens, à des émotions partagées et à un objectif commun.**

Iva Šolcová est scientifique principale à l'Institut de psychologie de l'Académie des sciences de l'Université Charles de Prague (République tchèque). Ses recherches portent sur la résistance au stress et la résilience dans différents contextes. Elle a publié plus de 90 études dans des revues scientifiques de grand renom. En 2004, elle a reçu le Prix national de psychiatrie pour les meilleurs travaux théoriques et de recherche sur le thème du stress psychologique. Avec son mari Miloslav, qui est également psychologue, elle a trois enfants adultes.

Vladimir Kebza est professeur de psychologie clinique à la Faculté d'économie et de management de l'Université tchèque des sciences de la vie, et à la Faculté de philosophie et de lettres de l'université Charles de Prague (République tchèque). Il est chercheur principal et coordinateur de plusieurs grands projets nationaux et internationaux, en particulier du projet «Psychosocial Determinants of Health». Ses principaux intérêts de recherche sont la santé mentale et les aspects psychologiques des comportements liés à la santé.

«Pour Nietzsche, l'espoir est la pire chose sur terre.»

Les perspectives temporelles

L'espoir n'est pas étudié seulement en philosophie et en psychologie, mais également en sociologie, notamment dans les recherches sur la qualité de vie. Quelle est l'attitude face à l'espoir dans ce domaine scientifique? La sociologue **Jennifer Gulyas** nous explique de quelle manière les espoirs et les craintes font partie des perspectives temporelles du bien-être subjectif et influencent plusieurs dimensions de notre vie.

À propos de l'espoir, le philosophe allemand Nietzsche (1844-1900) renvoie au mythe grec de la boîte de Pandore. Un jour, Zeus offrit en cadeau une boîte à Pandore, la première femme sur terre. Il l'avertit de ne pas l'ouvrir, ce qu'elle s'empressa pourtant de faire, laissant tous les maux de l'humanité s'échapper de la boîte. Avant qu'elle ait ouvert la boîte, l'humanité ne connaissait pas le mal. Cependant, une chose resta au fond de la boîte et c'était l'espoir. Quand Pandore rouvrit la boîte, l'espoir vint sur terre, comme Zeus l'avait prévu. Il voulait que les gens continuent à vouloir vivre, même s'ils étaient torturés par le mal. Il voulait que l'humanité n'en finisse pas avec la vie. Selon Nietzsche, l'espoir est la pire chose sur terre parce qu'il prolonge les tourments de l'homme.

Ernst Bloch (1885-1977), un autre philosophe allemand, écrit dans son *Principe Espérance* que l'espoir doit se distinguer des rêves. L'espoir est lié à la réalisation de projets rationnels, alors que les rêves sont irrationnels.

Les attentes pour l'avenir

L'espoir n'est pas étudié seulement en philosophie et en psychologie, mais également en sociologie, notamment dans les recherches sur la qualité de vie. Quelle est l'attitude face à l'espoir dans ce domaine scientifique? Selon certains, les espoirs et les craintes font partie du bien-être subjectif, et le bien-être subjectif est triple: il a trois perspectives temporelles – le passé, le présent et l'avenir – et trois composantes – le bien-être positif (bonheur et satisfaction), le bien-être négatif (inquiétude) et les attentes pour l'avenir. Ces dernières peuvent être soit des espoirs, soit des craintes, soit neutres, c'est-à-dire restées inchangées. Et nous avons plusieurs dimensions. Nous nous référons d'une part à des dimensions privées (santé, travail, revenu, loisirs, famille, etc.), et d'autre part, à des dimensions publiques (santé publique, situation économique, pauvreté, etc.), ainsi qu'à une dimension générale qui est une combinaison des deux précédentes. **Les trois composantes, et en leur sein les dimensions, varient indépendamment les unes des autres.** Comment ce concept renvoie-t-il à la réalité de la vie? Prenons un exemple. Une personne est satisfaite de sa vie familiale, mais a des soucis dans sa vie professionnelle. Ses attentes pour l'avenir dans chacun de ces deux domaines sont optimistes. Une autre personne est également satisfaite de sa vie familiale et a aussi des soucis dans sa vie professionnelle, mais elle craint pour l'avenir dans ces deux domaines.

Les prophéties autoréalisatrices

Comment cela influence-t-il la vie? Les attitudes de ces deux personnes peuvent influencer leur avenir en raison du phénomène de prophétie autoréalisatrice. La prophétie autoréalisatrice implique que je me comporte d'une manière qui incite la prophétie à se réaliser. L'espoir libère des ressources personnelles, sociales et économiques, alors que les craintes bloquent ces ressources, ce qui explique pourquoi **les attentes pour l'avenir peuvent devenir des**

prophéties autoréalisatrices. Mais il serait faux d'avoir de l'espoir là où il n'y a pas d'espoir à avoir. Les craintes pour l'avenir peuvent fonctionner également comme des signaux avertisseurs et entraîner des changements de comportement grâce auxquels ces craintes ne se réaliseront pas. Nous pouvons transposer cette idée à la société tout entière. Une société optimiste est bonne pour chaque personne vivant en son sein, car elle soutient le comportement positif et constructif de tous.

Dans notre vie, nous connaîtrons des situations où nous aurons besoin d'espoir pour pouvoir continuer. Ces situations peuvent être une maladie (qu'il s'agisse de nous-mêmes, d'un parent ou d'un ami), une perte d'emploi, un accident grave, etc. Avoir de l'espoir ou non influence notre comportement. L'espoir n'est pas une mauvaise chose, comme le prétend Nietzsche. L'espoir est nécessaire pour vivre.

Les clés

- **Les espoirs et les craintes font partie du bien-être subjectif. Le bien-être subjectif a trois perspectives temporelles – le passé, le présent et l'avenir – et trois composantes – le bien-être positif, le bien-être négatif et les attentes pour l'avenir.**
- **Les attentes pour l'avenir peuvent être soit des espoirs, soit des craintes, soit neutres. Les trois composantes, et en leur sein les dimensions – privées, publiques ou générales – varient indépendamment les unes des autres.**
- **L'espoir libère des ressources personnelles, sociales et économiques, alors que les craintes bloquent ces ressources, ce qui explique le phénomène de prophétie autoréalisatrice.**

Jennifer Gulyas a obtenu son diplôme de sociologie en 2011. Elle a travaillé à l'Université Johann Wolfgang Goethe de Francfort-sur-le-Main (Allemagne). Elle a écrit des articles sur l'espoir pour l'ouvrage de Wolfgang Glatzer *Global Handbook of Quality of Life* (2015). Elle a parlé de l'espoir lors de plusieurs conférences sur la qualité de vie. Elle travaille actuellement dans le secteur privé. L'espoir est son compagnon de route.

«L'assurance radieuse est au-delà de l'espoir, lequel suppose un certain degré d'incertitude.»

L'espoir: entre le désespoir et l'assurance radieuse

«L'espoir occupe une place sur la palette de la confiance, entre le désespoir et l'assurance radieuse. Le désespoir implique la disparition de l'espoir. L'assurance radieuse est au-delà de l'espoir, lequel suppose un certain degré d'incertitude», dit le professeur **Jeffrey Wattles**. Ses publications sur la disposition courageuse, la téléologie, la philosophie de l'histoire et la paix sont des éléments constitutifs de la mosaïque mondiale des réflexions sur l'espoir.

Cette réflexion sur nos attitudes dirigées vers l'avenir commence par un examen de notre conscience du passé. Edmund Husserl distingue la *remémoration* du passé de la *rétention* du passé en tant que dimension fuyante du présent. En lisant ou en écoutant une phrase, nous retenons les premiers mots, mais nous ne nous en souvenons pas consciemment lorsque nous arrivons aux derniers. Par conséquent, **la mémoire active se distingue de la *rétention*.**

Husserl fait une distinction parallèle quant à notre conscience de l'avenir. Il y a d'une part un acte précis et conscient d'attente ou de prédiction d'un événement futur, et d'autre part une *protention* tacite, une dimension du présent qui ne prédit ni n'espère rien de manière explicite. **En lisant ou en écoutant une phrase, nous «protendons» la phrase complète** avec un vague sens de sa grammaire et de sa signification. Imaginez un garçon qui sort de chez lui et rencontre un garçon plus âgé. Ils s'entendent merveilleusement bien, mais en raison des «protentions» et de l'espoir inspiré par cette journée d'amitié, ce serait un choc pour le plus jeune si, à l'heure de rentrer à la maison, le plus âgé lui disait: «Adieu. Je ne te reverrai plus.»

La protention

L'assurance radieuse est une expérience *présente*: «Goûtez et voyez comme est bon le Seigneur.» Le goût de la Présence divinement bonne comporte des «protentions» sans limites futures, puisque l'expérience d'assurance radieuse n'implique pas phénoméno-logiquement ce corps physique. Il est concevable que la mort mette fin à une merveilleuse relation avec l'Ami spirituel, mais une telle fin attenterait à la dynamique de l'amitié commencée. Il n'y a pas de limites quantitatives aux dimensions du moment présent, au «maintenant».

Une expérience radieuse peut modifier de manière significative notre sens du passé et de l'avenir. Une expérience radieuse de pardon rafraîchit le sentiment du moi et modifie des souvenirs liés à la honte et à la culpabilité. La remémoration de l'expérience radieuse réveille la rétention, comme si la rétention demeurait telle une rivière souterraine, prête à faire surface à tout moment. Le sentiment du moi restauré nourrit la foi et l'espoir en notre avenir.

L'assurance radieuse

L'assurance radieuse englobe l'avenir. Certaines personnes rapportent des expériences de mort imminente et des visions de vie céleste. Des expériences d'assurance radieuse quant à la vie après la mort ou l'avenir de notre planète effacent nos doutes sur le destin. Mais la plupart d'entre nous vivent dans l'incertitude et ont recours à l'espoir pour soutenir leur courage.

Sur la palette de la certitude, l'espoir peut pencher d'un côté ou de l'autre. Lorsque l'espoir est faible, la crainte et le découragement entravent l'émergence de réactions constructives à l'incertitude. Lorsque l'espoir est nourri par l'assurance radieuse, l'expérience d'incertitude est transformée. Pour ce faire, nous pouvons envisager les résultats possibles, nous préparer énergiquement à chacun d'eux et accepter de grand cœur l'incertitude. Une autre manière consiste à canaliser l'énergie de l'assurance radieuse dans des efforts pour obtenir le résultat désiré.

Le «flow»

L'effort au niveau de la performance optimale a été décrit par Mihaly Csikszentmihalyi comme étant le «flow». Prenons le cas d'un athlète de haut niveau confronté à un grand défi exigeant le meilleur de lui-même. «Les principales dimensions du «flow» – engagement intense, concentration profonde, clarté des objectifs et de la rétroaction, perte du sens du temps qui passe, absence de conscience de soi et transcendance du sentiment du moi, menant à une expérience autotélique, c'est-à-dire intrinsèquement gratifiante – sont reconnues sous plus ou moins la même forme par des gens du monde entier.» Une patineuse artistique ignore si une autre concurrente fera une meilleure performance, mais son expérience du «flow» lui donne son assurance radieuse. **Le «flow» n'est ni une assurance de victoire, ni une garantie contre la chute.** Une performance optimale ne se laisse pas détourner par des inquiétudes au sujet des concurrents, mais entre dans le «flow» d'excellence cultivé par des milliers d'heures d'entraînement. Assurés qu'une bonne chose arrivera dans l'avenir, nous pouvons la savourer à l'avance. Ce faisant, l'incertitude qui a recours à l'espoir fait de plus en plus place à l'assurance.

Les clés

- → **Dans notre conscience de l'avenir, il y a une «*protention*» tacite, une dimension du présent qui ne prédit ni n'espère rien de manière explicite.**
- → **Quand l'espoir est faible, la crainte et le découragement entravent l'émergence de réactions constructives à l'incertitude. Quand l'espoir est nourri par l'assurance radieuse, l'expérience de l'incertitude est transformée.**
- → **Assurés qu'une bonne chose arrivera dans l'avenir, nous pouvons la savourer à l'avance. Ce faisant, l'incertitude qui a recours à l'espoir fait place à l'assurance.**

Jeffrey Wattles est professeur retraité de philosophie et de religion à l'Université d'État de Kent (États-Unis). Il a étudié à Stanford, Louvain et Toronto. Son projet de vie universitaire est d'aider à élaborer une philosophie de la vie dans la vérité, la beauté et la bonté. Sa principale publication est *The Golden Rule* (Oxford University Press). Il puise de l'espoir dans les expériences transformatives de ses étudiants avec l'approche expérientielle de l'enseignement qu'il a lui-même développée et un complément à cette approche mis en pratique dans une école secondaire à Cleveland, dans l'Ohio.

«Nous devons parfois renoncer pour avancer.»

L'ombre de l'espoir

Ne rêvons-nous pas tous de rendre le monde meilleur? **Ella Saltmarshe** aussi. Après avoir travaillé pendant plus de dix ans dans le domaine du développement international et des politiques publiques, elle s'intéresse de plus en plus à la maximalisation de l'impact de certaines interventions pour construire un monde meilleur. Elle a découvert que pour faire ce travail, l'espoir seul ne suffisait pas. Elle avait besoin aussi de son ombre, le doute.

L'espoir fait partie de mon système opérationnel. Jamais je ne me serais lancée dans ces projets fous, excessivement ambitieux, sans une impudente dose d'espoir. Jamais je n'aurais osé intervenir pour rendre le monde meilleur si je ne m'étais pas nourrie d'espoir. Jamais je n'aurais persévéré dans ce travail si difficile si je n'avais pas eu d'espoir.

Un dangereux opiacé

Cependant, pour être une force au service du bien, l'espoir a besoin de son ombre: le doute. Bien utilisé, le doute nous aide à agir intelligemment. Mal utilisé, il nous empêche d'agir. Mais sans le doute, l'espoir est un dangereux opiacé. Il y a plusieurs années de cela, alors que je participais à un groupe de discussion très bruyant, une Afghane a critiqué l'intervention américaine dans son pays et s'est écriée: «L'espoir, ce n'est pas de la politique.» Elle a déclaré ensuite que la politique étrangère américaine avait beaucoup trop souvent placé l'espoir au-dessus du doute, l'optimisme au-dessus de l'intelligence. Au fil des ans, ses paroles ont continué à résonner en moi. Elles m'ont incitée à disséquer l'espoir, à tenter de comprendre quand il peut aider et quand il peut blesser. Car ne vous y trompez pas, un espoir mal placé peut être aussi dommageable qu'un manque total d'espoir.

Pour la plupart d'entre nous, la lutte entre l'espoir et le doute ne se joue pas sur fond de géopolitique mondiale, mais dans les choses minuscules de la vie quotidienne. Tous nos projets ne se réaliseront pas, toutes nos relations ne s'épanouiront pas. Nous devons parfois renoncer pour avancer.

L'espoir excessif

Ceux qui comme nous veulent rendre le monde meilleur sont enclins à caresser des espoirs excessifs. Pour nous, une longue difficulté est une chance de creuser au fond de soi-même, de faire preuve de ténacité et de cran. Quand cela devient difficile, nous ne renonçons pas. Ces traits de caractère qui se prêtent si bien à des changements positifs peuvent aussi nous coincer dans des projets ou des relations sans issue. Savoir quand laisser le doute prendre le pas sur l'espoir est une aptitude d'importance vitale.

Ce sont là des mots faciles à écrire, mais difficiles à mettre en pratique. Pour concrétiser ces idées, il faut la conscience intérieure pour reconnaître notre prédilection pour des espoirs ou des doutes excessifs, ainsi que la conscience extérieure pour reconnaître sincèrement, sans filtre rose ou noir, la situation où nous nous trouvons. Cela exige de nous, comme dit F. Scott Fitzgerald: «la capacité d'avoir deux idées opposées en même temps et de ne pas cesser de fonctionner pour autant». Nous devons être capables d'espérer à la fois avec frénésie et avec rigueur.

Les clés

- → **Pour être une force au service du bien, l'espoir a besoin de son ombre: le doute. Sans le doute, l'espoir est un dangereux opiacé.**
- → **Un espoir mal placé peut être aussi dommageable qu'un manque d'espoir.**
- → **Savoir quand laisser le doute prendre le pas sur l'espoir est une aptitude d'importance vitale. Nous devons être capables d'espérer à la fois avec frénésie et avec rigueur.**

Ella Saltmarshe a reçu une formation d'anthropologue. Elle est journaliste et stratège. Elle écrit pour *The Financial Times*, *Wired*, *Monocle* et *Creative Review*. En tant que stratège, elle conseille des ONG, des donateurs et des gouvernements sur les politiques publiques et les changements sociaux. Pour elle, cela signifie adopter une approche systémique, que ce soit en tant que cofondatrice de l'initiative Systems Changers, praticienne de la philanthropie stratégique avec des organisations telles que la ClimateWorks Foundation, incubatrice de laboratoires d'innovation ou cofondatrice de The Point People pour construire et connecter des réseaux.

«Nous réussissons rarement à nous tirer seuls du marécage du désespoir dans lequel nous sommes embourbés.»

Le caractère relationnel de l'espoir

«L'espoir est fondamentalement relationnel, soutient **Patrick Luyten**. Le développement de notre capacité à espérer est ancré dans nos premières relations d'attachement et reste intimement lié à nos relations avec les autres.» Ce professeur étudie le caractère relationnel de l'espoir en relation avec l'effet placebo. Lorsque psychologie et biologie se rencontrent.

Malgré la place centrale qu'il tient dans l'existence humaine, l'espoir reste un concept difficile à cerner. L'espoir est crucial dans de nombreux domaines de la vie. Dans leur vie personnelle, les gens espèrent que leurs relations seront satisfaisantes, que leur travail sera intéressant et leur apportera un épanouissement personnel, que leurs enfants resteront en santé et seront heureux, et qu'ils auront une longue vie prospère. Les gens aux prises avec la maladie espèrent guérir. Dans les affaires et les sports, les gens espèrent remporter des victoires. Les personnes religieuses espèrent aller au paradis. Les politiciens espèrent être élus et proclament que leur programme politique porte l'espoir d'une vie meilleure pour leurs électeurs.

Deux circuits cérébraux

La psychologie nous apporte de précieuses informations sur la nature de l'espoir. Toutefois, sans référence aux facteurs biologiques, notre compréhension de cet état émotionnel complexe serait incomplète. Comme toute émotion humaine complexe, l'espoir implique des processus cérébraux complexes. En effet, alors que des recherches sur des animaux suggèrent que les primates non humains et certains autres animaux peuvent connaître un certain état de désespoir, il est fort improbable qu'ils connaissent l'espoir.

Cela peut s'expliquer par le fait que, chez l'être humain, **l'espoir est lié à l'activation de deux circuits cérébraux étroitement liés: le système de récompense et le système de mentalisation.** Le premier est présent aussi chez de nombreuses espèces animales, outre l'être humain, et il est activé lorsque nous vivons quelque chose d'agréable. La frustration chronique de ce système engendre des sentiments de désespérance et la dépression. Le second système n'est présent que sous forme rudimentaire chez la plupart des espèces animales, sauf chez l'être humain. Ce système sous-tend notre capacité à réfléchir sur nous-mêmes et sur les autres. Les deux systèmes soulignent le rôle clé que jouent les relations dans l'explication du sentiment d'espoir chez l'être humain. Ou mieux: notre dépendance fondamentale envers les autres et envers leur *esprit* nous aide à nous comprendre nous-mêmes, à nous orienter dans notre monde social complexe et à nous projeter dans un avenir prometteur.

Le marécage du désespoir

Pour les gens qui ont grandi dans une ambiance chaleureuse et stimulante, le sentiment d'être lié aux autres est une des expériences les plus gratifiantes de la vie. Pour eux, les relations sont gratifiantes: ils aiment vraiment les autres, comme le prouve l'activation du système cérébral de récompense lorsqu'ils interagissent avec d'autres personnes. Ces individus aux attaches sûres ont souvent aussi de fortes capacités de réflexion, justement parce qu'ils sont ouverts aux autres, à leurs opinions et à leur vision du monde. Ils sont désireux d'apprendre des autres. **Pour les gens qui n'ont pas eu assez d'expériences d'attachement positives, les relations ne sont pas gratifiantes.** Au contraire, soit elles sont une source d'anxiété (p. ex. la peur d'être abandonné ou rejeté), soit elles s'accompagnent d'un grand malaise.

Un attachement sécurisant et des capacités de réflexion s'accompagnent de la capacité à avoir un espoir réaliste enraciné dans des expériences gratifiantes avec d'autres personnes, et de la capacité à réfléchir sur soi-même et sur sa vie. Les gens souffrant d'un attachement insécurisant manquent souvent de la capacité à développer un espoir réaliste, en particulier lorsque leur capacité de réflexion est faible. Des sentiments d'insignifiance, d'impuissance et de désespérance – les principales caractéristiques de la dépression – peuvent naître ou poindre continuellement à l'horizon. Une fois déprimés, ils ont l'impression d'être enlisés dans un lugubre bourbier, sans aucun avenir.

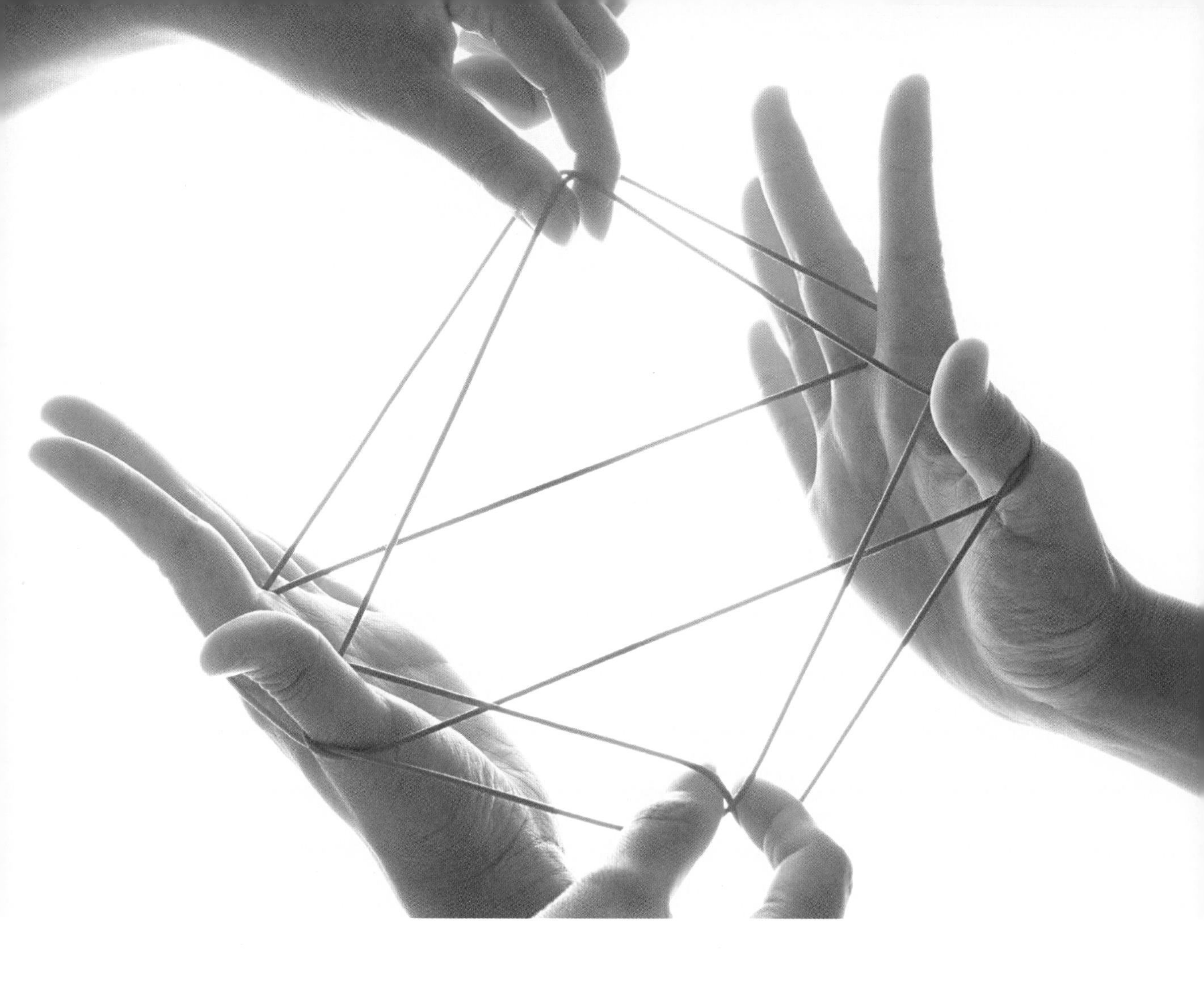

L'espoir est donc fondamentalement relationnel. Le développement de la capacité à espérer est ancré dans nos premières relations d'attachement et reste intimement lié aux relations avec les autres. En effet, nous avons besoin des autres pour ouvrir notre esprit et nous libérer du lugubre bourbier dans lequel nous nous retrouvons lorsque nos espoirs et nos rêves ont été déçus. Nous réussissons rarement à nous tirer nous-mêmes du marécage du désespoir dans lequel nous sommes embourbés. Nous nous tournons habituellement vers les autres lorsque nous sommes cafardeux et sans espoir. Cela suppose toutefois que **nous ayons la capacité à nous tourner vers les autres lorsque nous perdons espoir.** Malheureusement, les sentiments de désespoir obscurcissent notre pensée. Nous pouvons nous sentir complètement enlisés dans des sentiments douloureux et avoir l'impression ou même la *conviction* qu'il n'y a pas d'espoir et que les autres ne peuvent pas nous aider. C'est le drame de la dépression et de la désespérance: ceux qui profiteraient le plus de relations pour retrouver l'espoir sont souvent fondamentalement convaincus que les autres ne peuvent pas les aider.

L'effet placebo

Ce n'est pas pure spéculation. Dans les sciences médicales, il est bien connu que l'espoir suffit parfois à provoquer une réaction positive au traitement. C'est là l'essence de l'*effet placebo*. Des études ont montré que l'effet placebo est lié à l'activation des circuits cérébraux de récompense et de mentalisation. En général, cet effet ne s'observe que quand le placebo est ancré dans une relation avec une personne de confiance (p. ex. un médecin ou un chaman). Ainsi, **l'espoir implique une relation avec une personne de confiance et la capacité à réfléchir sur soi-même et sur les autres.** C'est la base de la psychothérapie. Si l'espoir présente de nombreux avantages, car il nous permet de nous projeter dans l'avenir même, et peut-être surtout, quand nous sommes dans une situation désespérée, il a aussi un inconvénient. Quand tous nos espoirs ont volé en éclats, un sentiment de désespoir peut naître en nous. Par ailleurs, un mauvais jugement peut nous pousser à croire naïvement en nos rêves ou en ceux des autres. Comme avec un placebo, nous pouvons considérer plus tard que nous avons été dupés. Cela montre encore une fois que nous faisons bien de nous tourner vers les autres pour évaluer nos croyances et nos espoirs dans la poursuite de notre bonheur et de notre bien-être.

Les clés

→ **Un attachement sécurisant et des capacités de réflexion s'accompagnent de la capacité à avoir un espoir réaliste enraciné dans des expériences gratifiantes avec d'autres personnes, et de la capacité à réfléchir sur nous-mêmes et sur notre vie.**

→ **Le drame de la dépression et de la désespérance est que ceux qui profiteraient le plus de relations pour retrouver l'espoir sont souvent fondamentalement convaincus que les autres ne peuvent pas les aider.**

→ **Nous faisons bien de nous tourner vers les autres pour évaluer nos croyances et nos espoirs dans la poursuite de notre bonheur et de notre bien-être.**

Patrick Luyten est professeur associé à la Faculté de psychologie et des sciences de l'éducation de l'Université de Louvain (Belgique) et maître de conférences au Département de recherches en psychologie clinique, pédagogie et psychologie de la santé de l'University College de Londres (Royaume-Uni). Il est membre du comité de rédaction de plusieurs revues scientifiques et dirige un centre de traitement pour des patients souffrant de dépression et de troubles psychosomatiques. Il trouve de l'espoir dans sa profonde admiration pour les gens qui ont réussi contre toute attente et pour ceux qui continuent à espérer, même quand la vie leur a porté de grands coups. Ces personnes nous rappellent que l'espoir est une des émotions et des motivations les plus puissantes de l'être humain. Elles nous rappellent aussi que la positivité, la bienveillance et la générosité font partie intégrante de la nature humaine.

«L'espoir nous aide à nous aider nous-mêmes.»

D'où vient l'espoir?

«Toutes choses étant égales par ailleurs, nous aimerions tous être optimistes, en ce sens que le désespoir et la résignation n'ont rien de séduisant», disent les professeurs **Andrew Clark** et **Conchita D'Ambrosio**. Ils étudient l'espoir dans une perspective économique.

L'espoir est bon pour notre bien-être, de la même manière que la précarité professionnelle ou économique est mauvaise. L'espoir souligne le rôle clé que joue notre perception de ce qui nous arrivera dans l'avenir, en déterminant comment nous vivons notre vie aujourd'hui. Mais d'où vient l'espoir? Sans aucun doute du fond de nous-mêmes, mais aussi des autres. Nous parlerons ici brièvement des autres.

L'effet tunnel

En premier lieu, voir la bonne fortune des autres peut nous inciter à être plus optimistes quant à notre avenir. Albert Hirschman appelle cela l'«effet tunnel». Imaginez que vous soyez coincé dans deux files de voitures en plein tunnel. Au bout d'un moment, la file à côté de vous se remet en marche. Bien que l'on puisse croire que vous allez maudire votre malchance, Hirschman affirme que vous percevez cela comme une bonne nouvelle. Si la file voisine se remet à avancer, c'est que la vôtre va bientôt faire de même.

Voir d'autres personnes réussir peut donc nous inciter à être plus optimistes quant à nos propres projets d'avenir. Ce phénomène est sans doute renforcé si ces gens nous ressemblent (c'est-à-dire par l'endroit où ils vivent et d'autres caractéristiques individuelles).

L'espoir qui vient des autres, lorsque nous observons leur bonne fortune, est le contraire de l'envie que les spécialistes en sciences sociales imaginent que nous ressentons. **Cette «économie de l'espoir» est une façon plus agréable de percevoir notre interaction avec les autres en société, plutôt qu'une relation où nous sommes constamment jaloux les uns des autres.** Il faut toutefois souligner que nous ne désirons pas que les autres réussissent parce que nous éprouvons pour eux des sentiments altruistes, mais simplement parce que leur bonne fortune nous rend confiants en notre avenir.

Nos parents

La deuxième source d'espoir est plus individuelle: ce sont nos parents. Dans des données britanniques (Enquête statistique sur les ménages britanniques), les répondants dont les parents appartenaient à la classe aisée se déclaraient plus optimistes que ceux dont les parents appartenaient à la classe défavorisée. Seulement un peu plus d'un tiers des répondants dont les parents appartenaient au quart inférieur de la hiérarchie sociale disaient qu'ils pensaient souvent que leur avenir était prometteur. Pour les répondants dont les parents appartenaient au quart supérieur de la hiérarchie sociale, ce chiffre approchait 50 %.

Cela n'est pas surprenant. Nous savons qu'il existe une transmission intergénérationnelle, notamment en matière de revenu et d'éducation. Ainsi, les répondants dont les parents étaient mieux lotis étaient sans doute mieux lotis eux-mêmes. Et c'était bien sûr le cas. Mais **en ce qui concerne l'espoir, l'effet d'avoir des parents mieux lotis persiste, même si l'on ne tient pas compte de la situation dans laquelle sont les répondants aujourd'hui.** Autrement dit, les répondants dont les parents appartiennent à la classe aisée obtiennent en moyenne de meilleurs résultats aujourd'hui et, indépendamment de ces résultats, ils ont plus d'espoir pour l'avenir.

Les pauvres

Un dernier point est que, si nous recevons de l'espoir des gens qui nous entourent, cela peut aussi renforcer les inégalités. Ma bonne fortune m'élève, ainsi que mon voisin. Mais les gens qui vivent dans des régions pauvres ne profitent pas de cet effet de voisinage positif et sont doublement pénalisés: ils sont pauvres et leurs voisins aussi. **L'effet positif de la bonne fortune des autres s'applique dans les deux sens.** Le même calcul déplaisant s'applique à la transmission intergénérationnelle: les répondants dont les parents sont mieux lotis ont à la fois des résultats meilleurs aujourd'hui et un plus grand espoir pour l'avenir.

Les sociétés dans lesquelles nous vivons sont redistributives: nous prenons aux riches pour donner aux pauvres. L'analyse de l'espoir révèle que les pauvres ne sont pas démunis uniquement sur le plan du revenu: le cumul d'un bas revenu et d'un faible espoir fait que les pauvres ont encore plus besoin de notre espoir. Mais au-delà de cela, il y a de bonnes raisons de croire que les pauvres ont besoin d'aide. Esther Duflo déclare dans ses Tanner Lectures 2012 que **le manque d'espoir invalide les pauvres**, parce qu'il les empêche d'entreprendre des actions qui les aideraient à sortir de la pauvreté. Les politiques qui visent à aider les pauvres peuvent avoir des effets spectaculaires, en partie parce qu'elles accroissent directement leur revenu, mais aussi parce qu'elles leur redonnent de l'espoir: l'espoir nous aide à nous aider nous-mêmes.

Les clés

→ **Voir d'autres gens réussir (surtout des gens qui nous ressemblent) nous incite à être plus optimistes quant à nos propres projets d'avenir.**
→ **Les gens dont les parents appartiennent à la classe aisée obtiennent en moyenne de meilleurs résultats aujourd'hui et, indépendamment des résultats actuels, ont plus d'espoir pour l'avenir.**
→ **Les politiques qui visent à aider les pauvres peuvent avoir des effets spectaculaires en redonnant de l'espoir aux pauvres: l'espoir nous aide à nous aider nous-mêmes.**

Andrew E. Clark est titulaire d'un doctorat de la London School of Economics. Il est actuellement professeur-chercheur CNRS à l'École d'économie de Paris (France). Son vaste domaine d'étude couvre les interactions sociales et l'apprentissage social. Il a publié des articles dans de nombreuses revues d'économie et de psychologie, et il a été membre du comité de lecture de 160 revues différentes. En dehors de ses heures de travail, il aime lire, tenter de mémoriser toute la musique d'avant 1990 et jouer de la guitare.
Conchita D'Ambrosio est professeure d'économie à l'Université du Luxembourg (Luxembourg). Elle est économiste, titulaire d'un doctorat de l'Université de New York. Ses recherches portent sur l'analyse et la mesure du bien-être individuel et social. Elle est membre du comité de rédaction de la *Review of Income and Wealth* depuis 2001, et rédactrice en chef de cette même revue depuis 2007. Quand elle ne travaille pas, elle aime nager et faire de la poterie.

«La beauté d'une bonne rêverie réside dans sa capacité de relier le monde du rêve au monde de la réalité.»

Les avantages de la rêverie

Vous avez sans doute souvent entendu dire qu'il fallait arrêter de rêvasser: «C'est peut-être agréable, mais ça ne sert à rien.» Le professeur **Joar Vittersø** n'est pas d'accord. La rêverie n'est pas seulement agréable; elle crée un théâtre mental pouvant être très fonctionnel et très utile. Mais toutes les rêveries n'aboutissent pas à quelque chose.

Rêvasser, c'est jouer en esprit avec des projets et des espoirs pour l'avenir. Et une bonne rêverie peut créer des modèles mentaux d'activités et d'identités possibles pour le rêveur. Même si c'est une forme d'hédonisme, en ce sens que cela procure du plaisir, imaginer l'avenir ne consiste pas seulement à laisser d'agréables pensées partir à la dérive. C'est plutôt le contraire: la rêverie est essentielle pour atteindre des objectifs importants mais difficiles à réaliser – c'est simplement une ruse de l'évolution pour accroître nos chances de réaliser nos espoirs.

Cela peut paraître bizarre, surtout aux personnes axées sur les résultats et pressées par le temps. Oui, bien sûr, **imaginer des avenirs possibles semble une énorme perte de temps.** Et les gens qui s'abandonnent à leurs émotions n'ont jamais été très bien considérés dans l'histoire de la pensée occidentale. Platon, par exemple, considérait les émotions et les sentiments comme des entraves au comportement rationnel. Depuis lors, des idées similaires dominent les théories en médecine, en sciences sociales, en behaviorisme et en sciences humaines.

L'imagination

Aujourd'hui, pourtant, nous comprenons mieux. La science nous apprend que les émotions font partie de la machinerie qui nous guide dans les labyrinthes de la vie. Les émotions sont très utiles et les sentiments, tant positifs que négatifs, jouent des rôles importants dans notre vie. Le sentiment délicieux que nous éprouvons parfois lorsque nous laissons nos pensées partir à la dérive en est un exemple. Le charme d'un beau rêve éveillé nous motive à continuer à rêvasser. Il est incontestable que le plaisir nous pousse à nous accrocher à tout ce que nous faisons. Dire que la rêverie est fonctionnelle est beaucoup plus provocateur. Mais c'est la thèse que j'avance ici et voici pourquoi.

La rêverie permet de réaliser en esprit des avenirs possibles. En imaginant les différentes options et idées que nous avons sur l'avenir, les détails de leur réalisation et les effets possibles sur notre vie deviennent plus réels et plus concrets. Et **les différentes étapes du processus consistant à rendre l'avenir plus tangible deviennent plus claires.** De la réflexion sur ces étapes émergent des plans que nous pouvons tester comme d'éventuels moyens d'action. Nous pouvons détecter les erreurs et les fautes avant de les commettre dans la réalité, et donc éviter de petites et de grandes infortunes. Tout cela se déroule comme un jeu – le théâtre mental créé par la rêverie. Dans cette pièce de théâtre imaginaire, votre esprit imagine comment les plans doivent être exécutés et quelles peuvent en être les conséquences, à l'instar des sportifs, des musiciens et des joueurs d'échecs qui devancent toujours en esprit les phases de leur jeu. La réalisation en esprit de ce que nous devons faire dans la réalité est un entraînement à ce que nous devrons faire dans telle ou telle situation, pour que nos plans réussissent et que nos objectifs soient atteints. La beauté d'une bonne rêverie réside dans sa capacité à relier le monde du rêve au monde de la réalité.

Les émotions

Mais toutes les rêveries n'aboutissent pas. Pour être utile, la rêverie doit porter non seulement sur les objectifs, mais aussi sur les étapes de leur réalisation. Des expériences avec groupe de contrôle randomisé ont révélé que les personnes ayant reçu pour seule instruction d'imaginer les conséquences agréables d'un avenir espéré ne réalisaient pas mieux leurs objectifs que celles à qui on avait demandé de ne rien imaginer du tout. **Seules les personnes ayant reçu comme instruction d'imaginer des détails de planification semblaient tirer bénéfice de la rêverie.** L'une des manières dont les chercheurs s'assurent que la rêverie ne porte pas seulement sur le résultat positif, mais aussi sur le processus de poursuite des objectifs, est de demander clairement aux participants de se concentrer sur les difficultés et les obstacles qu'ils risquent de rencontrer dans l'exécution des plans nécessaires à la réalisation de leurs objectifs.

Faire des choses qui procurent du plaisir est naturel pour l'être humain et il est bon qu'il en soit ainsi. Il aurait été dangereux, en effet, que nos ancêtres aient été attirés par des nourritures empoisonnées et aient fui les aliments nutritifs. De nos jours, nous apprenons de façon plus sophistiquée en quoi consiste un repas sain, et le rôle du plaisir dans la régulation de l'alimentation a perdu de son importance. Toutefois, **ces connaissances accrues n'impliquent pas que nous ne dépendons plus de nos émotions.** À bien des égards, le monde est toujours beaucoup trop compliqué pour que nous le comprenions pleinement, et nous avons besoin d'aide pour prendre conscience de ce qui est important dans notre vie et de ce qui ne l'est pas. Les émotions nous aident à trouver ces voies.

L'espoir est l'une de ces voies, et la rêverie nous aide à nous y engager. Toutefois, la rêverie n'est pas très utile lorsqu'elle se limite au plaisir de réaliser en esprit les objectifs désirés. La rêverie est utile lorsqu'elle porte sur les opérations nécessaires à la poursuite de nos objectifs. Imaginer des avenirs possibles n'est fonctionnel que si les images que nous créons dans notre esprit incluent ce qu'il faudra faire pour surmonter les obstacles qui se dresseront entre là où nous sommes aujourd'hui et là où nous espérons arriver.

Les clés

- → **La rêverie est essentielle pour atteindre des objectifs importants mais difficiles à réaliser. C'est une ruse de l'évolution pour accroître nos chances que nos espoirs se réalisent.**
- → **Pour être utile, la rêverie ne doit pas porter seulement sur les objectifs, mais sur les étapes de leur réalisation.**
- → **La rêverie n'est pas très utile lorsqu'elle se limite au plaisir de réaliser en esprit les objectifs désirés.**

Joar Vittersø est professeur de psychologie sociale à l'Université de Tromsø (Norvège) et chercheur en matière de bien-être depuis plus de vingt-cinq ans. Ses travaux portent essentiellement sur les problèmes conceptuels et de mesure dans les recherches sur le bonheur. Il est conseiller en recherche sur les questions de bien-être à l'institut Gallup à Washington, D.C., conseiller scientifique au programme-cadre de recherche sur la santé mentale en Europe (projet ROAMER), et membre de l'Association internationale de psychologie positive. Il a publié plus de cent articles, chapitres de livre et rapports scientifiques. En tant que chercheur, son plus grand espoir est que les connaissances scientifiques incitent les décideurs politiques à faire dans l'avenir des choix meilleurs et plus sages que ceux qu'ils ont faits jusqu'à présent.

«L'espoir exige en premier lieu la reconnaissance et la valorisation intrinsèque de la personne humaine dans sa situation présente.»

L'espoir et l'attente

Qu'en est-il de l'espoir dans des contextes où les gens ne peuvent pas obtenir ce dont ils ont besoin pour vivre dans la dignité? Dans de nombreuses régions d'Amérique latine, les conditions de vie sont misérables, mais l'espoir joue un rôle vital dans ses diverses expressions: résilience, foi, rêves, perspectives... «Mais est-ce une si bonne idée de *prescrire* l'espoir comme une vertu, dans un contexte où la frustration est due à l'injustice et aux intérêts d'autres gens?» se demande **María José Rodríguez Araneda**.

Parler d'espoir implique inévitablement la reconnaissance de l'implacabilité des expériences de désespoir pour le psychisme. Toute crise de désespoir est étroitement liée à la frustration, et l'espoir offre une issue. Le sentiment d'espoir apporte une perspective positive, la sérénité et la force de continuer à vivre.

À cet égard, je pense qu'il est très important de distinguer l'*espoir* des *attentes de succès,* c'est-à-dire l'*espoir optimiste de la satisfaction* de l'*attente de voir se réaliser ses désirs.* Cette *attente-espoir* précédera une nouvelle satisfaction ou une nouvelle frustration dans un cycle parfois agréable, parfois désagréable. Par espoir, je veux dire confiance en un avenir qui a quelque chose de bien à offrir.

La vanité

Là où les conditions sociales sont frustrantes, nous nous apercevons que les gens sont plus fiers de leur foi et de leur force intérieure que de leurs attentes, auxquelles ils accordent moins d'importance. L'étude comparative que nous avons menée en 2013 avec des échantillons de population chiliens et italiens a montré que **pour les Chiliens, l'espoir était plus important dans la vie que pour les Italiens, pour qui l'attente était plus importante.** Basé sur la foi et les croyances en Dieu – ce qui permet la confiance en un avenir qui, d'une manière ou d'une autre, sera bon –, l'espoir donne aux gens la force d'affronter l'adversité. Cette notion d'espoir est donc liée aux vertus théologiques du catholicisme, autrement dit à la confiance en la grâce toute-puissante de Dieu. «Une vertu qui prépare à avoir confiance, la certitude d'accéder à la vie éternelle et les moyens nécessaires, à la fois surnaturels et naturels, d'y accéder, le tout basé sur la grâce toute-puissante de Dieu. La vraie raison de l'espoir est Dieu, inspiré par Dieu. Trop peu d'espoir est désespoir et trop d'espoir est vanité» (Martí Ballester, 2014).

Distinguons maintenant la notion ci-dessus de celle de *persévérance dans la réalisation d'objectifs en vue du succès,* notion avancée par des chercheurs utilisant une approche utilitariste, tels que Fred Luthans, qui a écrit aussi un chapitre de ce livre. Cette équivalence de l'espoir avec la *satisfaction d'attentes* correspond aux paramètres du capitalisme tardif. **La satisfaction est devenue un nouveau paradigme de ce qui est précieux** en termes d'expérience, de vie et de personne, la réalisation de ce qui est considéré comme tributaire de l'individu et de ses capacités personnelles. Mais ce n'est pas la véritable signification de l'espoir; c'est plutôt celle de l'optimisme dans la réalisation d'attentes conformément aux efforts et aux valeurs de chacun.

L'adversité

Cette distinction faite, j'aimerais considérer l'espoir dans des contextes où les gens ne peuvent pas obtenir ce dont ils ont besoin pour vivre dans la dignité. Cela est dû souvent à des injustices, à des mauvais traitements et au bonheur des autres (allusion à la chanson *Pequeña Serenata Diurna* de Silvio Rodríguez, qui dit: «Je suis heureux, je suis un homme heureux et je veux qu'on me pardonne les victimes de mon bonheur»).

Les résultats de recherche montrent que l'espoir prend de l'importance face à l'insécurité. Il est donc d'une importance cruciale de se pencher sur la dimension éthique de l'espoir. Du point de vue des sciences sociales, en particulier de la psychologie, est-ce une si bonne idée de *prescrire* l'espoir comme une vertu dans un contexte où la frustration est due à l'injustice et aux intérêts d'autres gens? **Est-il normal de *proclamer* les bienfaits de l'espoir – au niveau psychologique – quand la vie sociale est dominée par les abus de pouvoir, les inégalités et l'exclusion?**

Souvenons-nous maintenant de la pauvreté et de l'exclusion en Amérique latine. Ce qui est sain au niveau individuel ne doit pas nécessairement être prescrit dans les discours d'experts, dans des droits (liés à des devoirs) ou dans des politiques publiques. Que l'espoir soit bénéfique pour affronter les difficultés de la vie ne veut pas dire qu'il est bon de le prescrire s'il inhibe la prise de conscience de l'injustice ou freine l'action sociale. Cela est très important puisque ce sont justement les institutions normalisatrices de la vie quotidienne qui légitiment et perpétuent les conditions d'injustice.

L'espoir exige en premier lieu la reconnaissance et la valorisation intrinsèque de la personne humaine dans sa situation présente. La promotion de l'espoir par le biais des sciences sociales sans considération de ce minimum éthique, sans remettre en question les implications et sans considérer les contextes, ou pire encore, en l'identifiant à des attentes de succès, me semble néfaste pour les individus et pour la société.

Les clés

- → **Nous devons distinguer l'«espoir» des «attentes de succès». Là où les conditions sociales sont les plus frustrantes, nous voyons que les gens sont plus fiers de leur foi et de leur force intérieure que de leurs attentes, auxquelles ils accordent moins d'importance.**
- → **La réalisation des attentes n'est pas la véritable signification de l'espoir. Il existe des contextes où les gens ne peuvent pas obtenir ce dont ils ont besoin pour vivre dans la dignité.**
- → **Que l'espoir soit bénéfique pour affronter les difficultés de la vie ne veut pas dire qu'il est bon de le prescrire s'il inhibe la prise de conscience des injustices ou freine l'action sociale.**

María José Rodríguez Araneda est professeure associée à l'École de psychologie de l'Université de Santiago du Chili (Chili). Ses recherches portent sur le sens du bonheur, de l'éthique et de la qualité de vie, et sur la psychologie sociale et organisationnelle. Son étude la plus récente s'intitule «La représentation sociale de la notion de bonheur au Chili et en Italie».

«Les relations intimes jouent un rôle essentiel dans la formation du concept de soi.»

Le miroir magique

«Petit miroir, qui est la plus belle du pays?» Vanité mise à part, beaucoup de gens rêvent d'avoir un miroir magique qui leur donne une image idéale d'eux-mêmes et leur réaffirme sans cesse que leurs espoirs et leurs rêves les plus chers se réaliseront un jour. **Madoka Kumashiro** nous explique où trouver ce miroir.

En fait, nombreux sont ceux qui ont déjà accès à ces miroirs. Ce sont leurs relations intimes. Au fil des ans, mes collaborateurs et moi avons découvert que les relations intimes jouent un rôle essentiel dans la formation du concept de soi et qu'elles aident les gens à se rapprocher de la personne idéale qu'ils espèrent devenir.

Michel-Ange

Le phénomène Michel-Ange repose sur la théorie du «soi miroir», selon laquelle nous nous voyons par les yeux de notre partenaire amoureux. Cette interaction débouche sur des résultats positifs quand le reflet de nous -mêmes que nous donnent les autres correspond à nos espoirs et à nos désirs. Michel-Ange disait qu'il enlevait les couches extérieures des blocs de marbre pour faire émerger la forme idéale se trouvant à l'intérieur. De manière analogue, le phénomène Michel-Ange suggère que **les gens ont besoin d'un sculpteur aussi adroit pour les aider à découvrir leur «soi idéal»**, c'est-à-dire la sorte de personne qu'ils aspirent à être.

Le «soi miroir» ne reflète pas toujours le soi idéal: nos relations intimes peuvent faire ressortir ce qu'il y a de meilleur ou de pire en nous. Par exemple, Marie prendra des mesures pour réaliser son rêve d'ouvrir un commerce si ses amis croient en ses qualités entrepreneuriales, mais elle préférera garder son emploi peu gratifiant si ses amis croient que c'est tout ce qu'elle est capable de faire. Quand nos relations intimes stimulent nos qualités et nos comportements désirés, non seulement nous nous sentons plus proches de notre soi idéal, mais nous nous sentons mieux dans notre vie et dans nos relations qui ont amené cette transformation. Par conséquent, les attentes et croyances de notre partenaire intime quant à notre soi peuvent devenir des prophéties autoréalisatrices, influencer nos qualités ou les objectifs que nous choisissons de poursuivre, et affecter notre bien-être tant personnel que relationnel.

Les «locomoteurs»

Bien sûr, la métaphore de Michel-Ange ne doit pas être prise littéralement. Contrairement aux blocs de marbre passifs, les gens sont des êtres dynamiques qui peuvent adopter différentes séries de valeurs et d'objectifs, puisqu'ils réalisent ou abandonnent certains objectifs et connaissent des changements développementaux tout au long de leur vie. En particulier, la personnalité s'avère jouer un grand rôle dans le processus de sculpture. **Nous pouvons contribuer à notre propre processus de sculpture** en créant un environnement social optimal ou sous-optimal, favorable à notre croissance personnelle. Telle pierre sera facile à travailler pour tout sculpteur débutant, alors que telle autre sera si friable ou si dure qu'il faudrait un sculpteur aussi adroit et précis que Michel-Ange pour faire émerger la forme idéale. De la même manière, nous laissons plus ou moins facilement les autres nous aider à réaliser l'idéal de nous-mêmes et soutenir les objectifs que nous visons.

Un tel processus constructeur de personnalité implique des différences individuelles dans la manière dont les gens abordent leurs objectifs. **Les grands «locomoteurs»**, c'est-à-dire les gens qui entrent rapidement en action pour réaliser leurs objectifs, tendent à laisser facilement les autres les aider à réaliser leurs idéaux. Ils choisissent des objectifs réalistes et flexibles, entrent en action et cherchent de l'aide d'une manière positive. Au contraire, **les grands «évaluateurs»**, c'est-à-dire les gens qui évaluent et analysent de manière critique la poursuite de leurs objectifs, acceptent difficilement l'aide des autres. Ils sont enclins à choisir des objectifs trop difficiles et trop irréalistes, sont passifs et critiques, et repoussent l'aide et les conseils des autres. Les locomoteurs disent être plus proches de leurs idéaux, jouir d'une plus grande satisfaction dans la vie et avoir de meilleures relations que les évaluateurs. Par ailleurs, ce trait de personnalité affecte également le sculpteur: les locomoteurs ont tendance à être plus efficaces que les évaluateurs lorsqu'il s'agit d'aider leur partenaire à se rapprocher de ses idéaux.

Les yeux du partenaire

La prolifération des livres, magazines, sites Internet, applications sur l'amélioration de soi-même révèle un grand intérêt pour le sujet. Plutôt que de tenter de faire cela seuls, les gens devraient prêter attention à leurs relations intimes. S'ils aiment ce qu'ils voient par les yeux de leur partenaire, **si l'image reflète leur idéal, ils ont une grande chance de parvenir à leur soi le plus désiré.** S'ils n'aiment pas ce qu'ils voient, il leur faudra peut-être modifier leur dynamique interpersonnelle et leur environnement social. Heureusement, un seul sculpteur spécial qui croit en leur potentiel – un ami, un parent, un amoureux, un collègue ou un mentor – peut suffire pour les mettre sur la voie de l'avenir qu'ils désirent.

Les clés

- → **Les attentes et les croyances de notre partenaire intime quant à notre soi peuvent devenir des prophéties autoréalisatrices qui influencent nos qualités et les objectifs que nous choisissons de poursuivre.**
- → **Les gens laissent facilement (grands locomoteurs) ou difficilement (grands évaluateurs) les autres les aider à réaliser leurs idéaux et à soutenir les objectifs qu'ils visent.**
- → **Heureusement, un seul sculpteur spécial qui croit en leur potentiel peut suffire à les mettre sur la voie de l'avenir qu'ils désirent.**

Madoka Kumashiro est professeure associée de psychologie au Goldsmiths College de l'Université de Londres (Royaume-Uni). Tout en préparant son doctorat à l'Université de Caroline du Nord à Chapel Hill, sous la direction de la professeure Caryl Rusbult, qui a lancé la théorie du phénomène Michel-Ange, elle a étudié l'intégration des domaines précédemment disparates du soi et des relations intimes. Elle a publié un grand nombre d'articles et de chapitres de livre. Ses recherches portent sur le soi dans les contextes interpersonnels – comment les relations intimes peuvent faire ressortir ce qu'il y a de meilleur et de pire en chacun, comment les gens luttent pour trouver un équilibre entre leur vie professionnelle et leur vie privée, et comment la personnalité affecte les relations et les comportements de poursuite d'objectifs.

PROJET D'ESPOIR

Happy City, cité optimiste

L'espoir est un concept très pratique. C'est le trajet que vous prenez quand vous voulez réaliser un but. Lancée à Bristol (Royaume-Uni), l'initiative Happy City fait campagne en faveur de la construction d'une volonté de bonheur; elle crée des formations, des projets et des instruments pour rendre les communautés plus heureuses.

L'initiative Happy City est basée sur une idée très simple: être heureux ne coûte pas cher. Le monde a besoin d'un nouveau narratif, basé davantage sur l'«être» que sur l'«avoir». Il s'agit de changer les priorités, de placer les gens avant le profit et de redéfinir ce qu'est la prospérité. Depuis sa création, l'objectif de Happy City est d'accroître le bonheur des gens en les aidant à vivre plus, à partager plus et à aimer plus la vie. **Cette initiative fonctionne à tous les niveaux, des petites communautés locales aux hautes sphères de la politique gouvernementale.** Les projets sont interconnectés. L'Indice Happy City est un nouvel instrument qui permet de mesurer, de comprendre et d'influencer la vraie prospérité d'une ville et de sa population. La Banque du Bonheur interactive renseigne sur ce que la ville a à offrir pour accroître le bien-être des gens: chorales, associations de jardinage, cours de yoga ou clubs de rire. La Liste annuelle des personnes les plus heureuses, antidote à la liste des personnes les plus riches, rend hommage aux gens qui tentent d'améliorer le bien-être dans leur ville. Le projet de média social Upbeat Streets invite les gens à échanger des photos de lieux qui les rendent heureux, créant ainsi une galerie numérique du bonheur.

Un effet contagieux

L'initiative Happy City ayant pour but d'accroître le bonheur durable, les formations constituent une bonne partie de ses activités. En tant que psychologue positive, je pense que les connaissances doivent aller au-delà des limites du campus universitaire pour servir les communautés dans la pratique. La psychologie positive nous a montré qu'il est possible d'apprendre à être plus heureux, et la science nous a donné des instruments pour entraîner notre esprit et nos émotions.

Avec Happy City, j'ai collaboré à la création des Habitudes du Bonheur, un programme de science appliquée permettant à chacun d'accroître son bien-être

Les huit habitudes du bonheur

Il y a huit habitudes du bonheur. Essayez de les faire vôtres et encouragez les autres à faire de même.

1. **Savourez vos expériences positives** pour maximaliser le plaisir des bons moments de la vie.

2. **Pratiquez la gratitude** pour mieux percevoir et apprécier les bonnes choses de la vie.

3. **Utilisez vos forces.** Vos forces sont la positivité même. Utilisez-les pour atteindre vos objectifs et résoudre vos problèmes.

4. **Donnez un sens à votre vie** et trouvez du sens dans votre vie quotidienne.

5. **Nourrissez vos relations.** Avoir de bonnes relations caractérise les gens heureux.

6. **Apprenez l'optimisme.** C'est l'instrument mental qui protège contre la dépression.

7. **Renforcez votre résilience** en prenant toutes les habitudes ci-dessus!

8. **Fixez-vous des objectifs positifs** pour avancer et éprouver des sentiments de progrès et d'accomplissement.

par des actions simples. Nous avons mis en œuvre ce programme dans des communautés, des écoles et des organisations. Les Habitudes du Bonheur ont été bénéfiques aux différentes catégories de participants au programme, que ce soit les professionnels, les parents réfugiés ou les retraités. **Les bénéfices ne se limitent pas à l'individu; le bien-être se répand dans toute la communauté.** C'est un fait: le bonheur est contagieux. Il se propage d'une personne à une autre. Et ce que je fais sur le plan individuel, Happy City le fait au niveau de toute la ville. Cela me donne de l'espoir pour l'avenir.

Miriam Akhtar, psychologue positive spécialisée en interventions pratiques, **www.positivepsychologytraining.co.uk**
Pour plus d'informations: **www.happycity.org.uk**

«L'espoir est la meilleure face du bonheur.»

Les deux faces de la même médaille?

«Quand j'ai commencé mon travail de médecin généraliste, j'ai vite compris que les gens venaient aussi consulter pour des problèmes auxquels il n'y avait pas de solutions strictement médicales», dit le docteur **Sakari Suominen**. Il voit ses patients aux prises avec l'espoir et le bonheur. S'agit-il des deux faces de la même médaille?

Un de ces problèmes était l'épuisement dû au stress dans leur travail ou dans leur vie privée. Cette observation m'a conduit en premier lieu aux travaux du professeur Aaron Antonovsky sur la salutogénèse, et ensuite au lancement de mes propres recherches dans ce domaine. Dans son ouvrage *Health, Stress, and Coping* publié en 1979, le professeur Antonovsky présente sa théorie du sens de la cohérence, dont je continue à m'inspirer.

Selon lui, tout le monde utilise continuellement des «ressources de résistance généralisées» pour résoudre les problèmes de la vie quotidienne. Ces ressources peuvent être liées à la personne (p. ex. une formation professionnelle acquise ou des aptitudes sociales), mais elles peuvent être aussi fournies par l'environnement (p. ex. les possibilités de suivre une formation professionnelle ou le soutien social apporté par des parents, des amis ou des collègues). **Le sens de la cohérence consiste en la capacité d'une personne à gérer ces ressources de manière coordonnée afin de résoudre un problème particulier.**

L'adversité

La question centrale n'est donc pas de savoir de combien de ressources nous disposons à un moment donné, bien que cet aspect joue également un rôle. La question essentielle est de savoir si nous parvenons à coordonner nos ressources vers un objectif désiré, même si ces ressources sont relativement limitées. Le sens de la cohérence est divisé en trois composantes, à savoir: la compréhensibilité, la gérabilité et le sens. De manière plus générale, nous pouvons dire que ces composantes représentent trois qualités universelles de l'être humain: la pensée, l'action et le sentiment d'humanité. De ces trois composantes, Antonovsky considère que **la plus importante est le sens, car le sens a une fonction motivationnelle.** Autrement dit, percevoir que notre vie a un sens profond allant au-delà de notre routine quotidienne nous aide à raffermir les deux autres composantes que sont la compréhensibilité et la gérabilité, en particulier dans l'adversité. Par conséquent, le sens est proche sur le plan conceptuel de ce que nous entendons par espoir.

Antonovsky suppose qu'un fort sens de la cohérence protège la santé. Cette hypothèse est soutenue par de nombreuses études ayant mesuré le sens de la cohérence au moyen d'une série de questions fermées. Par ailleurs, vu qu'Antonovsky donne à la santé un sens large, nous pouvons considérer ces conclusions comme s'appliquant aussi au bien-être.

Un esprit combatif

Sur la base de ce qui précède, pouvons-nous considérer un fort sens de la cohérence comme l'équivalent de ce que nous appelons généralement le bonheur? Pas forcément. Le bonheur est un état d'esprit émotionnel. Plus l'émotion est forte, plus nous sommes enclins à l'appeler bonheur. Plus cet état comporte une évaluation intellectuelle, plus nous sommes enclins à l'appeler satisfaction dans la vie. D'autre part, le sens de la cohérence se caractérise par la capacité à résoudre les problèmes de la vie quotidienne, ce qui n'implique pas forcément le bonheur ou même un sentiment de satisfaction. Il est facile de trouver des exemples. Si une personne en crise à la suite d'une rupture amoureuse ou d'une soudaine perte d'emploi ne perçoit pas sa situation comme étant heureuse ou satisfaisante, elle peut malgré tout, si son sens de la cohérence est assez fort, conserver un esprit combatif et se persuader qu'elle trouvera une solution, même si les problèmes semblent énormes. Ainsi, dans la réalité, la plupart des gens ayant un fort sens de la cohérence ont tendance à être heureux mais, sur le plan théorique, ces deux dimensions ne coïncident pas forcément.

Encore une fois, cette distinction théorique a-t-elle une pertinence pratique? Je dirais que oui, elle est importante, et j'ajouterais même que l'espoir est la meilleure face du bonheur. Pourquoi? Parce que **le bonheur est une épée à double tranchant, contrairement à l'espoir.** Il est normal bien sûr de rechercher le bonheur, mais nous risquons alors d'oublier celui des autres ou du moins celui de ceux qui ne font pas partie de notre petit cercle d'intimes. Profiter sans scrupules de notre bonheur personnel peut compromettre les conditions du bonheur de personnes inconnues.

Le soutien

Par ailleurs, la vie est riche en événements inattendus, dont certains peuvent être difficiles à gérer. Ici aussi, il est facile de trouver des exemples. Tout le monde peut brutalement être victime d'un accident de la circulation ou perdre son emploi. Ces situations sont loin d'être heureuses et faciles à gérer, et garder l'espoir est essentiel pour les surmonter. Si nous gardons l'espoir dans ces situations, nous avons plus de chances de réussir à les maîtriser et donc plus de chances de nous développer et de guérir. **Perdre espoir, ou perdre l'espoir de retrouver un jour l'espoir, nous cache des solutions qui sont pourtant à notre disposition.**

Finalement, je voudrais ajouter que devenir une personne heureuse et équilibrée est un défi personnel pour chacun d'entre nous. Le bonheur ne peut se transmettre d'une personne à une autre de façon permanente, même si nous le percevons parfois ainsi. Néanmoins, toute personne peut en aider une autre – même une personne inconnue – à garder espoir. Cela soutient en retour le développement individuel de la personne vers un authentique bonheur personnel.

Les clés

- → **Le sens de la cohérence a trois composantes: la compréhensibilité, la gérabilité et le sens. Le sens est proche de ce que nous appelons l'espoir, car il a une fonction motivationnelle.**
- → **La plupart des gens ayant un fort sens de la cohérence ont tendance à être heureux, mais ces deux dimensions ne coïncident pas forcément.**
- → **Toute personne peut en aider une autre – même une personne inconnue – à garder espoir. Cela soutient en retour le développement individuel de la personne vers un authentique bonheur personnel.**

Sakari Suominen vit à Turku (Finlande). Il est médecin et scientifique spécialiste de la santé publique. Il est également professeur à temps partiel de santé publique à l'Ecole nordique de santé publique, à Göteborg (Suède). Il a publié une bonne centaine d'articles, dont la plupart dans des revues scientifiques internationales, dans le domaine de l'épidémiologie, de la gestion de la santé publique et de la santé des enfants et des adolescents. En 2009, il a reçu le prix Adolph G. Kammer Merit in Authorship Award du College of Occupational and Environmental Medicine. Il se passionne pour les bateaux en bois et adore faire de la voile en été. Lorsqu'il est envahi par des pensées négatives («car il arrive à tout le monde de perdre espoir»), il cherche du réconfort en jouant des chansons d'auteur à la guitare électrique.

«Plus d'optimisme n'est pas toujours mieux.»

L'espoir et le bonheur

«L'espoir et le bonheur sont évidemment liés. L'espoir ajoute généralement au bonheur, et le bonheur nourrit l'espoir. Cependant, les recherches empiriques ne relèvent pas toujours de fortes corrélations positives et trouvent parfois même des liens négatifs. Pour comprendre ces différences, nous devons définir les concepts et trouver comment les mesurer», dit le professeur **Ruut Veenhoven**, l'un des meilleurs experts mondiaux en recherche sur le bonheur.

L'espoir est l'attente que les choses tourneront bien dans l'avenir. Plus la probabilité perçue d'un bon résultat est grande, plus il y a d'espoir. Les «choses» attendues peuvent être ordinaires (une journée ensoleillée demain) ou très importantes (survivre à une maladie). Dans le cadre de cette analyse de la relation entre espoir et bonheur, je traiterai de l'attente que des choses très importantes tournent bien. Ces «choses très importantes» sont soit une partie spécifique de la vie, comme la carrière professionnelle, soit la vie comme un tout. J'examine ici l'espoir dans le sens de l'attente que «la vie comme un tout» tournera bien.

Cette forme d'espoir a été mesurée de plusieurs manières. Une approche considère l'espoir comme un trait de personnalité et le mesure à l'aide de questionnaires exploitant la tendance générale à être optimiste quant à l'avenir. Une approche similaire considère l'espoir davantage comme une attitude face à l'avenir et le mesure à l'aide de questions simples. Une variante de cette approche consiste à demander aux gens dans quelle mesure ils pensent qu'ils seront heureux dans l'avenir, en général au cours des cinq prochaines années. Nous leur demandons aussi d'évaluer leur bonheur des cinq dernières années et du moment présent, de façon que la différence reflète l'espoir d'une vie meilleure.

Le bonheur est la jouissance subjective de vivre présentement une «vie comme un tout». Un synonyme du bonheur est la «satisfaction dans la vie». Tout comme l'espoir, le bonheur est un phénomène subjectif que nous mesurons à l'aide d'un questionnaire. Une question courante est la suivante: «Dans l'ensemble, dans quelle mesure êtes-vous satisfait ou insatisfait de votre vie comme un tout en ce moment? Veuillez répondre en choisissant un chiffre entre 0 et 10 sur une échelle où 0 est pour "très insatisfait" et 10 pour "très satisfait".» De telles questions sont souvent utilisées dans des enquêtes, et les résultats sont stockés dans la base de données mondiale sur le bonheur. Cette «archive de résultats» développée au cours des dix dernières années contient actuellement quelque 13 000 résultats de recherche.

Un optimisme modéré

L'«espoir» est l'une des catégories de la base de données mondiale sur le bonheur. À ce jour, cette catégorie compte quatre-vingt-quatre résultats de recherche. Chaque résultat est décrit sur une page utilisant un format et une terminologie standards. Lorsqu'on feuillette les pages, les schémas de données qui se suivent accrochent l'œil.

L'espoir et le bonheur vont souvent main dans la main, mais pas toujours. Des études effectuées dans le monde entier ont mis en évidence des corrélations positives, en particulier lorsque l'espoir est mesuré comme un point de vue optimiste ou une attitude positive envers l'avenir. Une étude réalisée récemment en Allemagne montre que les gens optimistes obtiennent un score supérieur d'un point à celui des gens pessimistes sur l'échelle du bonheur allant de 0 à 10, et que cette différence excède les effets du chômage ou du divorce (Piper, 2014). La différence était plus grande pour les optimistes modérés, ce qui laisse supposer que plus d'optimisme n'est pas toujours mieux. Les corrélations sont toutefois beaucoup plus faibles, et parfois même négatives, lorsque l'espoir est mesuré comme l'attente d'un bonheur plus grand dans l'avenir que celui dont on jouit présentement.

Plus de ressources

L'espoir influence le bonheur de plusieurs manières. Une raison qui explique les corrélations positives est évidemment que l'espoir est gratifiant en soi, de sombres perspectives d'avenir étant génératrices de stress. De plus, l'espoir stimule surtout les comportements qui nourrissent le bonheur à long terme. Si vous n'espérez pas réussir en amour, vous n'essaierez jamais. Les gens de caractère optimiste auront donc construit plus de ressources dans le passé. Mais l'espoir irréaliste peut aussi réduire le bonheur, par exemple, s'il vous garde captif d'un mariage malheureux.

De même, le bonheur influence l'espoir. L'expérience positive du présent influence la perception de l'avenir. Le bonheur a aussi des effets bénéfiques (entre autres, une meilleure santé) qui à leur tour nourrissent l'espoir. Cependant, le bonheur peut aussi avoir un effet négatif sur l'espoir. Si vous êtes déjà heureux, vous pourrez difficilement être plus heureux dans l'avenir et vous risquez même d'être un peu moins heureux. Les gens malheureux ont plus de chances d'être plus heureux dans l'avenir qu'ils ne le sont en ce moment.

Les clés

- → **L'espoir est l'attente que les choses tourneront bien dans l'avenir. Le bonheur est la jouissance subjective de vivre aujourd'hui une vie comme un tout.**
- → **L'espoir et le bonheur vont souvent main dans la main, en particulier lorsque l'espoir est mesuré comme un point de vue optimiste ou une attitude positive face à l'avenir. Les corrélations sont beaucoup plus faibles lorsque l'espoir est mesuré comme l'attente d'un bonheur plus grand que celui dont on jouit actuellement.**
- → **L'espoir influence le bonheur de plusieurs façons. De même, le bonheur influence l'espoir. Les gens malheureux ont plus de chances d'être plus heureux dans l'avenir qu'ils ne le sont présentement.**

Ruut Veenhoven est professeur émérite de conditions sociales pour le bonheur humain à l'Université Érasme, à Rotterdam (Pays-Bas). Il est membre de l'organisation EHERO (Erasmus Happiness Economics Research Organization) et du groupe de recherche Opentia de l'Université du Nord-Ouest, en Afrique du Sud. Surnommé «professeur Bonheur», il est respecté dans le monde entier pour ses recherches de toute une vie sur la qualité subjective de la vie. Ses principales publications sont *Conditions of Happiness* et *Informed pursuit of happiness*. Il est fondateur et rédacteur en chef du *Journal of Happiness Studies*, et fondateur et directeur de la base de données mondiale sur le bonheur. Pour en savoir plus: www.worlddatabaseofhappiness.eur.nl.

« Certaines tentatives pour gérer l'anxiété sont un combat contre sa composante "espoir". »

La crainte et l'anxiété

On dit souvent que la crainte et l'anxiété sont les contraires de l'espoir. La professeure **Maria Miceli** nous propose une approche plus nuancée. L'anxiété semble être une combinaison d'espoir et de crainte.

Un état d'esprit anxieux implique la croyance que l'issue pourrait être négative, mais aussi la croyance contraire (bien que souvent plus faible) que l'issue pourrait être positive. On peut considérer ce mélange conflictuel d'espoir et de crainte comme caractéristique de l'anxiété.

La différence entre la crainte et l'anxiété réside dans leurs objets. Alors que l'objet de la crainte est un danger probable ou certain, l'objet de l'anxiété est un événement impliquant un danger possible et incertain. L'appréhension et l'attente inquiète caractéristiques de l'anxiété dépendent de cette alternance entre crainte et espoir. En fait, une composante essentielle de l'anxiété est l'objectif épistémique de «savoir si le danger se réalisera» afin de mettre fin à l'incertitude. Si l'objectif se réalise, même en faveur d'une certitude négative, l'anxiété décroît en conséquence.

Le combat ou la fuite

Sans aucun doute, l'incertitude est présente aussi dans la crainte. Cependant, elle ne semble pas être son objet. Le langage courant donne un indice sur ce point. Par exemple, «Je crains que...» ne traduit pas une alternance entre espoir et crainte, alors que «Je suis anxieux parce que...» véhicule clairement cette alternance. Cet état d'esprit caractéristique de l'anxiété peut susciter des réactions telles que: «Je ne sais pas quoi penser ou à quoi m'attendre, je ne sais pas si je peux espérer le meilleur ou si je dois désespérer.» Dans le domaine clinique, certaines preuves confirment indirectement que ce mélange de crainte et d'espoir est caractéristique de l'anxiété. Par exemple, **même si l'affect négatif est partagé entre la dépression et le trouble d'anxiété généralisé, de faibles niveaux d'affect positif semblent être spécifiques à la dépression.** Le système d'inhibition comportementale, supposé être la base neuropsychologique de l'anxiété, est activé par des conflits entre stimuli aversifs et stimuli appétitifs, et se caractérise par une évaluation des risques et par la prudence. Par contre, la base neuropsychologique de la crainte est fournie par le système «combat-fuite» qui est activé par des menaces n'impliquant pas une orientation d'approche et engendrant seulement des réactions de fuite ou de défense.

Éviter l'espoir

Lorsque l'anxiété et la dépression s'avèrent étroitement liées, on peut supposer qu'il y a passage d'un état anxieux à un état dépressif quand l'incertitude devient (subjectivement) insupportable. Certains «préfèrent» alors renoncer à toute perspective optimiste et gérer la certitude négative. L'anxiété disparaît pour faire place au désespoir et à la dépression.

L'inquiétude est une composante essentielle de l'anxiété. En ce qui concerne l'activité anticipatoire cognitive, l'anxiété et l'inquiétude coïncident, mais l'anxiété inclut d'autres composantes telles que la suractivité autonomique, l'agitation et l'irritabilité. Ressasser des hypothèses et des scénarios négatifs permet aux anxieux d'écarter des hypothèses positives et par conséquent de se défendre contre l'alternance perturbante d'émotions positives et négatives. Bien qu'il n'obtienne pas forcément une certitude négative, **l'anxieux tente d'adopter un état d'esprit «comme si», dans lequel la possibilité négative est prise temporairement pour une certitude.** Cette simulation est une sorte de répétition générale de ce qui pourrait arriver si le pire arrivait, ce afin de s'habituer à des possibilités négatives, de pouvoir mieux les supporter et de réduire la souffrance si le coup tombait. Autrement dit, on peut considérer certaines tentatives pour faire face à l'anxiété comme un «combat contre sa composante "espoir"». Que ce soit en promouvant le désespoir ou en tentant de simuler ce qui arriverait si la menace se réalisait, nous tentons d'éviter l'espoir afin d'échapper à la souffrance que provoque son alternance avec la crainte.

Inversement, d'autres tentatives d'adaptation impliquent un combat pour l'espoir et contre la crainte. Une affirmation optimiste et autorassurante telle que «rien de mal ne peut arriver» stimule l'espoir en minimisant la probabilité d'une issue négative. Il s'agit plus précisément d'une tentative de transformer un simple espoir en une attente positive solide, ne pouvant pas coexister avec une attente négative sur le même fait.

Les clés

- → **La différence entre la crainte et l'anxiété réside dans leurs objets. L'anxiété se caractérise par un mélange de crainte et d'espoir.**
- → **Au niveau de leurs composantes cognitives, l'anxiété et l'inquiétude coïncident, mais l'anxiété inclut d'autres composantes telles que la suractivité autonomique, l'agitation et l'irritabilité.**
- → **Une affirmation optimiste et autorassurante telle que «rien de mal ne peut arriver» stimule l'espoir en minimisant la probabilité d'une issue négative.**

Maria Miceli est chercheuse principale à l'Institut des sciences et technologies cognitives du Conseil national de la recherche (ISTC-CNR) à Rome (Italie). Ses recherches portent sur les aspects cognitifs de mécanismes et processus sociaux, et sur leur interaction avec des composantes motivationnelles et émotionnelles. **Cristiano Castelfranchi** est coauteur du texte ci-dessus. Il a écrit aussi un chapitre de ce livre. Le dernier ouvrage de Maria Miceli, coécrit également par Cristiano Castelfranchi, s'intitule *Expectancy and Emotion* (Oxford University Press). Elle aime la musique et chante dans deux chorales. «Cela me donne de l'espoir dit-elle, quand je vois des gens (y compris moi-même) tirer des enseignements de l'expérience et cesser de faire les mêmes erreurs, c'est-à-dire quand nos nouvelles erreurs sont différentes de nos erreurs habituelles.»

«La perte et l'impuissance sont des parents proches du désespoir et de l'espoir.»

Garder espoir face à une maladie incurable

Carol J. Farran a été professeure pendant plus de trente ans. Spécialiste du processus de vieillissement, elle s'est sentie chanceuse de se trouver au bon endroit au bon moment lorsque l'Institut national du vieillissement des États-Unis a fondé le Centre Rush pour la maladie d'Alzheimer. Elle a mis à profit ce qu'elle avait appris auprès des personnes âgées déprimées lorsqu'elle a dû soutenir les aidants familiaux de personnes atteintes de la maladie d'Alzheimer et de démences apparentées. Et elle a constaté une fois de plus que les aidants familiaux s'exprimaient de façon très émouvante sur leurs sentiments d'espoir et sur le sens qu'ils donnaient à leur action.

La maladie d'Alzheimer et les démences apparentées existent depuis longtemps, mais elles portaient souvent des noms différents ou était considérées comme «dues simplement au vieillissement». Malgré les récentes avancées médicales, il n'existe pas encore de traitement pour ces maladies et c'est généralement la famille – partenaire, enfants, petits-enfants ou autres – qui assume la responsabilité des soins à apporter à la personne démente. Un grand nombre des recherches effectuées auprès d'aidants familiaux aux États-Unis portaient sur le stress et les problèmes de santé liés à cette prestation de soins. Pourtant, comment se fait-il que les aidants familiaux expriment de l'espoir et donnent du sens au processus d'aide à leur parent?

La perte et l'impuissance

La perte et l'impuissance sont des proches cousins du désespoir et de l'espoir. On dit parfois qu'on ne peut pas pleinement connaître l'espoir si l'on n'a pas connu le désespoir. Pour les aidants familiaux de personnes démentes, la réalité de la *perte* est toujours présente – ils ont perdu leur relation avec la personne qu'ils aiment, ils ne peuvent plus communiquer avec elle comme ils le faisaient auparavant et la voient perdre graduellement ses capacités physiques et mentales. Face à leurs propres réactions et celles des autres devant ces pertes, ils ont dit: **«Nous avons perdu nos projets d'avenir.»**

En même temps, ils éprouvent un sentiment d'impuissance face à leur situation. Ils se disent animés d'un sentiment de devoir, de responsabilité et d'obligation. Leur monde s'est restreint sur les plans environnemental, physique et mental. Ils font état d'une perte de liberté et décrivent leur vie comme «ennuyeuse et perdue dans les limbes». Ils «espèrent» que la recherche médicale trouvera un traitement, «souhaiteraient» que les choses soient différentes et ont l'impression de vivre une situation sans issue.

La possibilité de choisir

Cependant, les aidants familiaux apprennent qu'ils ont la *possibilité* de choisir consciemment leur attitude face à l'aide donnée. Ils font l'expérience du paradoxe de leur situation – comment est-il possible que leur mère, qui était jardinière d'enfants et qui a enseigné à des enfants pendant de nombreuses années, ait besoin d'aide aujourd'hui pour répondre à ses besoins personnels quotidiens et ne reconnaisse plus ni son mari ni ses enfants? Qui est-elle maintenant et comment sont-ils encore liés à elle? Ils trouvent que pour développer l'espoir, ils doivent faire appel à leurs aptitudes personnelles et à leur force morale, apprendre à apprécier les petites choses positives de la vie, vivre un jour à la fois et garder leur sens de l'humour.

Même dans les petites choses de la vie quotidienne, les aidants familiaux peuvent éprouver de l'espoir dans leur relation avec leur parent dément et les autres personnes qui les soutiennent. **Les aidants ont la possibilité de profiter de chaque moment passé avec la personne qu'ils ont encore.** Un mari aidant décrivait comment il décorait le sapin de Noël avec sa femme. Il disait: «Nous communiquons tout le temps, même si je suis le seul à parler.» À chaque décoration qu'ils suspendaient au sapin, il disait à sa femme qui la leur avait donnée et quand. Il sentait qu'elle l'aimait quand elle lui disait «merci» lorsqu'il avait fait quelque chose pour elle. D'autres aidants exprimaient de l'espoir lorsqu'ils étaient certains de prodiguer à leur parent *les meilleurs soins* possible, même si ce n'était pas toujours parfait, et qu'ils voyaient que leur parent réagissait bien à leur aide.

La force intérieure

L'espoir est un sentiment, un mode de pensée ou de conduite. C'est aussi un rapport à nous-mêmes et à notre monde, nous permettant d'affronter des situations qui ne répondent pas à nos besoins ou aux objectifs que nous visons. **Il s'agit d'accepter une situation possiblement «sans espoir» et de laisser se produire un processus créatif et imaginatif** dans lequel les limites sont plus larges qu'elles ne semblaient initialement. Cela implique un sentiment de force intérieure, qui nous aide à avancer, et même à grandir, en dépit de cette situation difficile.

Les personnes démentes ont le plus grand besoin de personnes aidantes sensibles disposées à nouer des relations interpersonnelles qui stimulent l'espoir. Il n'existe pas de pilules pour renforcer ou soutenir l'espoir. Le travail quotidien des aidants consiste à observer, à guider et à réconforter les personnes démentes et à investir leur temps, leur énergie et leur amour dans un effort pour être optimiste et tirer le meilleur parti de chaque instant.

Les clés

- → **Les aidants familiaux de personnes démentes ressentent souvent la perte (d'une personne, de liberté et d'avenir) et l'impuissance (sentiment de devoir).**
- → **Ils apprennent qu'ils ont la possibilité de choisir consciemment leur attitude face à l'aide donnée. Pour développer l'espoir, ils doivent faire appel à leurs propres capacités et profiter de chaque instant.**
- → **L'espoir implique un sentiment de force intérieure qui nous aide à avancer, et même à grandir, en dépit de cette situation difficile.**

Carol J. Farran a été professeure au Rush College of Nursing et titulaire d'une chaire de recherche en santé et en vieillissement, financée par la Nurses Alumni Association, au Centre médical de l'Université Rush, à Chicago (États-Unis), ce pendant plus de trente ans. Alors que ses premiers travaux cliniques portaient sur les personnes âgées atteintes de dépression en milieu hospitalier et communautaire, elle était bouleversée par les élans d'espoir qu'exprimaient ces personnes, même lorsqu'elles étaient très déprimées. Elle a mis à profit cette expérience au Rush Alzheimer's Disease Center. Elle aime communiquer avec des personnes de différentes cultures, participer à des activités musicales et culturelles, jouer et fabriquer des souvenirs avec ses trois petits-enfants.

Histoires d'espoir

«Une société japonaise de technologies de l'information s'est retrouvée confrontée à un grave problème. Louée de toutes parts en tant qu'entreprise où les femmes obtenaient des résultats particulièrement remarquables, elle a dû faire face à une crise très grave lorsqu'un grand nombre de ses employées ont brusquement démissionné», raconte le professeur **Yuji Genda**. Il a découvert là deux histoires d'espoir.

Pour faire face à la situation, la société a décidé de demander à ses anciennes employées de révéler franchement les raisons qui les avaient poussées à démissionner. Différents motifs ont été invoqués, mais le responsable de l'enquête a finalement conclu que toutes ces raisons pouvaient se classer en deux grandes catégories.

La première catégorie était: **«Je suis partie parce que je ne pouvais pas prévoir ce qui allait arriver dans l'avenir si je continuais à travailler là.»** L'industrie des technologies de l'information subissait des changements radicaux et les conditions de travail difficiles requéraient des employés qu'ils réagissent prestement aux changements rapides au niveau mondial. Les femmes faisaient tous les efforts nécessaires pour s'adapter à la situation, mais ne voyaient pas d'avenir stable devant elles, qu'elles travaillent dur ou pas. Par conséquent, elles étaient épuisées et ont décidé de démissionner.

Quelle était l'autre catégorie? C'était: **«J'ai quitté l'entreprise parce que je pouvais prévoir ce qui allait arriver dans l'avenir.»** Ces employées avaient connu diverses expériences et acquis certaines connaissances et aptitudes. Elles pouvaient prévoir l'avenir et travailler de manière stratégique. Au début, elles étaient satisfaites de leur situation, mais certaines ont peu à peu perdu de l'intérêt pour leur travail et décidé finalement de quitter l'entreprise lorsqu'elles ont pu prévoir ce qui allait arriver dans l'avenir.

Ces deux raisons vont en sens contraire. Toutefois, leur point commun est que la raison fondamentale du départ des employées d'une entreprise prestigieuse n'était pas une insatisfaction salariale ou des difficultés relationnelles, mais plutôt une perte d'espoir dans le travail lui-même.

La prévisibilité

Même s'ils sont confrontés à un avenir incertain, les gens peuvent espérer surmonter des difficultés futures s'ils voient devant eux quelque chose de beau. Par ailleurs, même s'ils parviennent à prévoir l'avenir dans une certaine mesure, ils peuvent toujours espérer s'ils s'attendent à quelque chose qu'ils n'ont pas encore vu. Les gens peuvent se dire par exemple «Ce n'est pas très clair, mais il y a peut-être quelque chose en vue» ou «On dirait que je vois quelque chose, mais je ne distingue pas encore quoi». **De telles situations ambivalentes peuvent stimuler l'imagination et être une force au service de l'espoir, n'ayant rien à voir avec la prospérité ou les relations humaines.**

Comme beaucoup de récits classiques, les histoires transmises contiennent des éléments contradictoires et ambivalents permettant de multiples interprétations. Toutes les histoires classiques, que ce soit en littérature, en musique ou en théâtre, continuent à se transmettre à travers les âges parce qu'elles conservent leur pouvoir d'être interprétées de différentes manières. Les histoires d'espoir sont très souvent ambivalentes, et la diversité de leur contenu peut être interprétée comme une contradiction.

L'imagination

Retournant à l'exemple du milieu de travail dont nous avons parlé au début, nous avons constaté que ce qui manquait aux employées était une histoire fictionnelle partagée concernant une direction d'avenir désirable, qui ne soit ni vraie ni fausse. Un milieu de travail plein d'obstacles et de détours, d'échecs et de licenciements est, de par sa nature même, une mine d'histoires. Certains employés surmontent les échecs grâce à leurs amis et à leurs collègues. Même si le processus est lent, ces personnes gagneront de la confiance dans leur travail. En même temps, elles s'intéresseront vraiment à leur travail lorsqu'elles auront trouvé «quelque chose d'invisible». Si elles trouvent une histoire qui leur donne la volonté d'affronter l'avenir proche au-delà de leur intérêt personnel, elles garderont espoir dans leur travail.

Comme une entreprise ne peut pas empêcher d'excellents employés de démissionner en appliquant uniquement des stratégies humaines, **seule une histoire humaine partagée dans tout le milieu du travail peut améliorer l'atmosphère et mener à des espoirs dans le travail.** Les personnes et groupes vivant en société ont besoin non seulement de stratégies, mais aussi d'une histoire d'espoir.

Les clés

→ **Les gens peuvent espérer surmonter des difficultés futures s'ils voient devant eux quelque chose de beau ou s'ils s'attendent à quelque chose qu'ils n'ont pas encore vu.**

→ **Les histoires d'espoir sont souvent ambivalentes, la diversité de leur contenu pouvant être interprétée comme une contradiction.**

→ **Ce qui manque souvent, c'est une histoire fictionnelle partagée sur une direction d'avenir désirable. Et c'est exactement ce dont nous avons besoin pour stimuler l'espoir.**

Yuji Genda est économiste du travail, professeur à l'Institut de sciences sociales de l'Université de Tokyo (Japon) et un responsable japonais du Social Sciences of Hope Project. Ses récentes publications incluent: *Hope and Society in Japan, Have Jobs and Hope Gone forever in Japan?* et *Japan in Decline: Fact or Fiction?*. Quel est, selon lui, le meilleur conseil en matière d'espoir? «Jouez!»

L'espoir au Japon

L'espoir est une représentation subjective de ce qui est considéré comme désirable dans l'avenir. Il peut se catégoriser selon des facteurs tels que la réalisation et l'évolution d'un groupe dans la société. Qu'en est-il de l'espoir au Japon?

Au cours d'une enquête japonaise menée en 2006, portant sur quelque 2000 individus âgés de 20 à 50 ans, environ 80% des personnes interrogées ont dit avoir un certain type d'espoir, et 60% ont soutenu que leur espoir était réalisable. La majeure partie des participants à l'enquête avaient des espoirs relatifs au travail, leur nombre dépassant de loin celui des participants qui avaient des espoirs relatifs à la famille, à la santé ou aux loisirs.

L'espoir considéré comme réalisable se définit clairement par trois facteurs sociaux. Cela explique pourquoi une perte d'espoir s'est propagée entre les années 1990 et le début du 21e siècle. Tout d'abord, **l'espoir est influencé par le nombre de choix disponibles**, ce qui dépend de la prospérité. Des analyses ont montré que les personnes âgées qui perçoivent le temps qui leur reste sur terre comme limité, celles qui ont été marginalisées sur le plan de l'éducation ou de l'emploi, qui ont de faibles revenus ou qui sont en mauvaise santé ont plus tendance à rapporter une absence d'espoir. Certains changements sociaux tels que la chute de la natalité, l'augmentation de la population à bas revenus ou au chômage, les conditions de santé de plus en plus mauvaises et la stagnation des taux de réussite scolaire ont conduit à une augmentation du pourcentage des gens sans espoir.

Ensuite, **l'espoir est influencé par des relations interpersonnelles** basées sur des échanges avec d'autres, tels que les membres de la famille et les amis. Les gens ayant grandi dans un milieu familial empreint de confiance et ayant des attentes sont plus enclins à dire qu'ils ont de l'espoir. Les gens qui savent qu'ils ont beaucoup d'amis sont plus enclins à avoir de l'espoir. De plus, ceux qui ont de bonnes relations avec des amis n'étant pas des collègues de travail ou des membres de leur famille sont plus enclins à avoir de l'espoir sur le plan du travail. Les amis jouent donc un grand rôle dans la création de l'espoir d'un point de vue non seulement quantitatif mais aussi qualitatif. L'augmentation de la solitude parmi la population japonaise dans son ensemble, symbolisée par des relations familiales instables, l'intimidation, l'isolement social et la mort solitaire des personnes âgées, a accéléré l'augmentation de la perte d'espoir.

À côté des facteurs économiques et sociologiques, nous devons examiner **la structure narrative de la société**, jugée nécessaire pour affronter un avenir incertain, en tant que facette sociale de l'espoir. Des analyses statistiques montrent que les gens qui ont connu des échecs les ayant forcés à modifier leurs espoirs et qui, ayant surmonté ces obstacles, n'hésitent pas à faire des efforts, même apparemment vains, sont plus enclins à avoir des espoirs réalisables. Si la société, d'un point de vue narratif, se compose en majeure partie de personnes ayant vécu de telles expériences ou possédant de telles caractéristiques, ses membres seront plus enclins à avoir de l'espoir. Nous avons besoin également de pouvoir prévoir la direction de la société, au-delà simplement de l'accélération et de l'efficience, tout en étant amenés à porter des jugements stratégiques pour éviter les échecs et à utiliser une pensée d'économie durable pour résoudre les problèmes. Des circonstances sociales dans lesquelles il n'y a pas de nouvelle valeur partagée sur le plan narratif pour prévoir dans quelle direction va la société peuvent contribuer aussi à une extension de la perte de l'espoir.

Professeur Yuji Genda, Université de Tokyo

«Les gestionnaires, les employés et les organisations qui ont de grands espoirs engendrent de meilleures attitudes, de meilleurs comportements et une meilleure performance.»

L'espoir dans les milieux de travail efficaces

Bien que tout le monde convienne qu'il est bon d'avoir de l'espoir, ce concept est resté très flou jusqu'à ces dernières années. Il lui manquait une approche théorique, une définition opérationnelle, des mesures valides et des recherches empiriques sur son impact. Tout cela a changé avec la naissance de la psychologie positive à la fin du siècle dernier et l'introduction de l'espoir dans le milieu de travail comme partie intégrante du fameux concept de capital psychologique, développé par le professeur de management **Fred Luthans**.

En 1999, en tant que professeur de management à l'Université du Nebraska et chercheur principal à l'institut Gallup, j'ai eu la chance d'assister au premier Sommet de psychologie positive qui s'est tenu dans ma ville natale de Lincoln, dans le Nebraska. La Gallup Organization a commandité et abrité ce sommet l'année qui a suivi le discours de Martin Seligman, président de l'Association américaine de psychologie, au cours duquel il avait invité les psychologues **à accorder, de manière équilibrée, plus d'attention au positif et à ce qui va bien chez les gens** au lieu de se concentrer presque uniquement sur le négatif et sur ce qui ne va pas. Organisé par Seligman, ce sommet a réuni d'autres fondateurs comme Ed Diener et Barbara Fredrickson. Leurs présentations et leurs idées ont déclenché chez moi l'envie d'introduire la psychologie positive dans le milieu du travail.

L'automne suivant, le deuxième sommet s'est tenu au siège de la Gallup Organization à Washington, et j'ai été particulièrement enthousiasmé cette fois par des présentations sur la notion d'espoir de deux professeurs de l'Université du Kansas, C. Rick Snyder et son proche collègue Shane Lopez. Ces deux éminents spécialistes ont soigneusement exposé le riche fondement théorique de l'espoir, sa définition opérationnelle, y compris la «force de volonté» orientée vers des objectifs et basée sur l'«agentivité», et les pistes déterminées de manière proactive pour atteindre des objectifs ou la «force des moyens». Ils ont indiqué aussi qu'il existait des mesures valides de l'espoir et des recherches montrant l'effet positif de l'espoir sur la réalisation de divers objectifs humains. Ces deux sommets de psychologie positive et la lecture d'ouvrages sur le sujet m'ont permis de lancer ma présentation lors du troisième sommet de 2001 et de publier mes articles novateurs sur le comportement organisationnel positif et le capital psychologique positif.

Espoir, efficacité, résilience, optimisme

Afin de me distancier des approches positives «*feel good*», présentées dans les livres de gestion populaires mais non basées sur des recherches, j'ai formulé les concepts de comportement organisationnel positif et de capital psychologique positif en élaborant les critères d'inclusion suivants: 1) fondés sur la théorie et la recherche, 2) pouvant être mesurés par des critères valides, 3) ouverts au développement et donc «apparentés à l'état» en tant qu'opposés à fixe et à «apparentés au trait» et 4) ayant un impact souhaité sur les attitudes et les comportements des employés, en particulier sur la performance dans le milieu de travail. Après avoir soigneusement analysé les nombreux concepts positifs pouvant être inclus dans le capital psychologique positif, quatre d'entre eux ont clairement émergé comme satisfaisant le mieux aux quatre critères: ***espoir*, efficacité, résilience et optimisme.**

Bien que de nombreuses études en psychologie positive aient établi une relation positive entre l'espoir et divers domaines de la vie, à ce jour, quelques recherches seulement ont été menées en milieu de travail. Nous avons trouvé par exemple **une importante relation positive entre le niveau d'espoir des employés de tous types et de tous niveaux d'une organisation, et leurs attitudes**, telles que la satisfaction professionnelle, le bonheur au travail, l'engagement, les comportements souhaités comme la rétention et la performance individuelle et organisationnelle. J'ai découvert que les gestionnaires qui avaient de grands espoirs non seulement étaient bons dans les fonctions classiques liées à leur poste, telles que la planification, l'organisation et le contrôle, mais étaient aussi très orientés vers des objectifs et avaient la motivation (c'est-à-dire la force de volonté) et des pistes proactives bien définies (c'est-à-dire la force des moyens) nécessaires pour atteindre ces objectifs. Je rencontre souvent des gestionnaires et des employés qui me disent qu'ils «espèrent» faire mieux et améliorer leur performance. Ma réaction spontanée est de leur demander s'ils se sont fixé des objectifs ambitieux, s'ils ont ouvert des pistes vers ces objectifs, identifié des obstacles réels et potentiels, et déterminé de manière proactive des pistes alternatives pour contourner ces obstacles. S'ils me répondent «non» ou «pas vraiment», comme ils le font en général, je leur dis: «Vous n'espérez pas vraiment!» Ce qui est important, c'est que ces objectifs et les pistes qui y conduisent aiguillonnent et motivent non seulement les gestionnaires qui ont de grands espoirs, mais aussi leurs employés. Autrement dit, l'espoir a un effet contagieux qui crée un climat d'ouverture, de confiance et de performance motivée, qui fait des employés pleins d'espoir et des organisations pleines d'espoir.

Un investissement sage

Outre ce début de preuve empirique de l'effet positif de l'espoir sur les résultats liés au milieu de travail, en combinaison avec les trois autres composantes du capital psychologique positif, il existe maintenant une preuve évidente du rôle de soutien que peut jouer l'espoir dans des milieux de travail efficaces. Nos recherches montrent clairement que le capital psychologique positif, en tant que concept de base d'ordre supérieur, a un énorme impact sur les résultats désirés. Par exemple, il y a quelques années, nous avons conduit une méta-analyse de 51 études sur le capital psychologique positif et trouvé une forte corrélation moyenne entre le capital psychologique positif (incluant l'espoir) et les attitudes et comportements souhaités des employés, et leur performance. De plus, ces résultats ont été vérifiés dans un rapport récemment publié de 66 articles sur le capital psychologique positif. Autrement dit, l'espoir des employés a un impact très positif sur le milieu de travail, en particulier lorsqu'il est combiné et en interaction synergique avec les autres ressources du capital psychologique positif, à savoir l'efficacité, la résilience et l'optimisme.

En tant que ressource du capital psychologique positif «apparentée à l'état» et donc ouverte au développement (contrairement à la personnalité «apparentée au trait» ou à une intelligence et à des talents innés), **l'espoir peut être géré et accru à l'aide de courts programmes de développement des ressources humaines.** Des études expérimentales avec groupe témoin nous ont appris que ces programmes débouchent sur une augmentation du capital psychologique positif (incluant l'espoir) des employés et entraînent une amélioration de leur performance. Sur la base d'une étude d'efficacité, nous avons trouvé un rendement sur le développement de plus de 200 %. Autrement dit, développer son capital psychologique (et son espoir) est un investissement très sage.

De grands espoirs

À la différence de la plupart des auteurs de ce livre qui ouvrent d'inspirantes perspectives et racontent de merveilleuses histoires d'espoir, j'ai tenté, en me fondant sur des preuves, de faire un portrait de **l'espoir en tant que ressource positive précieuse pour le capital psychologique dans le milieu du travail de nos jours.** Les gestionnaires, les employés et les organisations qui ont de grands espoirs engendrent de meilleures attitudes, de meilleurs comportements, une meilleure performance et une meilleure compétitivité, éléments nécessaires pour prospérer ou tout simplement pour survivre dans l'économie mondiale d'aujourd'hui.

Les clés

- → **L'espoir n'est pas seulement un concept «*feel good*» flou. Il est fondé sur la théorie et la recherche et sur des mesures valides; il est ouvert au développement et a un impact positif démontré sur divers domaines de la vie.**
- → **Pour les employés et les gestionnaires, l'espoir combiné à l'efficacité, à la résilience et à l'optimisme a un important impact positif sur le milieu du travail.**
- → **Le capital psychologique (incluant l'espoir) peut être développé et a un effet causal sur la performance; il donne un très haut rendement sur le développement.**

Fred Luthans est professeur distingué de management à l'Université du Nebraska (États-Unis). Ancien président de l'Academy of Management, il a écrit les premiers textes fondateurs de l'«Organizational Bevahiour» (maintenant à sa 12e édition) et de l'«International Management» (maintenant à sa 9e édition). Chercheur prolifique, il a fondé le domaine du comportement organisationnel positif, élaboré la notion de capital psychologique positif et posé les bases des recherches sur le sujet.

«La caractéristique la plus extraordinaire des meilleurs travailleurs est l'espoir qu'ils expriment dans leur travail.»

L'espoir au travail

«Le succès professionnel n'est pas synonyme de froideur et d'opportunisme, déclare **Satu Uusiautti**. Nous pouvons aussi le considérer comme une manifestation du bien-être. Et l'espoir est un facteur clé du succès professionnel. Cherchez le sens et vous trouverez l'espoir.»

Qu'est-ce que le succès? Quelle est la meilleure définition de la réussite? Nicki Baum a dit que «le succès est aussi froid et désolé que le pôle Nord». Mais au lieu de voir le succès comme un résultat d'un comportement égocentrique, un état de vie fait d'envie, de froideur et d'opportunisme, pourrions-nous le considérer comme une manifestation du développement positif, du bonheur et du bien-être? C'est avec ces questions en tête que j'ai commencé il y a plus d'une dizaine d'années à étudier le phénomène du succès parmi les travailleurs classés les meilleurs de l'année dans différentes professions, notamment des agents de service, des médecins, des agriculteurs, des artistes, des policiers et des prêtres.

Toute vie humaine abonde en promesses et en possibilités. **Les forces et les ressources positives ne sont pas attribuables seulement à certaines personnes.** La découverte de ses propres forces, une vie équilibrée, la satisfaction dans la vie et le soutien d'autres gens peuvent non seulement guider une personne vers une vie heureuse et significative, mais aussi lui montrer la voie de la réussite.

Des stratégies positives

Vu sous cet angle, le succès professionnel dépend de certains facteurs, nécessite une action et se manifeste par certains résultats. Il consiste en divers éléments pouvant être sommairement divisés en facteurs liés à la personne (motivation et compétence) et en facteurs liés au contexte (possibilités ou limitations, demandes ou obligations), tous constituant les conditions préalables de la réussite.

Cependant, **le succès n'est pas un état qui se concrétise miraculeusement si les conditions sont bonnes: il requiert une action.** Un coup de pouce sur la voie du succès peut être la somme de nombreux facteurs générant le sentiment de faire quelque chose de constructif, et donc d'avoir trouvé la bonne voie. Autrement dit, quand il y a synchronisation des facteurs liés à la personne et des facteurs liés au contexte, nous pouvons saisir les opportunités, utiliser nos forces et poursuivre activement notre développement personnel.

Dans cette perspective, le succès professionnel se manifeste sous forme d'émotions et d'attitudes positives, c'est-à-dire sous forme d'un bon sentiment de soi-même, de ses compétences et de sa place dans le monde. Le succès n'est donc pas la réalisation d'un certain objectif (p. ex. devenir PDG), mais plutôt la combinaison de sentiments d'expertise, de réalisation et de performance. L'utilisation de stratégies positives dans un contexte particulier suscite le sentiment d'avoir un but et une raison d'être.

Quatre conseils des meilleurs travailleurs

Vous vous demandez comment nourrir l'espoir dans votre travail et comment avoir davantage de succès? Voici quatre points clés adoptés par les meilleurs travailleurs:

1. Saisissez les défis et osez vous adonner à votre travail.
Le travail de chacun comporte des défis. Considérez-les comme des opportunités pour évoluer et pour développer votre travail, et vous commencerez à percevoir votre potentiel. Finalement, vous commencerez à espérer ces opportunités.

2. Soyez prêt à travailler – le même principe s'applique à tout le monde.
Les meilleurs travailleurs ne peuvent éviter les erreurs, les difficultés, ni les tâches routinières ennuyeuses. Personne n'est infaillible et, grâce à une attitude optimiste, vous trouverez du plaisir à accomplir les parties les plus fastidieuses de votre travail.

3. Croyez en vous-même.
Quoi qu'il arrive dans votre travail, ayez confiance en votre expertise et en votre capacité à vous en servir. James E. Maddux l'a fort bien formulé: «Croire que l'on peut accomplir ce que l'on veut accomplir est un des principaux ingrédients – peut-être même le plus important – de la recette du succès.»

4. Cherchez le sens et vous trouverez l'espoir.
Finalement, l'attitude que vous adoptez dans votre vie professionnelle donne du sens à votre travail quotidien. Ayez conscience de l'importance de votre travail et de votre aptitude à bien le faire et vous trouverez la bonne piste. C'est là la vraie réussite et c'est une chose pour laquelle il vaut la peine d'espérer.

Les attentes positives

Il faut noter que les attentes positives réalistes sont étroitement liées à l'attente que notre propre comportement sera efficace. En considérant le phénomène du succès professionnel, nous constatons que l'espoir est très important, en particulier à la lumière de la réalisation d'objectifs et de projets, ainsi que de la manière dont nous vivons certains événements de notre vie, en particulier les événements négatifs. Les attentes positives peuvent résulter en partie d'une attitude optimiste. Mes études ont montré que la caractéristique la plus extraordinaire des meilleurs travailleurs était leur attitude positive, l'espoir qu'ils expriment dans leur travail. **Les meilleurs travailleurs ne renoncent pas devant les conflits.** Au contraire, ils considèrent les problèmes comme des opportunités leur permettant de réévaluer leurs aptitudes professionnelles et, au besoin, de reprendre des études et de se développer. Ils sont persévérants, c'est-à-dire qu'ils ont la *force de la volonté*.

De plus, les meilleurs travailleurs considèrent les situations conflictuelles comme des défis qu'ils pensent être capables de relever, et non comme des impasses. Un policier finlandais classé meilleur policier de l'année m'a dit: «Voilà, d'abord on réessaie pour voir si ça vaut la peine. Mais il faut parfois se regarder dans la glace, admettre que ça ne mènera à rien et trouver une autre solution. J'ai fait ça très souvent au cours de ma carrière.» Ce genre d'attitude proactive, la volonté de s'efforcer de parvenir à la réussite, est au cœur des caractéristiques des meilleurs travailleurs et signifie qu'ils ont la *force des moyens*, l'autre élément important de l'espoir, à côté de la force de la volonté. Si nous nous attendons au meilleur (si nous en avons la volonté), et si nous sommes prêts à œuvrer dans ce sens (si nous en avons les moyens), le succès professionnel est à la portée de chacun de nous et dans chaque profession – qu'il s'agisse d'accroître son expertise en tant qu'agent de service ou de gravir les échelons professionnels de policier subalterne à commissaire de police.

Les clés

- → **Le succès professionnel dépend de certains facteurs, nécessite une action et se manifeste par certains résultats.**
- → **Le succès professionnel se manifeste sous forme d'émotions et d'attitudes positives, c'est-à-dire sous forme d'un bon sentiment de soi-même, de ses compétences et de sa place dans le monde.**
- → **Les meilleurs travailleurs ne renoncent pas devant les conflits. Ils les considèrent comme des défis à relever.**

Satu Uusiautti est titulaire d'un doctorat. Elle est chercheuse à l'Université de Laponie (Finlande) et professeure adjointe de psychopédagogie à l'Université de Helsinki (Finlande). Elle a écrit plusieurs douzaines d'articles sur le succès professionnel et le succès dans la vie en général, le développement positif, les forces humaines et l'épanouissement professionnel. Elle est l'auteure de *The Psychology of Becoming a Successful Worker*. Qu'est-ce qui témoigne au mieux de l'espoir dans son propre travail? «La collaboration avec mes collègues et mes étudiants, si enthousiasmés par leurs sujets de recherche. Cela me donne de la joie et une raison d'être, surtout quand je vois la perspective à long terme et l'influence positive de mon travail.»

«Nous ne devons pas nous limiter à changer des choses qui se produisent à l'extérieur de nous.»

La panthère peut-elle espérer changer ses taches?

Pouvons-nous espérer changer durablement qui nous sommes et la manière dont nous nous situons par rapport au monde qui nous entoure? Dans le film *Pour le pire et pour le meilleur*, Jack Nicholson joue le rôle d'un homme qui rencontre de grandes difficultés dans sa relation avec le monde qui l'entoure. Son personnage pose cette question rhétorique: «Et si ça ne pouvait pas être mieux?» Mais cette idée de la condition humaine est-elle juste? Pouvons-nous changer? Avons-nous des raisons d'espérer? **Christopher Boyce** tente de répondre à ces questions.

Un des domaines de recherche que j'ai explorés ces dernières années est la personnalité individuelle – la composante psychologique de nous-mêmes qui reste constante d'une situation à l'autre et qui tend à nous indiquer comment nous comporter dans la vie quotidienne. Je me suis demandé si la personnalité changeait et comment la compréhension de la personnalité pouvait nous donner de l'espoir quant à la manière d'affronter les difficultés de la vie.

Le modèle des Big Five

Les psychologues ont passé des décennies à tenter de comprendre les aspects essentiels de la personnalité. Selon un modèle particulièrement influent, connu sous le nom de modèle des Big Five, la personnalité possède cinq dimensions: l'agréabilité (notre tendance à être coopératifs et gentils avec les autres), le caractère consciencieux (notre tendance à être ordonnés, méthodiques et dévoués), l'extraversion (notre tendance à chercher des stimulations et à vivre des émotions positives), le névrosisme (notre tendance à ressentir des émotions négatives) et l'ouverture (notre tendance à être intellectuellement curieux et créatifs), chacun de nous obtenant un score dans chacune de ces dimensions. Mais y a-t-il quelque espoir pour le développement de notre personnalité?

Une croyance populaire en psychologie veut que la personnalité reste plus ou moins stable tout au long de la vie. Les gens changeraient en raison de facteurs plus ou moins biologiques jusque vers l'âge de 30 ans, après quoi la personnalité serait stable. Cette croyance s'est imposée dans la société, et nombreux sont ceux qui croient encore qu'il est impossible de changer – croyance qui en soi inhibe le changement.

Les changements de personnalité

Que la personnalité dans son ensemble reste stable d'une situation à l'autre ne signifie pas pour autant qu'elle ne puisse pas changer et qu'elle ne change pas avec le temps. Traditionnellement, les chercheurs en psychologie de la personnalité accordaient peu d'attention au changement, mais nous avons aujourd'hui des preuves substantielles que la personnalité change, et ce, en partie en réaction à notre environnement. **Le développement de la personnalité est de plus en plus considéré comme un processus fluide d'un individu en relation dynamique avec son environnement.** Cela engendre une attitude plus optimiste face à la personnalité puisque nous pouvons changer des aspects de nous-mêmes simplement en favorisant les environnements propices à ce changement.

Une compréhension du changement de la personnalité est importante, car notre personnalité est un des indicateurs les plus forts et les plus fiables de notre bien-être. Si nous croyons, à tort, que notre personnalité est immuable, nous risquons de mettre trop l'accent sur des facteurs extérieurs que nous croyons plus modifiables (une promotion professionnelle, une augmentation de salaire ou une nouvelle relation). Nos travaux montrent toutefois que notre personnalité est tout aussi modifiable que ces facteurs, et qu'elle contribue à beaucoup plus de changements dans un grand nombre d'indicateurs de bien-être. Nous ne devons donc pas nous limiter à changer des choses qui se produisent à l'extérieur de nous – il y a donc de l'espoir!

Les ressources internes

Une autre raison d'espérer est le fait que notre personnalité nous aide à affronter les difficultés de la vie. Bien qu'il arrive beaucoup de bonnes choses, presque tout le monde est confronté un jour ou l'autre à des situations difficiles ou même traumatiques. Comment réagir? En fait, **la manière dont nous affrontons nos difficultés – une invalidité, une perte d'emploi ou une baisse de revenu – dépend de notre personnalité.** Par exemple, l'agréabilité, due peut-être à de meilleures relations sociales, aide les personnes qui deviennent handicapées, et l'ouverture à de nouvelles expériences atténue l'effet négatif qu'engendre une baisse de revenu sur le bien-être. Même si la vie est parfois difficile, lorsque nous avons cultivé des ressources internes utiles, nous pouvons espérer nous en sortir mieux que nous ne le pensons.

Alors, cela pourrait-il être mieux? Pouvons-nous espérer changer? Il semble en effet que nous puissions changer, et une meilleure compréhension de notre personnalité peut avoir des effets positifs directs et indirects sur la qualité de notre vie. Les sociétés modernes créent souvent en nous des attentes sur la manière dont devraient être nos circonstances extérieures. Mais ces attentes se réalisent rarement. Mettre davantage l'accent sur la manière dont nous nous situons par rapport au monde qui nous entoure a plus de chances d'avoir un effet profondément bénéfique sur notre vie.

Les clés

- → **Beaucoup de gens croient qu'il est impossible de changer – une croyance qui en soi inhibe le changement.**
- → **Nous pouvons changer certains aspects de nous-mêmes simplement en favorisant des environnements propices à ces changements.**
- → **Il semble que nous puissions changer, et une meilleure compréhension de notre personnalité peut avoir des effets positifs directs et indirects sur la qualité de notre vie.**

Christopher Boyce est chercheur universitaire au Centre de sciences comportementales de l'École de management de l'Université de Stirling (Royaume-Uni). Il est également chargé de recherche honoraire à l'École des sciences psychologiques de l'Université de Manchester (Royaume-Uni). Dans ses recherches, il tente de comprendre comment le monde qui nous entoure influence notre santé et notre bonheur. Quand se sent-il lui-même optimiste? «Quand je vois des gens prendre des mesures toutes simples pour améliorer leur vie et celle des autres, cela m'incite à prendre moi aussi des mesures toutes simples pour améliorer la mienne.»

PROJET D'ESPOIR

Sortir de la pauvreté: le projet Espoir à Boston

Partout dans le monde, des milliers de bénévoles travaillent dans le cadre de projets locaux et mondiaux afin d'apporter de l'espoir aux gens les plus vulnérables. Les mots d'ordre ne sont pas «aide» ou «soutien», mais «espoir» et «avenir». À Boston, le projet Espoir aide de nombreuses familles à sortir de la pauvreté.

«L'espoir est comme un chemin de campagne. Il n'y avait jamais eu de chemin là avant, mais comme beaucoup de gens ont marché au même endroit, un chemin est apparu», dit l'écrivain chinois Lin Yutang. Chaque jour, de nombreuses femmes franchissent les portes du projet Espoir. Chaque jour, ces femmes s'engagent sur la voie que beaucoup d'autres ont suivie avant elles. À chaque pas, l'espoir se trouve dans le fait de savoir que d'autres ont déjà pris cette voie et ont transformé leur vie. Notre mission au projet Espoir est de faire que cette voie reste libre.

La transformation

Le projet Espoir a été fondé en 1981, lorsque les Petites Sœurs de l'Assomption ont ouvert les portes de leur couvent à des femmes et à des enfants sans abri. Au fil des ans, la mission s'est développée au-delà de l'accueil des familles et de la garde d'enfants, pour devenir un organisme polyvalent, en première ligne des efforts réalisés à Boston pour sortir des familles de la pauvreté. Nous offrons aux femmes à faible revenu un accès à l'instruction, à des emplois, à des logements et à des services d'urgence.

Lorsque vous travaillez avec les pauvres, ils sont votre famille. Vous ne le faites pas *pour* eux, vous le faites *avec* eux. Ce concept de réciprocité est une des valeurs centrales du projet Espoir.

Nos ambassadrices

Nous avons demandé aux femmes de notre programme – nos ambassadrices – comment elles définissaient l'espoir. Notre espoir se nourrit de leur détermination et de leur réussite.

Quand, à 23 ans, **Denisha** s'est retrouvée sans abri après avoir quitté son compagnon qui la maltraitait, elle a décidé de changer sa vie et s'est inscrite au programme Workforce Development & Employer Partnerships (WDEP) du projet Espoir. Elle a trouvé un emploi et a pu prendre un appartement dans un quartier tranquille. Aujourd'hui, elle est inscrite à l'université. Elle dit: «L'espoir, c'est quand tous les chemins ont conduit à des impasses et que, finalement, on en trouve un nouveau. Espérer, c'est croire qu'après tous les jours sombres, un avenir meilleur est possible.»

Quand, à 32 ans, **Rhonda** a été licenciée, elle a pris conscience qu'elle n'avait pas les aptitudes nécessaires pour trouver un emploi qui lui permette de faire vivre ses trois enfants. Une fois sa formation WDEP terminée, elle a trouvé l'emploi de ses rêves dans un hôpital local. Six ans plus tard, elle a pu s'acheter une maison. Pour Rhonda, «l'espoir, c'est l'inspiration que donne la conscience de sa propre valeur et de l'impact que l'on a sur la vie de beaucoup d'autres gens».

À 34 ans, **Claudette** a été licenciée et a entamé une nouvelle carrière dans les services de garde d'enfants. Elle s'est inscrite au programme Hope's Family Child Care Business Entreprise du projet Espoir et a ouvert sa propre garderie. Aujourd'hui, elle possède une maison, sa garderie fonctionne à pleine capacité et elle prépare une licence. Pour Claudette, «l'espoir, c'est un lendemain meilleur. L'espoir se réveille chaque matin».

Qu'est-ce que l'espoir à mes yeux? Je vois l'espoir chaque jour dans notre projet. Je le lis sur le visage des enfants qui apprennent à lire, dans les larmes d'une mère à qui l'on a remis les clés d'un appartement, dans le regard d'un étudiant qui comprend enfin ce qu'on lui dit en anglais, dans le sourire d'une postulante à qui l'on a dit: «Vous êtes engagée.»

Margaret A. Leonard, directrice du projet Espoir à Boston, Massachusetts (États-Unis)

Pour plus d'informations: **www.prohope.org**

«La capacité des parents à mettre l'accent sur le côté positif des choses façonne l'apprentissage précoce des enfants.»

L'espoir des jeunes enfants

Qu'en est-il des croyances des jeunes enfants sur l'optimisme et l'espoir? Sont-elles naïves? Et quelle est l'influence des attitudes de leurs parents? C'est là le domaine de recherche de la professeure **Kristin Hansen Lagatutta**. Nous pouvons tous, semble-t-il, nous inspirer de la manière dont les jeunes enfants perçoivent le monde.

Dans la célèbre histoire pour enfants *La petite locomotive qui pouvait* de Watty Piper, un petit train est confronté à un défi titanesque: il doit traverser une montagne pour amener des jouets et des friandises aux enfants qui se trouvent de l'autre côté. Bien que la situation soit objectivement sombre – elle n'a encore jamais franchi une montagne –, une petite locomotive bleue décide de choisir l'optimisme et ahane comme un mantra: «Je crois que je peux, je crois que je peux», jusqu'à ce qu'elle y parvienne finalement.

Ces messages affirmant le pouvoir de l'optimisme et de l'espoir sont omniprésents dans de nombreuses cultures, et nous, les adultes, nous savons que la pensée positive améliore le bien-être émotionnel. En effet, des centaines d'études scientifiques ont mis en évidence des rapports significatifs entre optimisme, santé mentale et santé physique. La question qui m'intriguait était la suivante: que savent les jeunes enfants de l'influence de l'esprit sur les émotions et sur les bienfaits de la pensée positive?

La manière de voir les choses

Mes recherches étudient la manière dont les enfants comprennent les relations esprit-émotion, en particulier leur connaissance croissante du fait que les émotions et les décisions des gens sont puissamment façonnées par la manière dont ils interprètent les situations, réfléchissent au passé et pensent à l'avenir. Imaginez le scénario suivant: deux fillettes roulent à bicyclette, heurtent une bosse sur la route, tombent et se cassent le bras. Ce scénario est clairement négatif. L'une des fillettes pense déjà au plaisir que ses camarades auront à faire des dessins sur son plâtre, alors que l'autre se dit que le plâtre va la démanger et qu'elle ne pourra pas jouer avec ses camarades. Dans le cadre d'une étude, un groupe d'enfants de 5 à 10 ans avaient pour tâche de prédire et d'expliquer les émotions de chaque fillette sur la base d'une échelle picturale à 7 points, allant de «très mal» à «très bien». Les enfants ont effectué également d'autres tests représentant des personnages ayant des pensées optimistes et des personnages ayant des pensées pessimistes, dans des situations négatives, positives et ambiguës. De plus, parents et enfants ont rempli des formulaires d'enquête mesurant leurs niveaux individuels d'optimisme et d'espoir.

Les résultats ont montré qu'en grandissant les enfants comprennent mieux l'impact de la pensée optimiste et de la pensée pessimiste. Ils expliquent plus souvent les émotions en relation avec les pensées des personnages et prédisent des différences plus grandes entre les émotions des personnages positifs et des personnages négatifs. En particulier, l'indicateur le plus fort de la connaissance qu'ont les enfants des bienfaits de la pensée positive (outre l'âge) était l'optimisme et l'espoir de leurs parents. **Les enfants qui avaient des parents plus optimistes prédisaient une plus grande amélioration des émotions résultant de la pensée positive dans des situations négatives**, percevaient une plus grande différence entre les émotions des personnages optimistes et celles des personnages pessimistes, et expliquaient plus souvent les différences émotionnelles comme résultant de la sorte de pensée, par rapport aux enfants dont les parents avaient de plus faibles niveaux d'optimisme et d'espoir. Par conséquent, la manière dont les parents surmontent les revers – leur capacité ou leur propension à mettre l'accent sur le «côté positif» des événements négatifs – façonne l'apprentissage précoce du pouvoir de la pensée sur le bien-être émotionnel.

Tirer un trait sur le passé

Dans d'autres études, nous avons examiné les changements développementaux dans la manière dont les enfants de 4 à 10 ans raisonnent sur les pensées, les émotions et les décisions orientées vers l'avenir de gens qui revoient une personne qui, dans le passé, les avait blessés, les avait aidés ou les avait à la fois blessés et aidés. Il est intéressant de voir comment les enfants relient les états d'esprit et les expériences des gens dans le temps, utilisant leur conscience du fait que les événements passés façonnent les réactions des gens dans les situations actuelles et anticipent ce qu'apportera l'avenir. Bien que même les enfants de 4 ans projettent de manière différente divers événements passés (ils anticipent par exemple un avenir plus positif dans les situations «toujours aidés» que dans les situations «toujours blessés»), ils montrent un plus grand parti pris de positivité par rapport aux enfants plus âgés et aux adultes. **Dans des situations impliquant des expériences passées négatives, les enfants de 4 à 5 ans anticipent souvent des issues positives.**

Ainsi par exemple, un enfant est content de revoir le garçon qui a déchiré sa photo et qui l'a enfermé dans un placard, parce qu'il se dit: «Ça y est, il va me demander pardon pour ses méchancetés!» D'autres études montrent également que les enfants de moins de 7 ans ont une vision plus positive que les enfants plus âgés et que les adultes, en particulier dans des situations difficiles. Bien que risquée, cette propension à anticiper le bien offre de nets avantages: les jeunes enfants sont à un moment de leur vie où ils dépendent entièrement des autres et où ils doivent encore construire leurs réseaux sociaux. Être plus confiants, plus indulgents et plus optimistes les aide à forger leurs relations de base.

Quand s'attendre au meilleur

Cela ne veut pas dire que les jeunes enfants sont des optimistes naïfs qui s'attendent toujours à des événements positifs. Nous constatons par exemple que même les enfants de 4 à 5 ans reconnaissent que les issues désirées ont plus de chances de se réaliser dans des situations à forte probabilité que dans des situations à faible probabilité. Ainsi modifient-ils leurs attentes optimistes en fonction de la situation. En dépit de cette aptitude, les enfants de 4 à 7 ans surestiment grandement les chances d'issues désirées, mais improbables – allant jusqu'à doubler la probabilité objective. En fait, cette «erreur» apparente sert un but adaptatif: **elle incite les jeunes enfants à tenter de nouvelles choses sans craindre un échec ou une issue négative.**

Enfin, je ne voudrais pas laisser au lecteur la fausse impression que tout est positif dans la vie des jeunes enfants. De nombreux enfants dans le monde sont confrontés à des injustices, à des traumatismes et à des négligences atroces. Même dans des échantillons d'Américains à faible risque, très scolarisés, nous trouvons que les parents perçoivent leurs enfants de 4 à 10 ans comme étant beaucoup plus optimistes et moins inquiets que les enfants le rapportent eux-mêmes. Ainsi, bien que les jeunes enfants interprètent les situations de manière plus positive et pensent l'avenir de manière plus positive que les enfants plus âgés et les adultes, ils éprouvent parfois des émotions négatives préoccupantes souvent non détectées par les adultes qui s'occupent d'eux.

Pour conclure, des données de recherches indiquent que nous n'avons pas besoin d'insuffler de l'optimisme aux jeunes enfants, mais plutôt de le *préserver* lorsqu'ils grandissent. Nous les adultes, nous pouvons aussi nous inspirer de la manière dont les jeunes enfants perçoivent le monde – même quand nous sommes confrontés à des circonstances négatives, nous devrions toujours chercher et anticiper le bien… et peut-être même tenter quelque chose de nouveau.

Les clés

→ **En grandissant, les enfants comprennent mieux l'impact de la pensée optimiste par rapport à la pensée pessimiste. L'indicateur le plus fort de la connaissance qu'ont les enfants des bienfaits de la pensée positive (outre l'âge) est l'optimisme et l'espoir de leurs parents.**

→ **La propension des jeunes enfants à anticiper le bien est risquée, mais elle a de nets avantages. Être plus confiant, plus indulgent et plus optimiste les aide à forger leurs relations de base.**

→ **Les enfants modifient leurs attentes optimistes en fonction de la situation. Ils surestiment les issues désirées, mais cela les incite à tenter de nouvelles choses. Les adultes peuvent s'inspirer de cette manière de percevoir le monde.**

Kristin Hansen Lagattuta est professeure de psychologie au Département de psychologie et au Center for Mind and Brain de l'Université de Californie, à Davis (États-Unis). Financées par la National Science Foundation, ses recherches portent sur les changements liés à l'âge et sur les différences individuelles dans la compréhension des émotions. Elle a publié des articles empiriques dans des revues de référence telles que *Child Development* et *Developmental Psychology*. Elle a rédigé l'ouvrage *Children and Emotion: New Insights from Developmental Affective Science* (2014). En dehors de son travail, Kristin Lagattuta s'adonne à la photographie. Elle adore passer du temps avec son mari, ses trois enfants et toute une ménagerie d'animaux domestiques. Ce qui l'inspire et lui donne de l'espoir? « Regarder mes enfants et mes étudiants se passionner pour ce qu'ils apprennent – leur enthousiasme et leur besoin d'explorer, de prendre des risques, de remettre en question, d'inventer et de travailler dur. »

«La nouvelle perspective a parfois plus de valeur que l'ancienne.»

L'espoir en cas de maladie

Soudain, le verdict tombe: nous sommes gravement malades. Ou notre enfant l'est, ou bien notre partenaire. Personne ne s'y attendait. Du jour au lendemain, nous devons réviser nos attentes pour l'avenir. Le professeur **Jan Walburg** étudie les réactions des gens qui se trouvent dans cette situation. Ces réactions sont très variées, mais l'espoir et la perspective jouent toujours un rôle crucial.

Au cours de notre vie, nous élaborons des attentes pour l'avenir. Nous nous faisons tous des représentations mentales de cet avenir. Il peut s'agir de représentations très précises (une maison, une famille, un métier), mais aussi de vagues idées sur la forme que pourrait prendre notre avenir. Nous pouvons nous imaginer dans plusieurs rôles, par exemple faire tel ou tel métier, et dans plusieurs situations, par exemple habiter en ville ou à la campagne, au sein d'une famille ou seuls.

Toujours mieux informés, nous nous préparons progressivement à la réalisation de ces attentes, motivés par l'espoir que nous les réaliserons un jour. Lentement mais sûrement, nous découvrons si ces attentes sont réelles ou pas. Nous avançons vers notre but. Nos études marchent bien, notre relation se stabilise. Cela renforce notre comportement ciblé. Mais nous pouvons également être déçus. Nous n'arrivons pas à mobiliser suffisamment notre volonté ou notre intelligence. Nous ne parvenons pas à trouver de partenaire avec qui nous nous sentons bien. Peut-être devons-nous rectifier nos attentes. Ce processus de prise de conscience est le plus souvent graduel, laissant tout l'espace et le temps nécessaires à l'adaptation, à la réflexion et à la réorientation.

Un scénario imprévu

Mais que se passe-t-il quand les circonstances changent brutalement, par exemple dans le cas d'une maladie chronique? Soudain, nous devons modifier notre perspective. Nous devons d'abord accepter l'idée que la maladie aura une influence sur notre vie. Ensuite, nous nous rendons compte que les scénarios d'avenir que nous avons construits, consciemment ou non, et auxquels nous travaillons depuis des années, ne cadrent plus. L'avenir est tout différent, plus court aussi, déterminé par une possibilité amoindrie de développement, par une mobilité fortement réduite, par une dépendance croissante envers les autres. Jamais nous ne nous étions préparés à un tel scénario. **Il est fort probable que nous nous sentions momentanément perdus.** Soudain, nous ne sommes plus en train de concrétiser, étape par étape, l'avenir auquel nous nous attendions, car notre vie est déterminée par nos allées et venues à l'hôpital.

Comment, dans ces circonstances, pouvons-nous garder l'espoir en un avenir ayant pour nous une signification positive?

Certains réagissent autrement qu'on pourrait s'y attendre. Pour eux, **la maladie est l'occasion de reconsidérer leur vie**, de réfléchir aux valeurs qui les animent. À travers les difficultés et les souffrances, ils découvrent de nouvelles valeurs et perçoivent de nouvelles perspectives, qui enrichissent leur vie. Ils ressentent beaucoup plus fortement la valeur de l'amitié et de l'amour, ou se retirent avec plaisir de l'agitation quotidienne liée au monde du travail. Soudain apparaît une nouvelle perspective ayant plus de valeur que l'ancienne. On pourrait dire que la maladie leur permet de trouver leur destin. **Et l'espoir retrouve le rôle puissant qu'il joue pour tout le monde:** il motive pour réaliser de nouvelles attentes.

Une nouvelle perspective

Pour cela, la plupart des gens ont besoin de beaucoup de temps. Parfois, ce n'est qu'après des années de chagrin, de colère et de dépression qu'ils parviennent à se construire un avenir ayant encore une certaine valeur. Leur espoir renaît lentement, mais sûrement, souvent soutenu par d'autres gens qui comprennent à quel point il est difficile de trouver de nouveaux points de repère.

D'autres, par contre, n'y arrivent pas. Ils se cramponnent amèrement à leurs anciennes attentes qui ne sont plus réalisables, ou qui le sont seulement en partie. **Ils ne parviennent pas à se faire une nouvelle représentation de l'avenir.** Chaque nouveau scénario déçoit amèrement par rapport à l'ancien. La peur de la souffrance et la révolte contre une vie dominée par les soins médicaux et par une mobilité réduite empêchent la perception d'une nouvelle perspective. L'espoir est basé au mieux sur l'idée que, peut-être, très peut-être, tout ira moins mal que prévu.

La science étudie les effets de la capacité des gens à se construire un nouvel espoir. Chez les personnes qui ont un pronostic pas trop mauvais, la capacité à percevoir une nouvelle perspective entraîne une amélioration de leur bien-être et de leur santé. **Leur taux de mortalité est plus faible et leur système immunitaire fonctionne mieux.**

Il est donc essentiel que les systèmes de santé publique accordent de l'attention à la résilience et à la perspective des personnes atteintes de maladie chronique. Beaucoup arrivent à s'adapter, mais beaucoup aussi ont besoin d'un soutien pour reprendre espoir dans la réalisation de l'avenir qu'elles souhaitent.

Les clés

→ **Les gens réagissent de manières très diverses lorsqu'ils tombent gravement malades. Malgré les difficultés et les souffrances, certains perçoivent de nouvelles perspectives qui enrichissent leur vie.**

→ **La plupart ont besoin de beaucoup de temps. Leur espoir renaît lentement. D'autres n'y arrivent pas et se cramponnent amèrement à leurs anciennes attentes.**

→ **Chez les gens qui ont un pronostic pas trop mauvais, la capacité à percevoir une nouvelle perspective entraîne une amélioration de leur bien-être et de leur santé.**

Jan Auke Walburg est professeur de psychologie positive à l'Université de Twente (Pays-Bas). Il étudie les circonstances propices à l'épanouissement des gens, dans leur vie personnelle, dans leur travail ou leurs études, dans leurs relations et dans leur communauté. Il a été président du conseil d'administration de l'Institut Trimbos, l'institut néerlandais de la santé mentale et de la toxicomanie. Il a écrit plusieurs livres, notamment *Mentaal Vermogen* et *Jong van Geest*. Son amour de la musique se manifeste dans son livre sur les significations émotionnelles des symphonies de Gustav Mahler.

«Reconnaissez que les choses que vous faites bien,
VOUS LES FAITES BIEN! Et savourez.»

Trébucher avec espoir

«Plus que des rencontres, mes premières expériences avec l'espoir ont été des trébuchements. Mais je repartais chaque fois sur les chapeaux de roue à la recherche de l'espoir, nous dit **Alejandro Tapia-Vargas**. De plus, ma mère s'appelle Victoria et ma tante Esperanza. Pourquoi est-ce que je ne réussissais pas mieux dans ce domaine?»

La première fois que je suis tombé

Je me considérais comme quelqu'un de «réaliste». J'analysais les situations et je réfléchissais sur les chances que les choses avaient de se produire. Certains de mes amis disaient que j'étais «pessimiste», ce que je niais en rétorquant: «Je fonde mes opinions sur des données. Si une chose semble avoir très peu de chances d'arriver et s'il n'y a aucune preuve qu'elle arrivera, c'est qu'elle n'arrivera pas.» Un jour, à ma grande surprise, un collègue m'a donné un instrument pour mesurer l'optimisme. En voyant mes résultats, j'ai changé certaines idées sur moi-même et sur ma connaissance de l'espoir.

L'espoir implique deux processus mentaux: une évaluation cognitive d'événements futurs et une évaluation basée sur la confiance en soi. **L'espoir est le résultat d'un raisonnement impliquant une évaluation d'une situation future possible (point 1) et de notre implication (point 2).** Est-il possible que cela arrive? De quoi cela dépend-il? Quels sont les facteurs connexes? Cela dépend-il de moi ou d'autre chose? Ces questions sont liées à ce que les psychologues appellent autoefficacité, maîtrise ou agentivité. Si cela dépend de moi, suis-je capable de trouver une solution? Puis-je commencer tout de suite ou dois-je d'abord développer quelque chose? En suis-je capable? Ces aspects touchent à ce que les psychologues appellent image de soi ou concept de soi.

En ce sens, mon espoir dépend de deux choses: de l'opinion que j'ai de moi-même et de la prédiction que j'ai faite en évaluant l'éventualité qu'une chose se produira.

Ma seconde chute

Je considérais l'espoir comme un synonyme de foi. C'était une erreur: la foi est une certitude, une certitude sans preuve, impliquant la confiance que quelque chose se produira. La base de la foi est la croyance. Avec l'espoir, certaines données nous permettent de prédire quelque chose dans l'avenir et d'avoir confiance.

Oui, l'espoir est lié à la foi religieuse. Tous deux sont de précieuses vertus soutenues par les institutions. En fait, l'espoir est presque une exigence pour pratiquer une religion et croire en une vie meilleure dans l'avenir et en une vie meilleure après la mort. L'espoir et la foi vont de pair: la foi nous fait croire et l'espoir nous rend sûrs. Mais l'espoir ne se limite pas à la religion et à ses pratiques.

L'espoir est un sentiment positif orienté vers l'avenir. Pour comprendre les sentiments en tant que variables humaines, les psychologues considèrent que **chacune de nos émotions (positives ou négatives) est orientée dans le temps.** Nous éprouvons de la satisfaction ou de l'amertume au sujet d'une chose passée, nous éprouvons de la joie ou de la colère pour une chose présente, et nous éprouvons de l'espoir ou de l'insécurité pour une chose future.

Se relever

Quand j'étais enfant et que je tombais, ma mère me disait toujours: «Alors quoi? Relève-toi! Allez, debout.» Je me relevais, elle me faisait un câlin et je m'en allais. Alors qu'ai-je appris de mes chutes d'espoir?

1. **Centrez vos activités quotidiennes sur des choses que vous maîtrisez.** Vous développerez ainsi votre confiance dans ce que vous faites et dans ce que vous êtes.
2. **Savourez.** Reconnaissez que les choses que vous faites bien, VOUS LES FAITES BIEN! Et savourez. C'est un plaisir ou une récompense pour vous, même si quelqu'un d'autre en percevra un avantage (un client, un proche ou un voisin). Beaucoup d'autres gens peuvent en profiter en même temps que vous. Savourez!
3. **Continuez!** Quelle que soit votre activité, continuez. Les choses à venir ne sont pas encore là et elles seront l'exact résultat de ce que vous faites maintenant.

Les clés

- → **L'espoir dépend de deux choses: de l'opinion que j'ai de moi-même et de la prédiction que j'ai faite en évaluant la possibilité qu'une chose se produira.**
- → **L'espoir et la foi vont de pair: la foi nous fait croire et l'espoir nous rend sûrs.**
- → **Un bon conseil? Centrez vos activités quotidiennes sur des choses que vous maîtrisez. Savourez! Continuez!**

Alejandro Tapia-Vargas est titulaire d'un doctorat. Il travaille au Département de psychologie de l'Université de Monterrey (Mexique). Il est chercheur et psychothérapeute au Center of Treatment and Research of Anxiety. Il a rédigé *Momentos de historia en la psicología* et corédigé *Psicología positiva*. Ses recherches portent principalement sur la relation entre rédaction scientifique et littérature de fiction. Il travaille actuellement à une biographie. Il aime pratiquer la photographie, faire du VTT, tenir son journal, faire la cuisine et passer les week-ends avec ses enfants.

«En amour, un espoir excessif ne fonctionne pas.»

L'espoir d'un amour parfait

Elaine Hatfield est experte en science de l'amour. Elle confirme que l'espoir a de nombreux effets positifs, mais nous avertit qu'espérer trouver l'amour parfait peut être une erreur. Dans le domaine de l'amour, la confiance en soi irréaliste et l'espoir téméraire peuvent engendrer la misère. Certains couples s'accrochent trop longtemps, dans l'espoir que les choses finiront par s'arranger.

L'amour passion est un état émotionnel extrêmement puissant, généralement défini comme un état d'intense désir d'union avec une autre personne. C'est une émotion complexe, marquée par des hauts et des bas extrêmes, qui pousse la personne amoureuse à penser de manière obsessionnelle à la personne désirée. L'amour passion est une émotion passagère. C'est un «haut», et un «haut» ne peut pas durer toujours. Peu après le mariage, l'amour passion commence à faiblir. D'ailleurs, les couples mariés depuis longtemps admettent souvent ne plus ressentir l'un pour l'autre qu'«un peu» d'amour passion.

Heureusement, ce tableau apparemment sombre peut avoir un bon côté. **Là où l'amour passion a existé un jour, l'amour compagnonnage est censé prendre sa place.** L'amour compagnonnage est souvent considéré comme une émotion douce, faite de sentiments de profond attachement, d'intimité et d'engagement. Certains chercheurs ont indiqué que, quand l'amour passion diminue, l'amour compagnonnage augmente. Nos études, toutefois, ne confirment pas cette assertion. Les couples interrogés ont déclaré que l'amour passion et l'amour compagnonnage avaient tendance tous les deux à décliner (et de la même manière) avec le temps.

L'amour passion

L'APA *Dictionary of Psychology* définit l'optimisme comme «la croyance que les choses se produisent pour le meilleur et que les souhaits ou les buts des gens finiront par se réaliser». En général, nous pouvons dire que **qui espère est béni.** L'étude de C.R. Snyder (2002) et coll. a montré que les gens optimistes ont une plus haute estime de soi, sont plus confiants, plus persévérants, réalisent davantage, ont un tempérament plus enjoué et sont en meilleure santé. C'est tout à fait vrai, **sauf dans le domaine de l'amour.** En amour, une confiance en soi irréaliste et un espoir téméraire peuvent tendre des pièges et créer des illusions.

Presque tout le monde en Occident espère trouver un jour l'amour. Il y a cet espoir exacerbé d'attirer une personne bien physiquement, charmante, spirituelle, riche et sexuellement désirable. Et généralement, au début d'une relation, les amoureux sont persuadés d'avoir trouvé l'homme ou la femme de leurs rêves. Mais l'amour passion n'échappe pas à la morsure du temps et les liaisons ne durent pas. **La réalité remplace l'imagination et la déception suit l'espoir.** Les gens soupirent et pleurent, et après s'être persuadés d'avoir tiré une précieuse leçon, ils relancent leur imagination et passent au suivant. Et ce, parfois sans discontinuer.

Cependant, beaucoup abandonnent le rêve de trouver un jour l'amour passion. Au lieu de cela, ils se fixent: ils prennent un engagement. Après tout, les conventions leur assurent que si la passion s'éteint, elle sera remplacée par un feu doux se consumant lentement. Les choses iront mieux. Cependant, malgré la modestie de ces attentes, beaucoup sont encore déçus.

L'amour compagnonnage

Il y a de nombreuses preuves que l'amour passion se dégrade avec le temps. Nous avons interrogé un échantillon prélevé au hasard de près de 1 000 couples d'amoureux, de jeunes mariés et de femmes plus âgées à Madison, dans le Wisconsin. Nous supposions que bien que l'amour passion décline avec le temps, l'amour compagnonnage tiendrait bon ou même augmenterait. Nous avions tort! Comme prévu, l'amour passion se dégrade avec le temps. Tant les couples amoureux que les jeunes mariés ont déclaré éprouver «une bonne dose d'amour passion» pour leur compagnon. Mais après de nombreuses années de mariage, les femmes ont déclaré qu'elles (et leur mari) n'éprouvaient plus qu'«un peu» d'amour passion l'un pour l'autre. Et qu'en était-il de l'amour compagnonnage? Contrairement à nos prédictions, l'amour compagnonnage déclinait pratiquement au même rythme que l'amour passion.

La conclusion que nous tirons de ces données dépend de notre état d'esprit optimiste ou pessimiste. Du côté positif, contrairement à certaines représentations médiatiques, quelques personnes âgées heureuses, mariées depuis un quart de siècle ou plus, éprouvaient toujours beaucoup d'amour (à la fois passion et compagnonnage) l'une pour l'autre. Bien sûr, même quand l'amour est vacillant, les gens bénéficient toujours des avantages d'une famille aimante et d'une relation à vie avec quelqu'un qui les connaît et prend soin d'eux. Du côté négatif, avec le passage du temps, la plupart des couples ressentent de moins en moins d'amour (passion et compagnonnage) l'un pour l'autre. L'amour passion et l'amour compagnonnage restaient «accouplés», pour le meilleur et pour le pire, plus longtemps que nous ne l'avions pensé.

Les problèmes conjugaux

Comment réagissent les gens devant l'anéantissement de leurs espoirs les plus chers? C'est là qu'un excès d'optimisme risque de devenir un inconvénient. Que les gens croient pouvoir réparer leur mariage chancelant est souvent une bonne chose. Mais **certains**

couples vont trop loin. Dopés par toute une vie d'espoir et d'optimisme – et avec une confiance suprême en leur capacité à résoudre tous les problèmes avec des efforts et du temps –, ils s'accrochent beaucoup trop longtemps. Les problèmes amoureux et conjugaux sont souvent beaucoup plus difficiles à résoudre que le Megaminx. La personnalité est extrêmement résistante aux changements. Les problèmes émotionnels sont presque impossibles à résoudre. La dépendance aux drogues, l'alcoolisme, les défauts de caractère et les personnalités abusives répondent rarement à l'amour attentionné. Souvent, pour les gens optimistes – qui réussissent dans tous les autres domaines de vie –, cela dure beaucoup trop longtemps. Mais si nous avons la chance d'avoir une relation qui fonctionne (et cela arrive), les joies sont infinies et il vaut vraiment la peine d'avoir espéré.

Les clés

→ **En général, qui espère est béni, sauf dans le domaine de l'amour. En amour, une confiance en soi irréaliste et un espoir téméraire peuvent tendre des pièges et créer des illusions.**

→ **Au cours du mariage, l'amour passion et l'amour compagnonnage déclinent en général pratiquement au même rythme.**

→ **Rien ne sert d'attendre trop longtemps pour résoudre les problèmes conjugaux. Certains couples vont trop loin en espérant que tout finira par s'arranger.**

Elaine Hatfield est professeure de psychologie à l'Université de Hawaii et ancienne présidente de la Society for the Scientific Study of Sexuality. En 2012, elle a reçu le prix William James de l'Association for Psychological Science pour ses travaux scientifiques de toute une vie. Elle a écrit de nombreux ouvrages et une douzaine de nouvelles. Ce qu'elle espère encore? «Fernand Braudel, un éminent historien français, a déclaré une fois que son espoir le plus cher était un monde avec un peu plus de justice, un peu plus d'égalité, un peu plus de liberté, un peu moins de violence et beaucoup moins de pauvreté. Ces modestes réalisations vaudraient la peine d'être célébrées. C'est ce que j'espère moi aussi pour l'avenir du monde.»

Richard L. Rapson est professeur d'histoire à l'Université d'Hawaii. Il s'est installé à Hawaii en 1966 après avoir enseigné à l'Amherst College (Massachusetts) et à l'Université Stanford (Californie). Il a écrit une bonne douzaine d'ouvrages dont la plupart portent sur l'aspect psychologique de la vie américaine, passée et présente. Il travaille à un nouveau livre qui commente les nombreuses avancées mondiales réalisées depuis la fin de la Seconde Guerre mondiale. Il espère qu'il a raison et que les progrès en matière de démocratie, de droits de la femme et d'éradication de la pauvreté se poursuivront.

Paul Thornton est actuellement étudiant de doctorat en psychologie sociale à l'Université de Hawaii, à Manoa, où il occupe aussi un poste d'assistant d'enseignement. Ses recherches portent notamment sur la contagion émotionnelle, la persuasion et la dissonance cognitive. Il puise de l'espoir et du sens dans le progrès scientifique, la découverte de soi et le renforcement de l'amour de l'étude chez sa fille.

«L'espoir? Pour le garder, il faut le donner!»

Les couples optimistes

Tel couple est confronté au divorce. Tel autre est en proie à des peurs et à l'anxiété. Le docteur **Charlie Azzopardi** leur parle. En tant que praticien systémique, il a accumulé plus de vingt ans d'expérience dans le domaine de la santé mentale. A-t-il des conseils optimistes à nous donner?

L'espoir a autant de significations qu'il y a de gens dans le monde. L'espoir arrive souvent emballé dans un ensemble de sentiments apaisants, comparables au soulagement qu'on ressent juste après être remonté à la surface lorsqu'on a failli se noyer. On n'est pas sauvé, on n'est sûr de rien, mais quelque chose nous dit qu'on y arrivera. Espoir, rêve, aspiration, ambition, anticipation, souhait et foi peuvent être considérés comme des synonymes, car l'espoir est de couleur camouflage et se fond dans presque tous les contextes.

L'espoir sauve la vie de ceux qui l'éprouvent. L'espoir que finalement la vie tournera bien est ce qui distingue ceux qui continuent à vivre de ceux qui se suicident. Dernièrement, un couple est venu me consulter parce que le mari avait une liaison. Il hésitait entre rester avec sa famille et partir avec la femme qu'il venait de rencontrer. Son épouse avait abandonné l'idée qu'il l'aimait et elle avait déjà fait trois tentatives de suicide. La première fois que je les ai rencontrés, elle était visiblement fâchée, triste, désespérée et résignée. Elle n'avait pas identifié son potentiel pour ramener son mari à elle. Nous avons parlé, et mon travail a consisté à puiser dans ses ressources personnelles: sa beauté, son amour, leur histoire commune. En se reconnectant à ses ressources, elle a pris conscience qu'elle faisait toujours partie du jeu et que **plus elle était désespérée, plus elle se négligeait et plus il était difficile pour lui de rester avec elle.** Comprenant peu à peu ce qui se passait,

elle a repris espoir. Elle a commencé à voir ses ressources personnelles, ce qui lui a permis de mieux les utiliser. Au bout de quelques séances, elle était devenue plus radieuse, plus belle, plus calme, plus apte à communiquer avec son mari et beaucoup plus agréable à vivre. C'est alors qu'il m'a dit qu'il avait réfléchi et qu'il avait décidé de rester avec elle. Ses raisons? Il m'a dit qu'il l'aimait, qu'ils vivaient ensemble depuis quinze ans et qu'ils avaient deux enfants. Il a aussi ajouté qu'il la voyait changer de manière radicale et profonde.

Les requins

L'espoir est ce qui permet aux gens de continuer à vivre dans des situations difficiles. En reprenant espoir, les gens bloqués dans le désert, coincés dans une mine de charbon ou tous ceux qui luttent pour leur survie, d'une façon ou d'une autre, ressentent un grand soulagement et voient un changement s'opérer. Lorsqu'ils espèrent que les choses tournent bien, ils deviennent capables d'agir. Un autre couple est venu me consulter pour des crises d'anxiété et de dépression. Lors d'un tour du monde en yacht, ils s'étaient retrouvés immobilisés, avec un équipement endommagé, au milieu d'un océan infesté de requins. **En repensant à cette expérience terrifiante, ils se souviennent que c'est l'espoir qui leur a permis d'envisager la survie.** L'espoir les a stimulés à agir et à tenter de réparer leur équipement, au lieu de renoncer et d'attendre désespérément que le destin suive son cours. Dix-neuf jours plus tard, ils arrivaient sains et saufs au port le plus proche. Cet espoir est le même que celui auquel ils ont recours aujourd'hui pour lutter contre leur anxiété dans ces moments de dépression, caractéristiques du trouble de stress post-traumatique. C'est l'espoir qui donne aux gens au bord d'une catastrophe, comme la mort imminente, la force d'avancer et de surmonter leurs peurs.

En lisant le livre d'Albert Camus sur la peste, je me souviens de m'être dit: «Comment peut-on espérer au milieu de toute cette dévastation?» Cependant, c'est exactement ce que fait la surprenante chimie de l'espoir: elle libère les substances chimiques de l'espoir juste au moment où nous en avons besoin. **La chimie de l'espoir stimule le désir de vivre.** Voyez les patients atteints de cancer en phase terminale. Nombreux sont ceux qui n'avaient encore jamais pensé à la vie de la manière dont ils le font après la découverte de leur maladie. La chimie de l'espoir est très puissante. Au cours de mes vingt-deux années de carrière dans la lutte contre la toxicomanie, j'ai rencontré de nombreuses personnes désespérant de pouvoir renoncer un jour à la drogue. Dans leur désespoir, la découverte qu'ils souffraient d'une maladie en phase terminale déclenchait la chimie de l'espoir, de sorte qu'ils renonçaient spontanément à la drogue. Ils ne voulaient plus seulement vivre, mais vivre sainement. Ils espéraient et agissaient au nom de l'espoir d'un avenir meilleur. Ils tiraient leur force directement de l'espoir.

La bouée de sauvetage

Mon hypothèse que l'espoir est une réaction physicochimique du corps est basée sur le fait que l'espoir est transculturel. On le trouve partout où l'on va. Ce doit donc être une émotion très fondamentale. Selon moi, l'espoir est une réaction chimique automatique du système nerveux végétatif, déclenchée dans le cerveau primitif par un événement contextuel. Je suis persuadé, toutefois, que les gens peuvent apprendre à être plus optimistes. Nous pouvons créer et renforcer des cultures de l'espoir, afin d'éradiquer le désespoir et les expériences négatives qui lui sont associées.

Bref, l'espoir, c'est comme l'oxygène. C'est notre bouée de sauvetage dans la vie. Voici quelques suggestions pour vous aider:

1. **Regardez vers l'avant et rêvez.** Apprenez à transcender le temps en vous propulsant vers l'avant et en imaginant que vos aspirations sont déjà concrétisées, vos rêves déjà réalisés. Nous appelons cela visualiser. Cela donne de l'élan à la chimie de l'espoir et facilite la réalisation de vos rêves.
2. **Pensez de manière positive.** L'espoir engendre l'espoir et le désespoir engendre le désespoir. Penser de façon positive signifie être optimiste et voir le bon côté des choses. Cette positivité stimule la libération des endorphines.
3. **Soutenez l'espoir chez les autres.** L'espoir, comme tous les autres sentiments, est contagieux. Plus vous aidez les autres à être optimistes, plus vous aurez de chances de l'être vous-même. Connaissez-vous le proverbe «Pour garder une chose, il faut la donner»?

Les clés

- → **L'étonnante chimie de l'espoir libère ses substances chimiques juste au moment où nous en avons besoin. Elle renforce le désir de vivre.**
- → **L'espoir est une réaction chimique automatique du système nerveux végétatif, déclenchée dans le cerveau primitif par un événement contextuel.**
- → **Nous pouvons devenir plus optimistes: regardons vers l'avant et rêvons, pensons de manière positive et soutenons l'espoir chez les autres.**

Charlie Azzopardi est thérapeute familial et consultant systémique à l'Institut de thérapie familiale, à Malte. Il développe de nouvelles techniques thérapeutiques qui facilitent le travail avec les familles et les personnes. Il a publié plusieurs articles et livres sur les problèmes conjugaux, la dépendance, la séparation conjugale et l'art d'être parent.

«Bien sûr, le désespoir n'est pas de règle pendant la vieillesse.»

L'espoir pendant la vieillesse

«Nous pouvons nous demander quelle place reste à l'espoir à mesure que nous prenons de l'âge. Notre durée de vie est limitée, et plus nous vivons, plus nous nous rapprochons de la mort, dit le professeur **Dieter Ferring**, spécialiste en matière d'autonomie des personnes âgées. Nous devons faire une distinction entre l'espoir et la perspective temporelle future.»

Plusieurs modèles théoriques décrivent les défis liés à la vieillesse. Selon certains modèles très anciens – tels que la théorie du «désengagement» –, le retrait de la vie sociale et la préparation à la mort sont les défis spécifiques à la vieillesse. Dans les années 1950, Erickson a conçu une approche plus positive qui propose un modèle de crises psychosociales sous-tendant le développement individuel tout au long de la vie. Selon lui, la tension entre «intégrité du moi» et «désespoir» est une crise caractéristique de la vieillesse, période couvrant les années allant de 65 ans à la mort. La solution de ce conflit se trouve dans l'intégration de nos expériences de vie et dans le sentiment d'accomplissement personnel; le résultat le moins réussi est le désespoir face à la non-satisfaction des besoins et à la non-réalisation des objectifs. Indirectement, ce modèle définit la notion d'espoir pendant la vieillesse, le désespoir étant la perte de tout espoir et de toute confiance.

La perspective

Bien sûr, le désespoir n'est pas de règle pendant la vieillesse. Plusieurs études montrent en effet de manière convaincante que les anciennes générations ne diffèrent pas des jeunes sur le plan des indicateurs de bien-être subjectif. C'est ce qu'on appelle étrangement le «paradoxe de la satisfaction»: les personnes âgées rapportent une satisfaction dans la vie relativement grande malgré les pertes et les handicaps liés à l'âge. Ces conclusions indiquent que les personnes âgées utilisent de manière efficace des processus d'adaptation pour réguler leur bien-être subjectif. Ces processus servent aussi à construire l'espoir même quand la durée de vie est limitée.

Pour comprendre ce phénomène, il faut distinguer deux concepts qui jouent un rôle crucial ici: **le concept de perspective temporelle future et le concept d'espoir.** La perspective temporelle future est l'horizon temporel que nous percevons pour nous fixer des objectifs individuels. Évidemment, cette perspective change considérablement au cours de la vie: les jeunes regardent des dizaines d'années devant eux; les personnes âgées comptent les années qui leur restent pour réaliser leurs objectifs. L'espoir concerne là aussi des objectifs et des besoins importants, mais la personne âgée souhaite les réaliser sans être sûre cependant que ce sera possible. L'espoir se caractérise donc toujours par l'incertitude, même si le temps qui nous reste est relativement facile à évaluer. Par conséquent, nous pouvons avoir une perspective temporelle limitée tout en gardant l'espoir de réaliser les objectifs qui sont importants pour nous.

De nouveaux objectifs

Le deuxième aspect commun à la perspective temporelle future et à l'espoir est le contenu des objectifs projetés dans l'avenir. Ici aussi, il existe de grandes différences au cours de la vie. La personne jeune espère trouver un partenaire; la personne âgée espère vivre le plus longtemps possible avec son ou sa partenaire. Le contenu et le profil des objectifs diffèrent donc en fonction de la phase de vie et de ses principaux besoins. **L'abandon d'objectifs devenus irréalisables en raison de pertes irréversibles témoigne d'une grande capacité d'adaptation de la personne qui avance en âge.** Imaginez qu'une personne ayant toujours été fière de sa condition physique, en raison d'une pratique sportive soutenue, souffre aujourd'hui de dégénérescence articulaire et d'arthrite. Ou pire encore, imaginez qu'une personne ayant toujours été fière de son indépendance et de n'avoir besoin de l'aide de personne soit victime d'une attaque cérébrale et doive désormais faire constamment appel à l'aide des autres.

Respirer

Abandonner d'anciens objectifs et en trouver de nouveaux est donc d'une importance cruciale pour l'adaptation individuelle, et l'espoir joue ici un grand rôle à de nombreux égards. Tout d'abord, une personne optimiste trouvera plus facilement un autre objectif. **Trouver un objectif dépend des aspirations et des idées individuelles sur ce qui «est» et ce qui «devrait être» dans notre vie.** Nous pouvons donc modifier les critères d'évaluation de notre bien-être en révisant nos objectifs. Une personne passionnée de sport trouvera une certaine satisfaction dans une activité réduite; celle qui a eu une attaque cérébrale considérera cet événement comme un signal d'alarme qui l'amènera à vivre plus sainement et à modifier son style de vie. Identifier de nouveaux objectifs indique que l'on a donné un sens à la perte d'un ancien objectif important. Tous ces processus révèlent l'efficacité de l'espoir.

Dernier point et certainement non le moindre, l'espoir pendant la vieillesse a une signification transcendante pour un grand nombre d'entre nous. L'espoir d'une vie après la mort est une consolation pour certaines personnes éprouvées par la maladie ou le handicap, et les aide à faire face.

La vie est donc pleine d'espoir, même – ou plutôt aussi – pendant la vieillesse. Comme l'a dit Cicéron: «*Dum spiro, spero*», c'est-à-dire: «Tant que je respire, j'espère.»

Les clés

- **Les personnes âgées utilisent des processus adaptatifs efficaces pour réguler leur bien-être subjectif. Ces processus servent aussi à construire l'espoir, même quand notre durée de vie est limitée.**
- **Nous devons distinguer entre l'espoir (qui se caractérise toujours par l'incertitude) et la perspective temporelle future (qui est relativement facile à évaluer). Nous pouvons avoir une perspective temporelle limitée tout en gardant l'espoir de réaliser les objectifs qui sont importants pour nous.**
- **Une personne peut modifier les critères d'évaluation de son bien-être en révisant ses objectifs.**

Dieter Ferring est responsable de l'Unité de recherche intégrative du développement social et individuel (INSIDE) de l'Université du Luxembourg. Ses principaux domaines de recherche sont la psychologie développementale tout au long de la vie et la psychologie gérontologique. Ses recherches et ses publications portent sur les facteurs personnels et sociaux contribuant à l'autonomie et à la dépendance des personnes âgées. Son idée personnelle de l'espoir? «Regarder mon fils grandir, jouer avec lui et ses amis, me donne de l'espoir pour demain. Dans le cadre de mon travail, mes recherches sur la prestation de soins ainsi que la solidarité et la compassion que je constate chez les soignants me donnent de l'espoir pour l'humanité.»

«L'espoir est la conviction qu'il y a un sens, quelle que soit la manière dont tournent les choses.»

La sagesse de l'infirmière

«J'ai appris que percevoir de l'espoir est une aptitude fondamentale de l'être humain», dit **Ania Willman**, présidente de la Société suédoise des soins infirmiers. Les expériences des personnes âgées en environnement de soins actifs sont basées sur la perception de possibilités, l'attente persévérante et les «affiliations régénérantes»: c'est là qu'intervient la sagesse de l'infirmière.

En tant que chercheuse, j'ai travaillé sur le concept théorique d'espoir au sein des sciences infirmières dans une perspective humaniste holistique, en me basant sur la théorie du devenir humain. Selon cette théorie, l'espoir est une dimension du rythme paradoxal espoir-non-espoir. Espérer, c'est choisir de vivre dans le moment présent, qui est le sens structuré d'une situation.

L'espoir est fondamental pour l'être humain. L'espoir est toujours présent, mais il arrive sur le devant de la scène dans des circonstances difficiles, telles que la maladie, la souffrance ou le deuil – situations qui contiennent aussi des moments de «non-espoir». **Percevoir l'espoir est une condition préalable pour vivre en bonne santé**, car l'espoir est étroitement lié à la conception que nous avons d'un avenir possible, à notre confiance qu'il y aura un demain. Dans les situations difficiles, même dans les tout derniers instants de la vie, l'espoir est une source de confiance et de joie pour bien des gens. L'espoir est l'attente et la conception de possibilités futures. C'est la conviction qu'il y a un sens, quelle que soit la manière dont tournent les choses.

L'expérience d'espoir

Les expériences d'espoir vécues par les personnes âgées en environnement de soins actifs en Suède peuvent se décrire comme **des possibilités d'envisager l'avenir dans l'adversité, puisqu'une attente persévérante naît d'affiliations régénérantes.**

1. Le concept clé de **possibilités d'envisager l'avenir dans l'adversité** est au cœur de l'expérience d'espoir. Tous les participants – hommes et femmes de 74 à 91 ans – ont décrit cela à leur manière. Ingrid a dit: «On a parfois de l'espoir sans savoir ce qu'on espère.» Elly a dit: «L'espoir est la chose qui nous fait continuer et regarder en avant dans les situations difficiles. On peut adoucir les temps difficiles en participant à des activités. L'espoir est une chose que l'on ressent en soi.»

2. Le second concept clé, l'**attente persévérante**, peut se décrire comme un mode de vie, sans savoir tout ce qui «n'est pas encore». Par exemple, Allan, un ancien marin, a dit: «On espère que la vie tournera au mieux.» Lisa, une veuve de 82 ans, qui a vécu dans la pauvreté avec quatre enfants, a dit: «Il y a eu certains malheurs, mais il ne faut pas que ce soit trop facile. Il doit y avoir des jours où le soleil brille, mais aussi des jours où il fait sombre. Sinon, on ne trouverait pas que la vie est précieuse.» Dans la théorie du devenir humain, le changement est un processus humain universel continu et unitaire. Au sein de ce processus, les gens participent au changement en choisissant un sens et en tendant la main vers ce qui n'est pas encore.

3. Le troisième concept, les **affiliations régénérantes**, peut être considéré comme les relations positives avec d'autres personnes. Chaque participant à cette étude a décrit ce concept à sa manière. Tor, un veuf de 82 ans, ancien charpentier et sculpteur sur pierre, a dit: «Il est important de connaître des gens, l'espoir vient des gens qu'on connaît.» Ruth, une veuve de 84 ans, a dit que pour elle l'espoir résidait dans le fait qu'elle savait que sa famille pouvait se débrouiller sans elle, et qu'«il est important d'avoir des amis et d'avoir du plaisir», et aussi d'avoir quelqu'un qui comprend et respecte nos sentiments. Les participants ont parlé d'expériences désespérantes, mais ajouté qu'il y avait en même temps des expériences satisfaisantes et régénérantes. Leurs récits renforcent notre compréhension de l'expérience d'espoir, donc de la santé et de la qualité de vie, puisque

l'espoir est une expérience de santé. Les gens ont décrit l'espoir comme un arc-en-ciel, une inspiration, un sentiment de solitude et en même temps un sentiment de récompense.

Ne pas renoncer

L'espoir est l'attente et la conception de possibilités futures, généralement décrit comme une attitude de vie. L'espoir consiste à ne pas renoncer, car son contraire, c'est trouver que la vie ne vaut pas la peine d'être vécue. La santé est une expérience subjective de sens et donc le sentiment d'espoir est essentiel au bien-être du patient. Ainsi donc, **le plus grand soin est nécessaire pour ne pas éteindre l'espoir, mais pour le renforcer.** Les infirmières et autres membres du personnel soignant ont besoin de beaucoup de sagesse, d'expérience et de compétences pour rencontrer individuellement chaque patient afin de nourrir son espoir, quel que soit son état de santé ou sa phase de vie.

Les clés

- → **L'espoir est une dimension du rythme paradoxal espoir-non-espoir. C'est choisir de vivre au moment présent, qui est le sens structuré d'une situation.**
- → **Les expériences d'espoir vécues par des personnes âgées dans un environnement de soins actifs sont décrites comme des possibilités d'envisager l'avenir dans l'adversité, puisqu'une attente persévérante naît d'affiliations régénérantes.**
- → **Les infirmières et autres membres du personnel soignant ont besoin de beaucoup de sagesse, d'expériences et de compétences pour rencontrer individuellement chaque patient afin de nourrir son espoir, quel que soit son état de santé ou sa phase de vie.**

Ania M. L. Willman est professeure et chef du Département de sciences infirmières de la Faculté de la santé et de la société de l'Université de Malmö (Suède) et présidente de la Société suédoise des infirmières. Elle a publié des articles sur les soins infirmiers dans de nombreuses revues professionnelles. Elle a été infirmière pendant treize ans avant de devenir professeure et chercheuse. Elle a travaillé toute sa vie dans les soins infirmiers, que ce soit dans la pratique ou au niveau théorique. Son principal centre d'intérêt? «Mon mari et mon travail, mes deux filles et mes cinq petits-enfants.» Elle a dit: «Si je ne suis pas en train de lire ou d'écrire, vous me trouverez sur le canapé en train de tricoter, ou dans les bois à cueillir des champignons et des baies.»

«Pratiquement 20 % de la population adulte souffre d'une certaine forme de douleur chronique.»

La douleur chronique

Comment pouvons-nous construire l'espoir, l'optimisme et la résilience chez les gens qui souffrent de douleur chronique? C'est là le thème des recherches de **Brian McGuire**. Il est codirecteur du Centre de recherche sur la douleur de l'Université nationale d'Irlande. «Bien que personne ne souhaite avoir une vie dominée par la douleur chronique, ceux qui sont dans cette situation ont toutes les raisons d'espérer.»

La douleur est un processus évolutionnaire conçu pour nous avertir de la présence d'une lésion tissulaire afin que nous puissions prendre des mesures pour minimiser les dommages, par exemple en retirant vite notre main d'une surface chaude pour ne pas nous brûler ou en changeant de position au lit pour éviter les crampes musculaires ou les escarres. Ce mécanisme de protection est si intrinsèque à notre adaptation à l'environnement que nous adoptons souvent ces comportements protecteurs de la santé sans même le remarquer. Par ailleurs, la douleur nous signale la nécessité de chercher de l'aide, par exemple de consulter un médecin.

La douleur est un phénomène pratiquement universel. Je dis «pratiquement» parce que quelques rares personnes sont atteintes d'insensibilité congénitale à la douleur. Leurs mécanismes d'avertissement ne fonctionnant pas, il n'est pas surprenant que ces personnes mènent une existence brève, marquée par de nombreuses lésions et maladies. Toutefois, la plupart des gens connaissent assez régulièrement la douleur sous forme d'une expérience d'intensité légère et de courte durée.

Malheureusement, ce n'est pas le cas pour tout le monde. En fait, une assez forte minorité de gens a une expérience de la douleur qui persiste longtemps. Appelée *douleur chronique*, cette forme de douleur se définit comme une douleur qui persiste trois mois ou plus. Une vaste étude européenne a montré que, dans de nombreux pays, près de 20 % de la population adulte souffre de cette forme de douleur. Ainsi, même si elle n'est pas la norme, la douleur chronique est relativement courante.

L'autogestion

Les gens capables de supporter la douleur chronique sont des personnes remarquables qui démontrent chaque jour l'exceptionnelle résilience de l'esprit humain. L'être humain n'est pas fait pour souffrir de douleurs continuelles et il n'est pas surprenant que la qualité de vie

des gens qui souffrent de douleur chronique soit souvent réduite. Comme l'on peut s'y attendre, ces gens sont moins aptes à participer à certaines activités de la vie quotidienne, travail, sport et autres activités sociales. La douleur chronique affecte également le bien-être psychologique. Une de nos études montre que **la dépression est cinq fois plus courante chez les gens souffrant de douleur chronique que chez les autres.** Tout comme le coût humain, la douleur chronique coûte énormément en termes d'utilisation des services de santé et de productivité. Les gens souffrant de douleur chronique consultent plus souvent leur médecin, prennent plus de médicaments, s'absentent plus souvent de leur travail et, même lorsqu'ils sont présents au travail, ils sont souvent moins productifs.

Voilà qui semble assez désespéré. Mais cela ne l'est pas, en réalité, puisque des chercheurs commencent à comprendre la nature de la douleur chronique et à développer des moyens plus efficaces de la traiter. Bien que la plupart des gens souffrant de douleur chronique pendant un an ou plus ne seront sans doute jamais totalement libérés de leur douleur, ils peuvent apprendre à la gérer, à mieux la supporter et à mener une meilleure existence qu'il serait possible de le supposer, si l'on se fonde sur la description faite plus haut de l'impact de la douleur chronique. Vu que cette douleur persiste souvent très longtemps, la recherche psychologique veut aider les gens à développer des moyens de la gérer. Elle propose une approche d'autogestion, c'est-à-dire qu'**elle encourage les gens à devenir des experts dans le suivi de leurs symptômes et à développer toute une série de techniques et de stratégies d'adaptation pour gérer leur douleur.** De fait, cette approche est actuellement avalisée par un certain nombre d'éminentes organisations de gestion de la douleur.

Une vie meilleure

Comment cette approche d'autogestion de la douleur peut-elle aider les gens qui souffrent de douleur chronique? Un élément central du traitement est d'aider à penser à la douleur d'une manière différente. Il est naturel de redouter la souffrance et de craindre que la participation à certaines activités n'endommage encore plus la partie du corps lésée. Mais en fait, ce risque est très faible. La plupart des gens souffrent de ce qu'on appelle une douleur chronique bénigne, c'est-à-dire qu'ils n'ont pas de lésions graves et qu'aucun «drapeau rouge» ne signale une contre-indication à l'accroissement de leur activité. Ces approches apprennent donc aux gens à accroître peu à peu leur activité, ce qui construit leur confiance et leur fait moins redouter la douleur.

Qu'en est-il de l'efficacité de ces approches? Valent-elles la peine? En général, la réponse est «oui». Ces approches se révèlent efficaces, car elles réduisent le niveau d'interférence ou d'invalidité dû à la douleur. Elles améliorent l'humeur des gens, atténuent leur crainte de l'activité, les aident à penser à leur douleur d'une façon plus constructive. Elles aident parfois aussi à atténuer la douleur. Cependant, presque tous les programmes de gestion de la douleur indiquent que leur objectif central n'est pas d'alléger la douleur, mais d'**inciter les gens à accroître leur activité malgré la douleur.** Un allègement de la douleur est considéré comme un bonus – mais l'objectif principal est de vivre une vie meilleure en dépit de cette douleur.

De nouvelles approches thérapeutiques ciblent la résilience – notamment la résistance et la flexibilité nécessaires pour surmonter de nouveaux défis et des difficultés persistantes. Ces programmes de construction de la résilience sont actuellement en cours d'évaluation auprès de gens souffrant de douleur chronique et ils se révèlent efficaces.

Bien que personne ne souhaite avoir une vie dominée par la douleur chronique, les personnes qui sont dans cette situation ont toutes les raisons d'espérer. De nouveaux traitements font leur apparition et les gens montrent une étonnante capacité à s'adapter aux expériences les plus difficiles, comme à la douleur chronique.

Les clés

→ **L'approche d'autogestion aide les gens qui souffrent de douleur chronique. Un élément central du traitement est d'aider les gens à penser à la douleur d'une manière différente.**
→ **Ces approches apprennent aux gens à accroître peu à peu leur activité, ce qui construit leur confiance et leur fait moins redouter la douleur.**
→ **Un allègement de la douleur est considéré comme un bonus, mais l'objectif central est de vivre une vie meilleure en dépit de la douleur.**

Brian McGuire est maître de conférences en psychologie clinique à l'Université nationale d'Irlande, à Galway (Irlande). Il est directeur du Doctor of Psychological Science Program en psychologie clinique et codirecteur du Centre de recherche sur la douleur. Son travail clinique porte sur la médecine comportementale, en particulier sur la gestion de la douleur et le traitement du diabète. Ses domaines de recherche sont la gestion de la douleur, le diabète et l'adaptation à la maladie physique chronique. Il a publié de nombreux articles, ainsi que l'ouvrage *Feeling Better, a cognitive behavioural pain management program for people with an intellectual disability*. Que signifie l'espoir pour lui? «Ne jamais renoncer à chercher un meilleur moyen. Ce qui me donne de l'espoir, c'est que je rencontre chaque jour dans mon métier des gens qui souffrent énormément, mais qui n'en continuent pas moins à se battre.»

L'aspect actif de l'espoir

«La plupart d'entre nous sont habitués de voir dans les médias des images d'enfants réfugiés venus de pays en guerre, ou sortant de la guerre. Ces représentations médiatiques suggèrent souvent que l'espoir tient peu de place dans la vie de ces enfants, en raison des nombreux deuils et expériences traumatisantes qu'ont dû endurer leur famille, dit **Sophie Yohani**. Mais ces représentations ont un autre aspect, un aspect plus optimiste. Reconnaître cet aspect ouvre des possibilités pour construire la résilience d'enfants exposés à des traumatismes et à la violence collective.»

J'ai découvert la puissance de l'espoir (d'un point de vue professionnel) à l'âge de vingt-deux ans, lorsque je travaillais avec des jeunes de la rue, à Dar es Salaam, en Tanzanie. Dans le centre de jeunes où j'étais enseignante et conseillère, j'ai pris conscience des expériences des enfants de la rue en Tanzanie. La résilience et l'espoir qu'ils avaient, malgré leur vie extrêmement difficile, ont fait sur moi une impression si forte qu'ils ont fini par modeler une bonne part de ma vie professionnelle, qui adhère à une philosophie basée sur les forces.

Les témoignages de courage et d'espoir sont rares dans la littérature scientifique sur la santé mentale des enfants, laquelle s'attarde généralement plus sur leurs souffrances et leur désespoir, et ce, souvent du point de vue des chercheurs adultes. Alors que se passe-t-il lorsque nous invitons les enfants réfugiés à approfondir et à partager leurs expériences d'espoir durant les premières années d'intégration? Que se passe-t-il lorsque cette invitation est faite dans un cadre familier et rassurant et que les enfants ont la possibilité d'approfondir leurs expériences d'espoir en suivant des approches créatives comme la photographie, le dessin, la mosaïque, ainsi que les entretiens? Nous avons appris que, en dépit des nombreuses difficultés auxquelles sont confrontés les enfants réfugiés, avant et après la migration, l'espoir est un sentiment qu'ils connaissent bien, qui est présent en permanence, et qu'ils sont capables d'identifier des sources d'espoir dans leur vie. En fait, **l'espoir a une importance cruciale au cours du processus d'adaptation post-traumatique, car il est lié à un accroissement du sentiment de responsabilisation et de sécurité** – sentiments déterminants pour la guérison des traumatismes. Les interprétations suivantes de l'espoir chez les enfants sont tirées d'une de mes recherches avec un groupe d'enfants de huit à dix-sept ans, dans le cadre d'un programme d'intervention précoce, conçu pour aider les enfants sortant d'environnements post-conflit à s'adapter au Canada.

L'espoir au cœur

Les descriptions de l'espoir que font les enfants réfugiés suggèrent que l'espoir a deux aspects distincts mais liés entre eux. D'une part, l'«espoir au cœur» semble être une expérience de base. La plupart des enfants interrogés disaient que l'espoir était présent dans leur cœur. Ils avaient une certaine difficulté à parler de cet aspect de l'espoir, mais ils disaient que c'était au fond d'eux et que c'était présent en permanence. Les réponses les plus courantes étaient: «L'espoir ne disparaît jamais» et «Il est parfois plus grand, parfois plus petit». Les enfants percevaient les difficultés qui réduisent l'espoir, telles que l'absence de leurs proches, morts ou restés au pays, les difficultés scolaires et le chômage des parents, mais l'espoir était toujours présent. **L'espoir ne fait pas disparaître les difficultés, mais il donne la motivation ou la capacité de les surmonter.** «L'espoir me fait sentir que j'y arriverai, si j'essaie encore et encore», disait une fillette de dix ans en parlant de ses difficultés scolaires, après trois années passées sans école dans un camp de réfugiés.

Les sources d'espoir

Un autre aspect de l'espoir ressort des descriptions que les enfants font d'eux-mêmes et d'autres personnes impliquées dans des activités qui nourrissent l'espoir au cœur – ce sont les sources d'espoir. Dans notre travail avec les enfants, nous avons identifié **une source individuelle d'espoir (des activités propices à la responsabilisation) et deux sources relationnelles d'espoir (des relations sécurisantes avec des gens et avec la nature ou la spiritualité)**. Ainsi, les enfants ressentaient de l'espoir lorsqu'un enseignant rassurant et protecteur les aidait à lire, quand ils avaient la possibilité de soigner des plantes ou des animaux, lorsqu'ils apprenaient à monter à bicyclette ou qu'ils caressaient une peluche pour réduire leur anxiété. Ces sources d'espoir nourrissent un sentiment intérieur qui, à son tour, stimule l'enfant à s'investir davantage dans ces sources. Autrement dit, les sentiments de responsabilisation et de sécurité sont essentiels pour le développement de l'espoir chez ce groupe d'enfants.

La confiance fondamentale

Les descriptions de l'espoir que donnent les enfants réfugiés confirment la notion de confiance fondamentale formulée par le célèbre psychologue du développement Erik Erikson (*Enfance et société*, 1950 – pour l'édition française, 1959). La confiance fondamentale est très importante dans le développement de l'espoir chez l'enfant. L'aspect permanent de l'espoir (le cœur) pourrait bien être plus proche en essence de ce qu'entend Erikson par confiance fondamentale. Il s'agit d'une expérience fondamentale, insaisissable mais vitale, liée à un sentiment généralisé de sécurité émanant de relations importantes. **À la différence de la confiance fondamentale, souvent définie comme un sentiment de sécurité unidimensionnel et permanent, l'espoir que les enfants réfugiés ont décrit dans mon étude présente un aspect actif et dynamique.** Cet aspect actif de l'espoir aide les enfants à se sentir autonomes et à se lancer dans des activités qui les connectent à d'autres personnes et à la nature en tant qu'extension de leur monde. Cet aspect actif de l'espoir se rapproche de la définition d'Erickson, pour qui l'espoir émane de l'établissement d'un climat de confiance.

Les enfants réfugiés nous apprennent que l'espoir a une importance cruciale pour l'adaptation, après des expériences qui ont changé leur vie, parce qu'il est étroitement lié à la confiance fondamentale qui a été ébranlée par ces expériences difficiles. Nous apprenons aussi que l'espoir peut naître de l'identification et de la facilitation de sources d'espoir telles que le développement de relations sécurisantes au sein de la famille et de la communauté, la possibilité de se connecter à la nature ou à la spiritualité, et l'accès à des expériences nourrissant le sentiment de maîtrise des enfants.

Les clés

→ **Les enfants réfugiés nous apprennent que l'espoir a une importance cruciale pour l'adaptation, après des expériences qui ont changé leur vie, parce qu'il est étroitement lié à la confiance fondamentale qui a été ébranlée par ces expériences difficiles.**

→ **Nous apprenons aussi que l'espoir peut naître de l'identification et de la facilitation de sources d'espoir telles que le développement de relations sécurisantes au sein de la famille et de la communauté, la possibilité de se connecter avec la nature et la spiritualité, et l'accès à des expériences nourrissant le sentiment de maîtrise des enfants.**

→ **L'espoir est communicatif et se développe dans des relations de soutien.**

Sophie Yohani est titulaire d'un doctorat. Elle est née et a grandi en Tanzanie. Elle vit actuellement au Canada. Elle est professeure associée de psychologie du counseling à l'Université de l'Alberta et directrice du Centre de counseling de la Faculté d'éducation, un centre communautaire de formation pour étudiants diplômés. Elle est psychologue agréée, spécialisée en psychologie du counseling et en psychologie communautaire, ainsi que dans la santé mentale des réfugiés et la recherche communautaire. Elle s'intéresse en particulier aux traumatismes chez les enfants et les adultes, et aux expériences d'espoir et de résilience dans l'adversité. Ses recherches portent sur la santé mentale des réfugiés et des immigrants, et sur ses implications sur les politiques et les programmes en milieu éducatif et communautaire.

Les relations de soutien

L'espoir réside au fond de nous, il fait partie de notre nature humaine. L'espoir est perceptible dans nos actions et paroles qui reflètent une connexion mentale et émotionnelle avec les autres, avec nous-mêmes et avec notre environnement naturel et spirituel. Par nos réactions, nous déterminons ce qui a du sens pour nous.

Nous avons tous la capacité d'espérer, mais la manifestation extérieure d'espoir, ou la mesure dans laquelle nous sommes capables de nous connecter, varie en fonction des circonstances. Une personne optimiste se trouvant dans une situation difficile cherchera des moyens de se connecter à ce qui a du sens pour elle, assurant ainsi la continuité de l'optimisme. La plupart des gens font cela sans en être conscients.

C'est dans les moments où notre espoir est fortement mis à l'épreuve qu'il est difficile de trouver des manières de se connecter. L'espoir n'est pas perceptible pour nous ou pour les autres. Ce sont des moments où nous nous sentons déconnectés de nous-mêmes, des autres, de la nature ou de la spiritualité. Nous nous sentons désarmés, inutiles, peut-être désespérés. Ce sont toutefois aussi les moments où nous sommes vivement invités à puiser de l'espoir chez les autres, car **l'espoir est communicatif et se développe dans des relations de soutien.** La ténacité et la communicabilité de l'espoir forment la base sur laquelle nous pouvons construire des communautés optimistes pour progresser vers un monde meilleur.

« Un chef est un marchand d'espoir. »

L'espoir en politique

Les hommes politiques aiment parler d'espoir. À toutes les époques, aux quatre coins du monde et toutes allégeances politiques confondues, les leaders ont toujours cherché à se présenter comme des pourvoyeurs d'espoir, capables d'apporter aux masses la responsabilisation politique, l'unification et même le salut. **Kristen Wallin** et ses collègues se demandent si les espoirs exprimés par un président américain dans son premier discours inaugural sont corrélés à la manière dont il s'acquitte de ses fonctions, à sa cote d'approbation parmi la population ou à ses initiatives politiques.

L'espoir a longtemps été considéré comme une forme de «capital politique». Napoléon le savait («Un chef est un marchand d'espoir»), tout comme John Gardner, l'ancien secrétaire américain à la Santé, à l'Éducation et aux Services sociaux («La première et la dernière tâche d'un leader est de garder l'espoir vivant»). Le philosophe Loren Goldman avance – en s'inspirant de Kant – que des croyances sur ce qui est possible dans l'avenir sont essentielles pour l'action sociale et que, sans elles, «la politique ne peut pas exister».

Des promesses

Nous avons basé nos recherches sur un modèle d'espoir comprenant la maîtrise, l'attachement, la survie et la spiritualité (voir «Le réseau de l'espoir»). Il s'agit des mêmes espoirs que ceux rapportés dans les écrits classiques sur le commandement. Aristote glorifie les chefs capables de libérer le potentiel de leur peuple. John Quincy Adams déclare: «Si vos actions amènent les autres à rêver plus, apprendre plus, faire plus et devenir plus, vous êtes un leader.» Emerson confirme: «Nous voulons un chef qui nous inspire pour devenir ce que nous savons que nous pouvons être.»

Les chefs cultivent la confiance et l'ouverture. Marc Aurèle écrit: «N'honore jamais comme t'étant utile ce qui te forcerait à violer la parole donnée… à feindre, à désirer quoi que ce soit que tu aies besoin de cacher derrière des murs et des rideaux.»

Les chefs inspirent la persévérance et la résilience. Publilius Syrus dit: «Tout le monde peut tenir la barre quand la mer est calme.» Célèbre est le discours de Churchill devant le Parlement britannique en 1940: «Nous nous battrons sur les plages, nous nous battrons sur les terrains de débarquement, nous nous battrons dans les champs et dans les rues, nous nous battrons dans les collines, nous ne nous rendrons jamais!»

Les chefs inspirent la foi dans des vérités transcendantes. Confucius glorifie les chefs qui suivent «le mandat du Ciel». Lincoln fait appel aux «meilleurs anges de notre nature». La veille de son assassinat, Martin Luther King déclare: «Je veux juste accomplir la volonté de Dieu… J'ai vu la Terre promise… Il se peut que je n'y pénètre pas avec vous… [mais] notre peuple atteindra la Terre promise.»

Les scores

Nous avons étudié les dix derniers présidents des États-Unis – d'Eisenhower à Obama –, qui comptent autant de démocrates que de républicains.

Pour attribuer un score à chaque discours inaugural, nous avons divisé le «domaine de l'espoir» en douze catégories de classement (quatre dimensions d'espoir multipliées par trois thèmes). Chaque thème rapporté obtient un point.

Catégories de classement

A. Références à la maîtrise

1. Planification réussie, définition d'objectifs, productivité
2. Collaborations (passées, présentes ou futures)
3. Poursuite d'objectifs transcendants – personnels ou collectifs

B. Références à l'attachement

1. Connexion, confiance, unité, égalité
2. Présence et disponibilité permanentes (administration)
3. Ouverture à deux voies (administration et population)

C. Références à la survie

1. Protection ou libération
2. Résilience [américaine] (passée, présente ou future)
3. Réduction des peurs (réassurance, dissipation de peurs particulières)

D. **Références spirituelles**

1. Inspiration spirituelle (justification, grâce, autonomisation)
2. Présence spirituelle (passée, présente ou future)
3. Assurance spirituelle (passée, présente ou future)

Deux évaluateurs (un libéral et un conservateur) ont validé l'identification des espoirs dans chaque discours. Nous avons ainsi obtenu des classements et des profils. Par exemple, Obama obtient le score le plus élevé en espoir total, alors qu'Eisenhower n'arrive qu'au cinquième rang. Les scores les plus élevés en maîtrise, attachement, survie et spiritualité sont respectivement ceux d'Obama, de Nixon, de Kennedy et de G.W. Bush. Le profil d'Eisenhower reflète une faible maîtrise, un fort attachement, une survie moyenne et un grand espoir spirituel. Le profil d'Obama montre une forte maîtrise, un attachement moyen, une forte survie et une spiritualité moyenne.

Les profils

Nous nous sommes appuyés sur des classements historiques de l'efficacité présidentielle établis par le *London Times* et C-SPAN et sur la cote d'approbation parmi la population publiée dans le *Wall Street Journal*. Nous avons lu également des résumés d'initiatives présidentielles, écrits par des biographes de présidents. Qu'avons-nous trouvé?

Un haut niveau d'espoir axé sur la survie (promettant protection, libération et réduction des peurs, et soulignant la résilience américaine) est lié à des estimations d'excellence. Quant à la cote d'approbation parmi la population, nous avons découvert qu'un *plus grand* espoir axé sur la survie est lié à un nadir (point bas) plus élevé, alors qu'un *plus faible* espoir axé sur la maîtrise est lié à un zénith (plafond) plus élevé. En termes d'espoir, les grands présidents des États-Unis se caractérisent plus comme des sauveurs que comme des architectes.

Finalement, nous avons relié les profils d'espoir aux initiatives politiques. Pour citer un exemple, Kennedy, qui obtient le score plus élevé en survie («espoir libérateur»), s'est engagé «à payer n'importe quel prix, supporter tout fardeau, endurer toutes les épreuves, soutenir tous nos amis, et à nous opposer à tout ennemi afin de garantir la survie et le succès de la liberté». L'invasion de la baie des Cochons avait pour but de libérer Cuba; la guerre du Vietnam visait à défendre la liberté face à l'expansion du communisme. Hésitant au début, Kennedy a cautionné ensuite le mouvement pour les droits civiques.

Les clés

- → **Des croyances sur ce qui est possible dans l'avenir sont essentielles pour l'action sociale et, sans elles, la politique ne peut pas exister.**
- → **Un grand espoir axé sur la survie est lié à des estimations d'excellence. Quant à la cote d'approbation parmi la population, un plus grand espoir axé sur la survie est lié à un nadir (point bas) plus bas, alors qu'un espoir axé sur la maîtrise est lié à un zénith (plafond) plus élevé.**
- → **En termes d'espoir, les grands présidents des États-Unis se caractérisent plus comme des sauveurs que comme des architectes.**

Kristen Wallin est titulaire d'une licence de psychologie du Keene State College (États-Unis). Passionnée de psychologie positive, elle se réjouit du regain d'intérêt actuel pour les forces de caractère. Elle trouve beaucoup de plaisir et d'espoir dans le temps qu'elle se réserve pour faire la lecture à ses enfants, dans la cohue de la bibliothèque locale et dans l'intimité du cercle familial. Pour elle, l'espoir est ce qui encourage les gens à franchir des obstacles apparemment insurmontables. C'est le feu qui libère notre potentiel intérieur.
Anthony Scioli, **Sarah Stevenson** et **Daniel Graham** sont coauteurs de ce texte.

PROJET D'ESPOIR

HOPE XXL: l'avenir, c'est maintenant

«Rendre le monde un peu plus décent était encore sur la liste des choses que je voulais faire», dit Chris van de Ven (Pays-Bas). Avec quelques jeunes, il s'est demandé comme nous pourrions, tous ensemble, améliorer vraiment le monde. Naïveté? «Ne rien faire, c'est bien pire», dit-il. Entre-temps, HOPE XXL s'est développé en une initiative inspirante qui a fait son chemin jusqu'aux Nations Unies.

HOPE XXL était au départ une initiative de jeunes, dont le but était que tout le monde puisse donner à sa vie un 8 ou un 9 sur 10. Aux Pays-Bas, la note moyenne est juste en dessous de 8, mais dans un pays comme le Bangladesh, le bien-être fluctue autour de 5. «Pour offrir aux gens du monde entier de meilleures perspectives d'avenir, il faut des idées innovantes et inspirantes. C'est pourquoi HOPE XXL développe, avec des jeunes du monde entier et le soutien de leurs aînés, une nouvelle vision d'avenir», dit Chris van de Ven. L'organisation a appelé sa liste de préoccupations la «Liemers List», d'après le nom de la région des Pays-Bas où est né HOPE XXL sur l'initiative d'un groupe de 10 jeunes. C'est une «liste de choses qui doivent arriver», comprenant des articles sur la durabilité, les droits humains,

la coopération internationale, etc. En 2015, après six ans de travail, HOPE XXL a présenté la Liemers List mondiale à l'ONU.

Le bonheur

HOPE XXL cherche ce qui rapproche les gens, et s'attache aux points communs et non aux différences. Car, finalement, tout le monde veut la même chose: vivre heureux. En 1967, Martin Luther King disait déjà que cela exigeait une perspective mondiale. C'est pourquoi HOPE XXL veut faire prendre conscience des conditions essentielles nécessaires à toute existence humaine. Tous les articles de la Liemers List sont placés sous le signe de cet objectif. Ce qui importe le plus, c'est que la jeune génération puisse avoir une perspective à long terme. Actuellement, les politiques visent en général le court terme et les organisations internationales sont surtout occupées à colmater les brèches. Nous voulons tous une bonne qualité de vie, mais cela exige que tout le monde prenne davantage en considération le long terme. HOPE XXL a donc demandé à un grand nombre de jeunes comment ils voudraient transmettre le monde à leurs petits-

enfants. Leurs réponses forment la base de la Liemers List.

Les jeunes dans le monde entier

HOPE XXL a ses racines aux Pays-Bas, mais l'organisation est en contact avec des gens dans le monde entier. Ainsi, en 2012, une conférence européenne a réuni des jeunes de 25 pays européens. Kofi Annan, ancien Secrétaire général des Nations Unies, a ouvert la conférence par ces mots: «Les rêves sont nécessaires pour un monde meilleur. Tout commence par un rêve. Sans idéaux, nous ne sommes rien.» Plus tard, des conférences distinctes pour les jeunes d'Afrique, d'Asie et d'Amérique du Nord et du Sud ont été organisées, notamment au Palais de la Paix à La Haye.

En janvier 2015, en collaboration avec l'Université pour la Paix (UPeace) mandatée par les Nations Unies, HOPE XXL a organisé au Costa Rica une conférence pour préparer la Liemers List mondiale. La délégation est ensuite allée à New York présenter HOPE XXL aux Nations Unies. Une étape importante!

L'avenir

Maintenant que la Liemers List a été présentée à l'ONU, le moment est venu de la mettre en œuvre. HOPE XXL va donc travailler à la mise en œuvre de la liste aux Pays-Bas et dans d'autres pays. Cela commence dans la région des Liemers, où différents acteurs vont collaborer au niveau régional à l'accroissement du bien-être. HOPE XXL reste actif aux niveaux national et international pour contribuer à construire un monde dans lequel chacun pourra donner à sa vie un 8 sur 10, ou même plus.

Pour plus d'informations: **www.hope-xxl.com**

«L'espoir nous motive en tant qu'individus et en tant que société collective.»

Apprendre à rêver

«L'espoir est un aspect important de notre vie. Il nous fournit une base pour réfléchir, nous exprimer et rêver, dit le professeur **Huy P. Phan**. L'espoir nous permet d'envisager, de persévérer et d'anticiper.» Voilà des aptitudes que nous avons tous intérêt à développer.

L'espoir est selon moi une dimension positive de la vie qui nous permet de rêver, de nous sentir inspirés et de nous fixer des objectifs réalisables à long terme. L'espoir est positif parce qu'il nous fait envisager la possibilité de l'accomplissement. Combien de fois ne faisons-nous pas cette remarque à quelqu'un: «J'espère que papa nous retrouvera là-bas plus tard»? Cependant, l'espoir n'est pas seulement un mot que nous utilisons avec nonchalance dans les conversations. C'est plutôt un système motivationnel dynamique qui nous permet de nous fixer des objectifs de vie et de travailler dur pour les réaliser.

La confiance

Alors qu'est-ce que l'espoir? L'espoir, dans sa plus simple expression, est un *sentiment de détermination pour atteindre un certain objectif de vie* (c'est-à-dire l'agentivité de l'espoir). Nos objectifs de vie peuvent comporter, par exemple, le désir d'avoir accès à une bonne éducation ou à une retraite confortable. L'espoir exige aussi que nous envisagions et *concevions des plans qui nous permettront d'atteindre nos objectifs* (c'est-à-dire les trajectoires de l'espoir). Ces deux principes théoriques constituent la promesse de l'espoir en tant que construction psychologique. Au fil des ans, bon nombre de scientifiques ont étudié l'espoir, et tout indique qu'il est positivement associé à l'estime de soi, aux perceptions de contrôle, à l'optimisme, à l'affectivité positive et à l'accomplissement des attentes.

Une étude récente a montré que l'espoir joue un rôle important dans l'agentivité humaine, en particulier en relation avec les résultats scolaires et non scolaires. En tant qu'éducateurs et parents, nous devons reconnaître que l'espoir renforce et nourrit le bien-être à long terme des enfants. Selon les résultats de recherches précédentes, nous pouvons dire que **l'espoir nous donne confiance, augmente notre foi en notre autoefficacité et nous motive à prendre conscience de notre potentiel pour réussir dans la vie.** Un élément important du bien-être, découlant bien sûr de l'espoir, est notre capacité à nous épanouir et à réussir dans la vie.

Des narratifs

En dehors du cadre théorique de l'espoir et des recherches empiriques correspondantes, nous pouvons dire que, au fil du temps, les gens ont expérimenté les deux grandes caractéristiques de l'espoir – à savoir son agentivité et sa trajectoire. Nous entendons souvent parler de gens puissants qui ont commencé comme des gens ordinaires. Certains ont très peu à offrir, à part leurs espoirs et leurs rêves. L'ancien sénateur Barack Obama a écrit son livre *L'Audace d'espérer* pour souligner le besoin d'espoir et encourager l'optimisme. **Face aux incertitudes et aux difficultés, l'espoir est une puissante décision qui transforme le pessimisme en perspectives positives et en optimisme.** C'est l'espoir, écrit Obama, qui pousse les immigrants et les réfugiés à quitter leur pays pour des rivages lointains. De même, c'est l'espoir qui a permis à un petit garçon métis, au nom bizarre, de devenir président des États-Unis.

Je crois que l'étude de l'espoir est importante pour les éducateurs, les parties prenantes et les décideurs politiques. Une piste de recherche que j'encourage fortement suppose une documentation *in situ* de l'espoir dans des situations difficiles. Des récits d'agentivité et de trajectoires peuvent contenir de précieuses informations. Certains d'entre nous ont une vie très dure. Comment l'espoir explique-t-il que certains choisissent de partir vers des rivages lointains, en dépit des obstacles, des difficultés et des incertitudes? Dans quelle mesure l'espoir soutient-il ceux qui tentent, au risque de leur vie, d'échapper à des situations de guerre afin d'éprouver un sentiment de liberté? Ces questions offrent, selon moi, une base pour une réflexion et la production de narratifs permettant de mettre en lumière l'importance de l'espoir.

La prise de décision

D'autres recherches pouvant se révéler intéressantes portent sur l'impact positif de l'espoir sur le bien-être à long terme en milieu scolaire. Nous avons constaté que l'espoir est étroitement lié à un certain nombre de caractéristiques en lien avec l'accomplissement, par exemple la prise de décision, la réussite scolaire et universitaire, la citoyenneté active et les relations sociales. **L'introduction du concept d'espoir en milieu scolaire renforce le bien-être personnel des élèves** (p. ex. en aimant aller à l'école) et les aide à anticiper la réalisation de leurs rêves. Entraîner les élèves à prendre en compte leur sentiment d'espoir (par exemple, «Quelles sont les choses auxquelles j'aspire?»), ainsi que leurs réflexions sur ce concept («Je n'ai jamais eu d'ambition dans mes études»), peut les motiver et ouvrir la voie à d'autres résultats liés à l'école.

En résumé, l'espoir joue un rôle central dans l'agentivité humaine. **L'espoir n'est pas seulement un slogan reflétant un moment particulier dans le temps.** L'espoir nous motive en tant qu'individus et en tant que société collective. Il nous permet de rêver, de méditer, de persévérer et de poursuivre un ensemble d'objectifs jusqu'à l'accomplissement personnel. L'espoir est plus irremplaçable que nous ne le pensons et constitue la base de notre aspiration à la satisfaction personnelle.

Les clés

- → **L'espoir est un système motivationnel dynamique qui nous permet de nous fixer des objectifs de vie et de travailler dur pour les réaliser.**
- → **L'espoir est lié d'une manière positive à l'estime de soi, aux perceptions de contrôle, à l'optimisme, à l'affectivité positive et à l'accomplissement des attentes.**
- → **L'espoir renforce et nourrit le bien-être à long terme des enfants et leur capacité à s'épanouir et à réussir dans la vie.**

Huy P. Phan est professeur associé en psychopédagogie et enseigne à l'École d'éducation de l'Université de Nouvelle-Angleterre (Australie). Ses recherches portent sur la cognition, la motivation et les processus non cognitifs dans des environnements socioculturels spécifiques. Ses recherches actuelles portent sur l'examen multiniveau, théorique et empirique, des processus d'apprentissage et du bien-être personnel. «J'espère que ce chapitre sur l'espoir considéré d'un point de vue scolaire communiquera au lecteur l'envie de rêver et d'espérer pour l'avenir.»

«Plus les niveaux de religiosité et de spiritualité sont élevés, plus les niveaux de dépression sont faibles.»

La spiritualité comme source d'espoir

«L'espoir est ce qui nous permet de toujours aller de l'avant, de relever la tête et de croire que notre situation s'arrangera, que nos objectifs se réaliseront et que notre vie s'améliorera. L'espoir a plusieurs sources, telles que la famille et les amis. Mais une autre source peut être particulièrement importante: la religion – et la spiritualité qui l'accompagne», disent **Emma Kahle** et **Edward C. Chang**.

Au sens large du terme, la religion est un «système de croyances et de pratiques relatives à des choses sacrées [...], croyances et pratiques qui unissent à une même communauté morale [...] tous ceux qui y adhèrent» (Durkheim, 1915). Pour beaucoup de gens, ces pratiques religieuses et spirituelles sont très importantes, car elles leur fournissent un code moral, un système de croyances et de valeurs, ainsi qu'une communauté proche, enracinée dans des principes communs. Les croyances religieuses et spirituelles offrent aux gens une vision commune qui leur donne le sentiment qu'il y a un but à atteindre (p. ex. la capacité

de devenir un bouddha omniscient) ou un sentiment d'espoir (p. ex. l'existence d'une vie après la mort). Ces croyances leur fournissent des objectifs essentiels à leur vie et à leur bonheur, objectifs pour lesquels ils peuvent déployer des efforts incessants.

La foi

Le fait d'avoir des objectifs est intrinsèque à une attitude optimiste. Selon les recherches de Rick C. Snyder, le pionnier de la psychologie de l'espoir, l'*espoir* est un ensemble cognitif pluridimensionnel, composé d'*agentivité* – la croyance que nous pouvons réaliser un objectif désiré – et de *trajectoires* – la croyance que nous pouvons trouver différentes manières pour réaliser cet objectif. Étant donné que les objectifs les plus précieux des gens religieux ou spirituels sont souvent basés sur leurs croyances (aller au paradis, convertir les non-croyants), il semblerait que **ce sentiment d'avoir un objectif et d'être capables de le poursuivre soit une source d'attitudes optimistes pour les personnes religieuses.** Ces attitudes optimistes qui se développent à partir de la religion et de la spiritualité peuvent donc contribuer grandement à l'adaptation positive et à la santé mentale (Abdel-Khalek et Lester, 2012).

La santé mentale

Dans le cadre de nos recherches, nous avons étudié la relation entre la religiosité, la spiritualité, l'agentivité et les trajectoires de l'espoir, l'affectivité négative et les symptômes dépressifs. Nos résultats suggèrent que l'agentivité et les trajectoires de l'espoir sont d'importants facteurs déterminant la relation entre la religiosité d'une part, et l'affectivité négative et les symptômes dépressifs, d'autre part. Comme nous nous y attendions, nos résultats ont montré que **de hauts niveaux de religiosité sont liés à de faibles niveaux d'affectivité négative et de symptômes dépressifs.** Nous avons trouvé aussi que de hauts niveaux de spiritualité sont liés à de faibles niveaux d'affectivité négative et de symptômes dépressifs.

Pris dans leur ensemble, nos résultats sont les premiers à appuyer l'hypothèse selon laquelle une grande religiosité et une grande spiritualité sont liées à un renforcement de l'espoir, lequel, à son tour, réduit les expériences psychologiques négatives, telles que l'affectivité négative et les symptômes dépressifs.

L'adaptation positive

Nos résultats suggèrent que, chez les adultes, les tentatives pour renforcer l'espoir influencent fortement les tentatives pour réduire les humeurs négatives. Combinés à des études antérieures sur l'importance de la religion dans le renforcement de l'espoir, **nos résultats invitent à poursuivre cette étude de la relation entre la religion et l'espoir, afin de découvrir quelles composantes de la pratique religieuse sont susceptibles de générer des attitudes optimistes.** Ayant une énorme influence sur la société et la vie des gens, cette pratique culturelle est une variable très importante à mettre en relation avec la santé mentale. Et vu que l'espoir est un concept psychologique faisant partie intégrante de l'adaptation positive, une meilleure compréhension de la relation entre religiosité, spiritualité et espoir semble un excellent point de départ pour tenter de mieux comprendre l'influence de la religion sur la santé mentale. Nous espérons que des recherches ultérieures nous aideront à appréhender de quelle manière la religion, la spiritualité et l'espoir peuvent ensemble contribuer à rendre les gens heureux et positifs, ayant devant eux la perspective d'une vie meilleure.

Les clés

→ **La vision commune qu'offrent les croyances religieuses et spirituelles donne aux gens le sentiment d'avoir un objectif et un sentiment d'espoir.**

→ **Une grande religiosité et une grande spiritualité sont liées à un renforcement de l'espoir, lequel, à son tour, réduit les expériences psychologiques négatives telles que l'affectivité négative et les symptômes dépressifs.**

→ **La religion est une pratique culturelle ayant une énorme influence sur la société et sur la vie des gens. C'est une variable très importante à mettre en relation avec la santé mentale.**

Edward C. Chang est professeur de psychologie et de travail social à l'Université du Michigan (États-Unis). Il est rédacteur adjoint de l'*American Psychologist* et membre de l'Asian American Psychological Association. **Emma Kahle** poursuit ses études de doctorat en bien-être social à l'Université du Michigan. Elle espère continuer à étudier dans des domaines liés à la santé psychique et physique, et parvenir ainsi à mieux comprendre le rôle de l'espoir dans sa vie et dans celle des autres.

Hannah McCabe, **Paige Porter** et **Elizabeth Yu** sont coauteurs de ce texte.

«L’espoir nous donne un but. Il nous maintient en vie.»

L’espoir et la foi

«L’espoir dynamise notre présent et esquisse notre avenir; c’est donc notre grande force vitale. L’espoir ne devrait jamais être perdu ou détruit, mais il est parfois anéanti par des circonstances qui semblent échapper à notre contrôle», dit **Anita Sharma**. Elle met l’accent sur la relation entre espoir et foi.

L’espoir conserve intact le dernier souffle, même pour qui est sur son lit de mort. C’est ce qui est arrivé dans notre famille après que mon père fut tombé gravement malade, victime d’un infarctus du myocarde. Il vivait avec une seule artère, les autres (y compris les plus importantes) étant presque complètement bloquées. Les médecins lui avaient conseillé de se faire opérer immédiatement, sinon la situation pouvait lui être fatale. Pleins d’espoir, nous avons suivi ce conseil. Mon père était vieux et faible, mais il avait bon espoir. Tout en regardant la mort en face, il est sorti victorieux du bloc opératoire.

Une force motrice

L’espoir est d’une importance primordiale dans notre vie. Une vie dénuée d’espoir est une vie sans direction, sans stabilité et sans paix. **Ce qui est le plus terrible dans le désespoir, c’est qu’il mène à un cycle de dépendance à des sentiments négatifs** et nous conduit à commettre de mauvaises actions. Il crée un mode de vie chargé de culpabilité et de honte.

L’espoir est quelque chose que nous devons développer en nous. Plus important encore, nous devrions savoir ce que l’espoir signifie et comment il influence notre capacité à créer et à vivre la vie de nos rêves. Nous avons tous vu d’énormes montagnes déplacées pour construire des routes, des malades en phase terminale se rétablir, des pauvres s’enrichir, parmi tant d’autres preuves que l’espoir est le moteur de la vie.

Une décision mature

La foi est complémentaire à l'espoir. Selon moi, nous ne devrions jamais avoir une foi aveugle quand nous faisons quelque chose simplement parce que quelqu'un nous a dit de le faire ou parce que quelqu'un croit que c'est bon pour nous. Nous devons plutôt apprendre à réunir le plus d'informations possible sur ce en quoi nous voulons avoir foi. Alors, et seulement alors, nous pouvons avoir foi en quelque chose. **La foi consiste à avoir confiance en ce que nous ne pouvons pas voir.** Sans foi, l'espoir ne dure pas. La foi consiste à prendre le temps de réunir des informations, à aller de l'avant en prêtant attention aux résultats, puis à prendre une décision mature et éclairée, basée sur les informations réunies.

Pour avoir la foi et commencer à chercher une voie à suivre, nous devons d'abord avoir de l'espoir. L'espoir est le moteur qui nous permet de comprendre que les choses peuvent s'améliorer et qu'elles s'amélioreront. L'espoir nous donne un but. Il nous garde en vie. Il nous pousse, nous inspire et nous incite à faire plus et à avoir plus.

L'aspiration

La raison pour laquelle tant de gens gravissent l'échelle du succès et finissent par se tuer par la surconsommation de drogue ou d'alcool est simple: ils ont fini par obtenir et par atteindre tout ce qu'on nous a dit qu'il fallait avoir et être, et pourtant ils se sentent perdus et vides. Ils ont perdu l'espoir de réaliser quelque chose de plus grand, de mieux, de plus précieux, de plus important. Nous devrions viser haut, tout en éprouvant en même temps de la satisfaction et de l'espoir. Alors, et seulement alors, nous pouvons réaliser de grandes choses et vivre en paix.

Nous devons développer une relation personnelle avec l'espoir et la foi dans la vie. L'espoir et la foi sont des mots puissants qui nous poussent en avant, nous soulèvent et nous donnent l'énergie de faire plus, d'être plus et d'avoir plus. Il n'est donc pas exagéré de dire qu'en développant en nous l'espoir et la foi, nous aurons foi en notre capacité à améliorer notre vie, et l'espoir de faire mieux.

Les clés

- → **Nous devrions tous savoir ce que l'espoir signifie et comment il influence notre capacité à créer et à vivre la vie de nos rêves.**
- → **Sans foi, l'espoir ne dure pas.**
- → **Nous devrions viser haut tout en éprouvant en même temps de la satisfaction et de l'espoir.**

Anita Sharma est titulaire d'un doctorat. Elle est professeure adjointe de psychologie à l'Université de l'Himachal Pradesh, à Shimla (Inde), et directrice adjointe de l'UGC-ASC. Elle est l'auteure de l'ouvrage *Personality and Social Norms*. Elle a participé à 25 conférences nationales et internationales, et publié plus de 80 articles dans des revues nationales et internationales. Elle aime la lecture et le jardinage. Elle se passionne pour l'enseignement et, en tant qu'assistante sociale, elle offre des services de counseling aux personnes âgées.

«Les gens s'adaptent souvent complètement à maintes situations désespérées.»

L'«illusion focale»

Lorsque nous perdons quelqu'un que nous aimons, il nous est facile de croire que notre tristesse ne finira jamais. Le professeur **Nick Powdthavee** étudie l'impact des situations dites désespérées et révèle la puissance de l'«illusion focale».

Quelques mots suffisent à résumer ce qui est le plus important à savoir sur le bonheur humain, soit: «Rien dans la vie n'est aussi important que nous le croyons quand nous y pensons.» Cette maxime, lancée par les psychologues Daniel Kahneman et David Schkade en 1998, exprime bien notre tendance à exagérer l'importance de quelque chose – de tout – pour notre bonheur quand nous y pensons.

Ainsi, par exemple, dans une étude de Kahneman et Schkade, des étudiants en Californie et dans le Midwest américain devaient répondre à la question suivante: «Quels sont, selon vous, les gens les plus heureux dans la vie? Les gens qui vivent en Californie ou ceux qui vivent dans le Midwest?» Les deux groupes ont donné une réponse sans équivoque, à savoir que les gens en Californie était beaucoup plus heureux dans la vie que ceux dans le Midwest. Cependant, lorsqu'ils ont demandé à ces groupes d'évaluer leur satisfaction dans la vie, les chercheurs ont trouvé que les étudiants en Californie n'étaient pas plus heureux dans leur vie que ceux du Midwest. Comment les chercheurs expliquent-ils ces résultats paradoxaux? La Californie et le Midwest diffèrent surtout sur le plan climatique, ce qui est un élément marquant lorsqu'on compare les deux régions. Cependant, **le climat de notre région est beaucoup moins important pour nous lorsqu'on nous demande de réfléchir sur notre bonheur dans la vie en général.** Ici, d'autres facteurs – les revenus, le mariage, l'emploi et les amitiés – sont beaucoup plus importants.

Se remettre

On vous pardonnera de demander: «Mais quel est le rapport avec l'espoir?» Eh bien, ce biais cognitif, que les psychologues appellent l'«illusion focale», explique pourquoi les gens s'adaptent souvent complètement à maintes situations désespérées même si, au moment même où naît le désespoir, ils ont l'impression qu'ils ne se remettront jamais. Le deuil est un bon exemple. Lorsque nous perdons quelqu'un que nous aimons, il nous est facile de croire que notre tristesse ne finira jamais. Tout ce que nous pouvons nous dire au cours des premiers mois de deuil est que nous ne serons jamais plus capables de penser à autre chose qu'à cet événement bouleversant, que pour nous la vie ne sera plus jamais comme avant.

Néanmoins, de nombreuses études longitudinales – c'est-à-dire des études qui suivent les mêmes personnes sur une longue période de temps – ont montré que les gens ont besoin en moyenne de seulement deux ans pour s'adapter complètement au décès de personnes qui leur sont chères. Autrement dit, **leur satisfaction dans la vie revient au niveau où elle était avant** qu'ils ne deviennent, disons, veuve ou veuf. De même, quelques années suffisent aux gens pour s'adapter presque complètement au fait d'être devenus gravement handicapés.

Mon message est donc le suivant: même s'il nous semble que tout espoir s'est envolé, que nous ne parviendrons jamais à sortir d'une situation désespérée, le temps finira par guérir presque toutes nos blessures. Que nous le voulions ou non, notre attention passera de presque tous les malheurs à d'autres choses que la vie a à offrir. L'être humain est incroyablement plus résilient que nous n'aimerions le reconnaître.

Les clés

- → **Nous avons tendance à exagérer l'importance de quelque chose – de tout – pour notre bonheur quand nous y pensons.**
- → **L'«illusion focale» explique pourquoi les gens s'adaptent souvent complètement à maintes situations désespérées.**
- → **Le temps finit par guérir presque toutes nos blessures. L'être humain est incroyablement plus résilient que nous n'aimons le reconnaître.**

Nick Powdthavee est professeur-chercheur en économie du bonheur. Il est chargé de recherche adjoint à l'Université de Melbourne (Australie) et chargé de recherche principal à la London School of Economics (Royaume-Uni). Il a obtenu son doctorat en économie à l'Université de Warwick en 2006 et il a occupé des postes à l'Université de Londres, à l'Université de York et à l'Université de technologie de Nanyang à Singapour. Il est l'auteur du célèbre ouvrage *The Happiness Equation: The Surprising Economics of Our Most Valuable Asset*.

«Pour avoir un ami, il faut être un ami.»

L'espoir et l'amitié

«La meilleure manière de se trouver est de se perdre dans le service des autres.» C'est cette citation du Mahatma Gandhi qui a incité **Nathaniel Lambert** à étudier le rôle de l'amitié dans le processus de l'espoir: «L'intérêt pour les autres allège notre fardeau et nourrit nos amitiés.»

Je me souviens que j'étais très mal dans ma peau au lycée. J'étais petit, gros, je portais des bretelles et un corset lombaire. J'avais souvent l'impression que personne ne me comprenait, que personne n'avait la moindre idée de ce que j'endurais. Je savais combien il était difficile d'être différent et que d'autres gens enduraient sans doute la même chose que moi. Je savais l'importance que cela avait pour moi quand les gens prenaient la peine de retenir mon nom et de me demander comment j'allais. Quand quelqu'un me manifestait de l'intérêt, cela m'aidait énormément. J'ai alors décidé d'être cette personne pour d'autres. Je me suis efforcé de retenir les noms et de m'intéresser aux problèmes de gens différents, qui se sentaient exclus. Je pense que cela les a énormément aidés. De plus, cela m'a permis de me faire beaucoup d'amis et je me suis senti beaucoup mieux.

L'intérêt pour les autres

Dès que j'ai commencé à m'intéresser aux autres, je ne me suis plus senti incompris. Comme je cherchais à connaître d'autres gens et à les aider à mieux faire face à leurs problèmes, je me suis rendu compte qu'ils éprouvaient souvent les mêmes sentiments que moi. Du coup, mes problèmes ne m'ont plus paru aussi énormes. En fait, mes difficultés semblaient s'effacer lorsque j'aidais les autres.

Dale Carnegie, l'auteur de *Comment se faire des amis et influencer les autres,* affirme que les gens *aiment* plus que tout parler d'eux-mêmes. Si vous pouvez orienter la conversation sur la personne avec qui vous parlez, vous lui donnez la possibilité de s'exprimer sur son sujet préféré et elle vous en sera reconnaissante. Carnegie dit: «Vous pouvez vous faire plus d'amis en deux mois en vous intéressant aux autres qu'en deux ans en voulant que les gens s'intéressent à vous.» Laissez les autres parler d'eux-mêmes et écoutez-les. **Les personnes qui savent écouter étant rares, si vous devenez l'une d'elles pour quelqu'un, vous serez très apprécié.** En offrant une oreille attentive aux autres, non seulement vous leur rendez un grand service, mais cela déplace votre attention de vos propres problèmes vers leurs besoins à eux. Quand vous écoutez les autres vous parler de leurs difficultés, vos propres problèmes vous semblent moins graves.

De meilleurs amis

L'un des plus grands avantages de l'intérêt que nous portons aux autres est l'amitié. Comme dit un vieux dicton: «Pour avoir un ami, il faut être un ami.» En nous montrant vraiment intéressés et en offrant une oreille attentive à ceux qui nous entourent, nous sommes un ami, ce qui nous permet de nouer des amitiés. Les gens qui tendent la main et aident ceux qui ont peu d'amis reçoivent beaucoup d'amour en retour.

«Le meilleur antidote à l'inquiétude est le travail. Le meilleur remède contre la fatigue consiste à aider quelqu'un qui est encore plus fatigué que vous. L'un des grands paradoxes de la vie est le suivant: **celui qui aide les autres gagne presque toujours plus que celui qui est aidé**» (Gordon B. Hinckley).

L'une des meilleures façons d'alléger vos difficultés est d'aider les autres à faire face aux leurs. Les écouter leur fera beaucoup de bien. S'intéresser aux autres allège notre fardeau et permet de développer de solides amitiés. Le meilleur moyen de renforcer notre espoir et de résoudre nos problèmes est d'aider les autres.

Les clés

→ **Portez votre attention sur les autres plutôt que sur vous-même. Offrez-leur une oreille attentive.**

→ **L'intérêt pour les autres allège notre fardeau et nourrit nos amitiés.**

→ **Le meilleur moyen de renforcer notre espoir et de résoudre nos problèmes est d'aider les autres à faire face aux leurs.**

Nathaniel Mark Lambert est titulaire d'un doctorat. Il est psychologue, professeur et conférencier (États-Unis). Il a écrit plus de soixante articles et chapitres de livres sur le thème de l'épanouissement dans la vie, et il est rédacteur du *Journal of Positive Psychology*. Il a présenté ses recherches dans le monde entier et fondé une société d'analyse et de conseil en ligne sur le bonheur. Il adore la randonnée et le sport. Quand se sent-il optimiste? «Quand j'aide les gens qui m'entourent. Pour moi, une autre grande source d'espoir est la gratitude. Lorsqu'on aborde la vie dans un esprit d'abondance, on est imprégné d'espoir.»

«La réalisation de l'objectif est fêtée avec une danse et une chanson intitulée "C'est gagné!"»

Promouvoir l'espoir chez les jeunes

«Quand on réfléchit à l'espoir chez les enfants, on pense souvent au *Journal* d'Anne Frank. Il y a des dizaines d'années, l'espoir était associé à la croyance que quelque chose de bien allait arriver», disent **Manuel Pulido Martos** et **Jonatan R. Ruiz**. Tous deux cherchent des moyens concrets pour promouvoir l'espoir chez les enfants et les adolescents.

Tout comportement humain a un objectif concret. Pour évaluer les niveaux d'espoir, il faut donc savoir dans quelle mesure nous croyons pouvoir trouver des moyens efficaces pour atteindre ces objectifs, et si nous sommes suffisamment motivés pour entreprendre les actions nécessaires à leur réalisation.

L'Échelle d'espoir pour enfants

Ces informations sont réunies et intégrées dans des tests tels que l'Échelle d'espoir pour enfants. Cette échelle comporte six questions liées aux espoirs et aux objectifs des enfants et des adolescents. Les réponses portent sur la manière dont ils s'identifient aux énoncés. Il y a des énoncés liés à la motivation et à l'énergie qu'ils mettent pour réaliser leur objectif (agentivité), comme «je crois que je travaille bien», et des énoncés liés à la capacité de trouver des moyens pour atteindre l'objectif (trajectoires), tels que «quand j'ai un problème, je trouve toujours des solutions». Les jeunes présentant de hauts niveaux sur l'Échelle de l'espoir sont plus forts sur le plan psychologique. Plusieurs études montrent que l'espoir est associé à de plus hauts niveaux de bien-être et à une plus grande fréquence de comportements favorables à la santé. De plus, les enfants ayant de hauts niveaux d'espoir semblent obtenir de meilleurs résultats scolaires.

Le développement d'outils pour évaluer l'espoir chez les enfants et les adolescents n'est qu'une première étape dans l'estimation des chances de réussite dans le présent et l'avenir. La réalisation des objectifs est la base de cette réussite. Cependant, comment l'espoir nous aide-t-il à réaliser nos objectifs et, plus important encore, comment pouvons-nous renforcer l'espoir chez les enfants et les adolescents? Comme nous l'avons vu plus haut, l'explication repose sur notre motivation et sur l'énergie que nous dépensons pour réaliser nos objectifs, ainsi que dans notre capacité de trouver des moyens pour les atteindre. Les programmes de promotion de l'espoir en milieu scolaire utilisent souvent de petites histoires pour identifier les objectifs, les obstacles possibles à leur réalisation

et les trajectoires pour y arriver. Les personnages de ces histoires sont souvent des enfants ayant de très hauts niveaux d'espoir.

Dora et Babouche

En tant que parents, quel enseignement pouvons-nous tirer de la mise en œuvre de programmes de promotion de l'espoir à l'école? Comment pouvons-nous poursuivre le processus à la maison? Comment pouvons-nous introduire l'espoir dans les activités de loisir de nos enfants et de nos ados?

Notre proposition est d'utiliser la *modélisation*, un processus clé de l'apprentissage social. **La modélisation permet aux enfants d'observer et d'imiter les actions d'autres enfants, évidemment, d'enfants optimistes.** Nous pouvons mettre à profit le temps passé devant la télévision pour renforcer l'espoir. *Dora l'exploratrice* est une série de dessins animés racontant les aventures d'une fillette hispano-américaine, prénommée Dora, et de ses amis. Chaque épisode porte sur la réalisation d'un objectif concret. Toujours très motivés, Dora et son meilleur ami, le singe Babouche, tentent de communiquer leur agentivité aux téléspectateurs. Par ailleurs, la Carte, la compagne de voyage de Dora, est responsable de la marche à suivre (les trajectoires) pour atteindre l'objectif. En dépit des obstacles et des problèmes, dont beaucoup sont provoqués par Chipeur le renard, Dora et Babouche trouvent toujours des moyens pour résoudre les difficultés et atteindre leur objectif. La réalisation de l'objectif est fêtée avec une danse et une chanson intitulée «C'est gagné!». Selon nous, regarder cette série avec leurs enfants peut permettre aux parents de discuter avec eux de chaque élément d'espoir et de les aider à avoir une vision positive et optimiste du monde.

Le soccer

Pour les adolescents et les enfants plus âgés, nous proposons un moyen «actif» de promouvoir l'espoir: la pratique d'un sport. Parlons du sport le plus pratiqué au monde: le soccer. **Dans ce sport, outre le fait que les joueurs servent de «modèle», l'espoir joue un rôle clé dans la réalisation d'objectifs.** Jouer au soccer en dehors d'un environnement compétitif formel, c'est-à-dire purement comme activité de loisir, pose sans cesse de petits objectifs tels que toucher le ballon un certain nombre de fois, jouer en équipe et finalement compter un but. Les réactions que les enfants perçoivent devant la réalisation ou la non-réalisation de ces objectifs les poussent à réorienter leur énergie vers sa réalisation. Cela les incite aussi à chercher de nouveaux moyens de réaliser plus d'objectifs, c'est-à-dire toucher plus souvent le ballon ou compter plus de buts.

Si nous décidons d'inscrire nos enfants à un club de sport dans un environnement compétitif, l'éducateur – l'entraîneur de l'équipe – peut promouvoir l'espoir des enfants et des adolescents de nombreuses manières. Un objectif peut consister par exemple à jouer dans l'équipe quelques minutes, à jouer d'entrée, à jouer tout le match, à toucher le ballon le plus souvent possible, à compter des buts ou à bloquer le plus de lancers (pour le gardien de but). L'entraîneur doit être capable de renforcer l'espoir des joueurs, de les encourager, de stimuler leur motivation (agentivité) et de leur enseigner plusieurs stratégies de jeu afin de réaliser l'objectif (trajectoires). En ce sens, **les joueurs professionnels – qui sont les idoles d'un grand nombre d'enfants – donnent des leçons d'espoir** parce qu'ils persévèrent dans leurs tentatives et restent motivés, même lorsqu'ils ne réalisent pas leurs objectifs (ou ne comptent aucun but). Ils continuent à chercher des moyens pour y parvenir.

Les clés

- → **Les jeunes ayant de hauts niveaux d'espoir sont plus forts sur le plan psychologique. Ils ont de plus hauts niveaux de bien-être, plus de comportements favorables à la santé et de meilleurs résultats scolaires.**
- → **Les programmes de promotion de l'espoir en milieu scolaire utilisent souvent de petites histoires pour identifier des objectifs, les obstacles possibles à leur réalisation et les trajectoires pour y arriver.**
- → **L'espoir peut être stimulé par la modélisation, un processus clé de l'apprentissage social. Certaines émissions télévisées et certaines activités sportives peuvent être des sources d'inspiration.**

Manuel Pulido Martos est titulaire d'un doctorat. Il est chargé de cours en psychologie sociale à l'Université de Jaén (Espagne). Ses recherches portent sur la psychologie positive et ses applications dans des organisations, ainsi que sur l'interaction entre psychologie positive et activité physique. En collaboration avec Jonatan R. Ruiz, il a adapté l'Échelle d'espoir pour les enfants espagnols. Quels sont ses passe-temps, ses passions et ses sources d'espoir? « Mes deux petits-enfants, Marcos et Amalia. Je les vois jouer, rire, s'amuser, et cela me fait croire en l'avenir de cette société. Ils renforcent mon espoir. »
Jonatan R. Ruiz est chercheur au programme Ramón y Cajal à la Faculté des sciences du sport de l'Université de Grenade (Espagne). Il est titulaire d'un doctorat en physiologie de l'exercice de l'Université de Grenade et d'un doctorat en sciences médicales de l'institut Karolinska (Suède). Ses recherches combinent l'épidémiologie de l'activité physique et la physiologie clinique. La course à pied est sa source d'énergie. « La course garde mon espoir vivant. Ma fille est l'étoile qui soutient mon espoir de devenir une meilleure personne et le meilleur père au monde. »

«Les enseignants optimistes croient en leurs élèves.»

Des enseignants optimistes

«Peut-on imaginer un meilleur endroit pour inspirer les jeunes que la salle de classe? se demande **Polona Gradišek**. Les enseignants ayant une grande influence sur le développement de leurs élèves, j'ai cherché quelles étaient les caractéristiques des enseignants qui contribuaient le plus au bien-être des élèves. Mes recherches m'ont menée à conclure que l'une de ces caractéristiques était l'espoir.»

Au cours de mes études de doctorat, j'ai examiné la relation enseignants-enseignés au regard de la personnalité des enseignants. Les gens oublient parfois que les enseignants influencent non seulement l'apprentissage de leurs élèves, mais aussi leur niveau de satisfaction, leur développement personnel et social, et leur bonheur. Les compétences pédagogiques des enseignants sont importantes, mais leur personnalité l'est également puisqu'ils sont des modèles pour leurs élèves. Croiriez-vous que certains élèves apprennent à cause de leurs maîtres? Ils reconnaissent l'engagement de leurs maîtres à enseigner et leur souhait sincère de les aider à optimaliser leur apprentissage et à devenir des personnes heureuses. Voilà pourquoi les relations positives enseignants-enseignés sont si importantes. Et l'**espoir des**

enseignants joue un grand rôle dans cette relation. Certains chercheurs vont jusqu'à dire que l'espoir des enseignants découle des relations positives qu'ils ont avec leurs élèves.

Les forces

En psychologie positive, les forces de caractère représentent les traits de personnalité positifs, moralement estimés, et supposés universels dans l'espace et le temps. La classification VIA des forces de caractère, proposée par Christopher Peterson et Martin Seligman en 2004, comporte 24 forces, dont la gentillesse, l'amour, la créativité, l'humour et bien sûr l'espoir. Ces forces sont regroupées en six vertus (sagesse et connaissance, courage, humanité, justice, tempérance et transcendance). Toutes les forces de caractère contribuent à une vie heureuse, mais l'espoir est celle qui contribue le plus aux sentiments de satisfaction dans la vie – dans l'ensemble de la population et, comme je l'ai montré dans mon étude, parmi les enseignants en particulier.

L'interaction

Pourquoi voulons-nous des enseignants optimistes? Un aspect important de l'espoir est le fait qu'il peut s'apprendre et se développer. Selon cette prémisse, les enseignants jouent un rôle substantiel dans le développement de l'espoir chez les enfants. Cependant, étant donné que les enfants apprennent par l'exemple, ils ne peuvent développer leur espoir que par leur interaction avec des enseignants optimistes. Des résultats de recherche antérieurs ont montré que les enseignants qui ont de grands espoirs ont confiance en eux-mêmes, sont optimistes et moins déprimés, rapportent des niveaux de bien-être plus élevés et connaissent des émotions plus positives par rapport aux enseignants qui ont de faibles espoirs. Ils se fixent des objectifs difficiles et trouvent différents moyens de les réaliser. Ils appliquent de bonnes stratégies de résolution des problèmes et sont efficaces dans leur travail. **Les enseignants sont des modèles positifs pour leurs élèves.** Mes recherches indiquent que les enseignants ayant rapporté des niveaux d'espoir plus élevés étaient plus satisfaits dans leur vie et dans leur travail. Ils ont déclaré que l'enseignement était leur vocation, voulant dire par là qu'ils aimaient leur travail, qu'ils y trouvaient du sens et qu'ils étaient conscients de contribuer grandement à la société et d'apporter des changements positifs dans la vie de leurs élèves. Les élèves eux-mêmes percevaient de manière plus positive les enseignants qui avaient des niveaux d'espoir plus élevés: ils étaient plus satisfaits de leurs enseignants et jugeaient leur enseignement comme étant efficace et positif. De plus, l'espoir des enseignants était lié aux résultats des élèves.

La confiance

Pourquoi les élèves perçoivent-ils les enseignants optimistes de manière positive et pourquoi l'espoir des enseignants est-il lié aux résultats de leurs élèves? Je pense que c'est parce que les enseignants optimistes croient en leurs élèves. Ils ont confiance que leurs élèves apprendront et feront de leur mieux pour s'engager activement dans les activités d'apprentissage. **Les attentes positives et la confiance des enseignants motivent fortement les élèves.** De plus, les enseignants optimistes sont optimistes quant à l'avenir, se fixent des objectifs difficiles et tentent de les réaliser de différentes manières. Étant d'importants modèles pour leurs élèves, s'ils leur enseignent toutes ces choses, les élèves auront plus de chances de devenir des adultes optimistes, capables de maîtriser les processus d'établissement d'objectifs, de résolution de problèmes et de poursuite de leurs objectifs. Les jeunes qui ont des enseignants optimistes développeront donc des attentes positives quant à leur avenir et apprendront à trouver des trajectoires adaptées pour les réaliser.

Les clés

→ **Pour les enseignants et les élèves, l'espoir est la force qui contribue le plus aux sentiments de satisfaction dans la vie.**

→ **Étant donné que les enfants apprennent par l'exemple, ils ne peuvent développer leur espoir que par leur interaction avec des enseignants optimistes.**

→ **Les enseignants optimistes croient en leurs élèves et sont plus satisfaits dans leur vie et dans leur travail. Leurs élèves se sentent mieux et obtiennent de meilleurs résultats.**

Polona Gradišek est titulaire d'un doctorat. Elle enseigne à de futurs enseignants à la Faculté d'éducation de l'Université de Ljubljana (Slovénie). Dans son travail, elle met l'accent sur l'importance des relations positives enseignants-enseignés. Elle effectue des recherches en psychologie positive et éducationnelle et s'intéresse en particulier aux forces de caractère et au bien-être des enseignants. Ses propres forces? «J'essaie d'être gentille, optimiste, enthousiaste et curieuse.»

« Tourne ton visage vers le soleil
et les ombres tomberont derrière toi. »

L'espoir dans la nature

Une promenade dans un parc peut nous aider à nous sentir mieux, mais cela a-t-il un rapport avec notre niveau d'espoir? **Holli-Anne Passmore** et **Andrew J. Howell** ont testé cette possibilité auprès de plusieurs centaines de participants au Canada. Sous les neiges de l'hiver apparemment «mortes», l'espoir est vivant.

Réveillant la force endormie dans la terre, le printemps revient toujours, apportant avec lui une nouvelle vie – fraîche, verte, nécessaire. Pleine de couleurs. Pleine d'espoir. La lutte pour l'existence, l'éclosion de la vie même dans des conditions difficiles et le cycle vie-mort-renaissance sont les caractéristiques essentielles de notre environnement naturel. Ces caractéristiques sont riches en symboles d'immortalité transcendante et d'espoir, auxquels nous pouvons nous identifier et qui nous réconfortent. **Se sentir connecté au monde naturel et l'apprécier est une importante source d'espoir.** En effet, nous plantons des arbres et nous offrons des fleurs comme symbole d'espoir à des moments de joie ou de peine.

Les fleurs

De nombreux écrivains et scientifiques soulignent le rôle crucial que jouent les expériences de la nature dans la culture de l'espoir. Dans un récit allégorique de Jean Giono, *L'Homme qui plantait des arbres*, un vétéran de la Première Guerre mondiale reprend espoir devant la forêt de chênes plantée par un berger dans une clairière désertique de Haute-Provence. De même, Robert Jay Lifton raconte que, sept mois après le bombardement d'Hiroshima, le spectacle éphémère des cerisiers en fleurs au mois de mars a suscité un fort sentiment d'espoir dans la population japonaise.

Par ailleurs, il existe des raisons théoriques de croire à un lien entre l'alliance avec la nature et le sentiment d'espoir. Selon les psychologues positifs Chris Peterson et Martin Seligman, l'espoir et l'appréciation de la beauté (notamment la beauté de la nature) sont des forces de caractère transcendantes. L'espoir et l'appréciation de la nature renforcent le sentiment de connexion à des choses situées au-delà de notre expérience immédiate, à des possibilités futures et au vaste monde vivant qui nous entoure. Les moments que nous passons dans la nature accroissent notre espoir.

Nos recherches appuient ces idées de connexion entre la nature et l'espoir. Nous avons trouvé que **plus les gens sont connectés à la nature, plus ils sont optimistes.** Nous avons aussi constaté que les gens qui prennent des photos de la nature rapportent plus souvent des sentiments d'espoir et de régénération, alors que ceux qui prennent des photos d'objets et de sites construits par l'homme notent plus souvent des sentiments de fatigue et de stress.

Renforcer l'espoir

Sa Sainteté le dalaï-lama a dit: «Le but ultime de la vie, c'est le bonheur, soutenu par l'espoir.» Les expériences de la nature augmentent l'espoir non seulement de façon directe, mais aussi en renforçant nos émotions et notre sentiment que la vie a un sens. Selon C.R. Snyder, se sentir bien et avoir le sentiment que notre vie a un sens sont des caractéristiques centrales du processus d'espoir. Dans des études menées parmi plus de mille participants, nous avons constaté à maintes reprises que les gens qui rapportent un fort sentiment de connexion avec la nature notent aussi sentir fortement que leur vie a un sens. Nos recherches ont également montré que les gens peuvent renforcer leurs émotions positives, leur sentiment d'élévation et de sens, simplement en incorporant dans leur routine quotidienne des activités telles que lire ou prendre ses repas au jardin, ou encore se promener dans un parc. **La nature influence l'espoir de manière directe et indirecte.** En effet, nous avons aujourd'hui des preuves solides qu'il existe des liens entre l'alliance avec la nature et les émotions positives, et entre l'appréciation de la nature et les forces de caractère transcendantes de sens, d'élévation, d'espoir.

Une fraîche pluie d'été

Nous encourageons nos lecteurs à passer plus de temps dans la nature, quotidiennement et de façon suivie. Savourez les agréments de sites naturels proches de chez vous, tels que les jardins et les parcs de votre quartier. Mais aussi, lorsque c'est possible, aventurez-vous dans des sites naturels plus éloignés et adonnez-vous à des activités telles que le camping sauvage, le canoë ou la randonnée. **L'alliance avec la nature a le pouvoir de cultiver en chacun de nous un sens renouvelé de la vie, de la vitalité et de l'espoir.** Nous pouvons renforcer les effets bénéfiques de notre alliance avec la nature en pratiquant nos activités extérieures de façon très consciente. Vivez le moment présent – sentez la chaleur du soleil sur votre dos, savourez l'odeur de la fraîche pluie d'été, découvrez les petites fleurs minuscules qui poussent à des endroits inattendus, écoutez le mélodieux gazouillis des oiseaux. De retour chez vous, remémorez-vous vos beaux moments passés dans la nature en regardant les photos que vous avez prises ou en racontant votre sortie à quelqu'un.

Un monde naturel de merveilles, de joies et de sens vous attend pour partager avec vous son message d'espoir. Comme le dit le proverbe maori: «Tourne ton visage vers le soleil et les ombres tomberont derrière toi.»

Les clés

- → **Il existe un lien important entre l'alliance avec la nature et le sentiment d'espoir.**
- → **Notre alliance avec la nature accroît nos niveaux d'espoir en renforçant nos émotions positives et notre sentiment que notre vie a un sens.**
- → **Passez du temps dans la nature proche de chez vous, quotidiennement et de façon suivie, et adonnez-vous à des activités très simples, telles que lire au jardin ou vous promener dans un parc.**

Holli-Anne Passmore poursuit ses études de doctorat en science psychologique à l'Université de la Colombie-Britannique, au Canada. **Andrew J. Howell** est titulaire d'un doctorat. Il est professeur associé de psychologie à l'Université MacEwan, en Alberta (Canada). Tous deux ont collaboré à de nombreuses recherches sur l'alliance avec la nature et sur divers aspects du bien-être. Passionnés de psychologie positive, ils apprécient grandement les moments qu'ils passent dans la nature.

PROJET D'ESPOIR

Des écoles mobiles pour les enfants des rues

Appliquant la devise «Si tu ne viens pas à l'école, l'école viendra à toi», Arnoud Raskin a conçu une école ambulante pour les enfants des rues. Ce tableau noir mobile auquel sont fixés des centaines de jeux éducatifs permet aux éducateurs de rue d'organiser des activités éducatives. Il existe actuellement 36 écoles mobiles dans 21 pays, en Amérique latine, en Afrique et en Europe. Ces écoles sont des catalyseurs d'espoir.

L'organisation belge Mobile School a deux groupes cibles: les enfants des rues et les éducateurs de rue. L'école mobile est un chariot à quatre roues, équipé de tableaux noirs pliables. Totalement déployé, il mesure plus de six mètres de long.

Après des études de design industriel, Arnoud Raskin a voulu mettre ses aptitudes au service de gens qui profitent rarement d'un design de qualité. En raison de sa conception particulière, l'école mobile peut être utilisée sur les trottoirs et dans les bidonvilles. Elle est résistante aux intempéries, et même au vol, car tous les matériaux sont fixés au tableau et inamovibles. Une seule école propose plus de 300 jeux éducatifs pour donner aux enfants des rues de tout âge une bonne éducation de base: de la littérature au sida, en passant par les mathématiques, la thérapie créative, la santé et les drogues. Les écoles mobiles sont produites dans une école secondaire belge. Pour les élèves, c'est un excellent projet international dont ils sont très fiers. Il comporte des aspects d'éducation sociale globale, de formation technique et d'entrepreneuriat.

Les moyens

Mobile School apporte un soutien et des solutions, en mettant en œuvre des processus durables pour des gens ayant parfois perdu tout espoir.

Arnoud Raskin: «Un enfant des rues est souvent étiqueté comme "un enfant sans abri, qui a faim et qui dort sur le trottoir dans une boîte en carton". De nombreuses idées fausses sur les problèmes des enfants des rues sont dues à la sur-simplification. Ces idées sont nourries par un manque de compréhension du profil psycho-éducatif des enfants des rues. Le travail de proximité traditionnel porte sur les problèmes de l'enfant. Nous, nous cherchons ce qui est positif chez l'enfant: "En quoi es-tu bon? De quoi es-tu fier?" Nous voulons lui permettre de réfléchir et de communiquer plus ouvertement sur sa situation. Il pourra alors plus facilement se construire une meilleure image de lui-même et mieux comprendre son environnement, ses possibilités et son identité. La plupart des enfants des rues sont de très bons entrepreneurs et c'est grâce à leur attitude extrêmement optimiste qu'ils survivent.»

Étant située en plein air, l'école exige des éducateurs une attitude différente.

Arnoud Raskin: «Nous permettons aux enfants d'avoir confiance en leurs propres aptitudes et d'influencer eux-mêmes leur processus de croissance. Nous les aidons à devenir des acteurs actifs de leur propre vie et des acteurs de changement. Nous leur donnons les moyens de se construire un avenir pour eux-mêmes et pour la société. Nos méthodes s'inspirent des enfants eux-mêmes: leurs aptitudes à construire et à agir, basées sur l'espoir, les possibilités et la foi dans le progrès.»

Pour plus d'informations: **www.mobileschool.org**

Le programme Streetwize

«Ceux qui ont de l'argent étudient à l'université. Ceux qui sont intelligents apprennent dans la rue.» Voilà la conclusion que l'organisation Mobile School a tirée après 16 années de travail dans les bidonvilles du monde. Même sans savoir ni lire ni écrire, les enfants des rues utilisent leurs talents. Ils sont flexibles, créatifs et entreprenants. Streetwize est un programme hautement novateur qui traduit ces aptitudes de rue dans des programmes de formation pour entreprises. Le résultat? Des entreprises plus efficaces et plus flexibles dans une économie en évolution plus rapide que les rues d'une grande ville. Tous les profits sont réinvestis pour les enfants des rues.

Pour plus d'informations: **www.streetwize.be**

«L'important est de suivre le sentier le moins battu.»

Comment l'espoir génère des leaders mondiaux

«Deux types d'espoir sont pertinents pour les leaders mondiaux et expliquent pourquoi l'espoir est si important lorsqu'il s'agit de diriger dans un environnement multiculturel, à savoir: les objectifs opérationnels et les objectifs de développement personnel du leader», dit la professeure **Rachel Clapp-Smith**. Ses recherches portent sur le développement d'un leadership mondial dans les entreprises.

Le premier type d'espoir – les objectifs opérationnels – porte sur les résultats que l'entreprise cherche à réaliser. Les leaders mondiaux doivent présenter cet objectif de façon à motiver et à inspirer des gens ayant des valeurs culturelles très variées. Les leaders stimulent notre sentiment d'espoir en nous fournissant une vision mobilisatrice. Pour nous mobiliser, une vision doit faire appel à des valeurs profondément ancrées en nous et déclencher en nous un engagement émotionnel aux objectifs. Les valeurs profondément ancrées sont façonnées par l'éducation culturelle, et c'est là où je vois l'un des grands défis pour les leaders mondiaux. Mes recherches, mes expériences de travail, mes interactions avec les leaders mondiaux et les observations que j'ai faites auprès de mes étudiants m'ont montré à maintes reprises que les leaders mondiaux peinent à comprendre les contingences culturelles de «suiveurs» inspirants ayant des origines culturelles très diverses.

Les «suiveurs»

Mais il y a de l'espoir pour les leaders mondiaux. Plusieurs recherches ont révélé que l'espoir, en tant que volonté de poursuivre des objectifs et identification de trajectoires pour les réaliser, est ressenti dans d'autres cultures partout dans le monde et qu'il prédit le succès. Autrement dit, si un leader doit inspirer un engagement envers des objectifs parmi les employés d'une entreprise délocalisée en Inde, **nous savons que l'espoir opère de la même manière en Inde que dans les autres cultures.** Le défi pour les leaders n'est donc pas de savoir si un groupe culturellement diversifié de «suiveurs» peut éprouver de l'espoir, mais de savoir comment inspirer cet espoir ou la volonté de réaliser tel ou tel objectif lorsque les valeurs sont si diverses, et comment les leaders qui ont de grands espoirs peuvent trouver de nouveaux messages pour renforcer l'engagement envers tel ou tel objectif.

Inspirer de l'espoir par une vision mobilisatrice n'est pas le seul défi que doivent relever les leaders mondiaux. Du fait que l'espoir porte aussi sur les trajectoires vers la réalisation des objectifs, la deuxième difficulté à laquelle se heurtent les leaders est d'accepter que les «suiveurs» perçoivent des trajectoires très différentes des leurs. Les trajectoires d'espoir sont souvent négligées, mais elles sont aussi importantes que la volonté d'espoir. Les leaders mondiaux ayant de grands espoirs reconnaissent que la joie de diriger un groupe culturellement diversifié consiste à identifier une multitude de trajectoires uniques en leur genre. Cela les amène à reconnaître que diriger un groupe ne signifie pas être capable de tout résoudre ou d'éclairer toutes les trajectoires. Il leur suffit de créer des conditions permettant à leurs «suiveurs» d'adopter des trajectoires qui mènent à la prospérité.

Sortir des sentiers battus

Le second type d'espoir pertinent pour le leadership mondial porte sur le développement personnel du leader. Si nous avons appris quelque chose sur l'espoir, c'est que si les objectifs sont importants, les trajectoires pour les atteindre sont tout aussi importantes. Le développement d'un leadership mondial peut prendre de nombreuses trajectoires, toutes aussi excitantes et nouvelles les unes que les autres, mais ce qui compte c'est que les leaders potentiels aient la volonté de sortir des sentiers battus.

Sortir de sa zone de confort permet au leader de réfléchir sur qui il est vraiment et de prendre mieux conscience de la manière dont il dirige, y compris de la manière dont son éducation culturelle influence son style de leadership. Cela dit, si l'espoir consiste à percevoir une multitude de sentiers, mais que le développement du leadership consiste à suivre le sentier le moins battu, comment le leader mondial pourra-t-il réaliser les objectifs importants qui lui donneront de l'espoir?

L'équilibre

Nous pourrions nous attendre à ce que l'expérience fournisse aux gens une série de trajectoires éprouvées efficaces. Cependant, les leaders les plus efficaces continuent à explorer de nouveaux sentiers afin de trouver d'autres pistes pour réaliser pleinement leurs objectifs. Par conséquent, l'élément différenciateur clé réside dans l'équilibre entre les objectifs à poursuivre. Chaque organisation a des objectifs opérationnels, mais si j'espère avoir une influence positive et significative sur ce monde, je dois absolument m'efforcer de construire ma capacité de leadership. Si nous acceptons l'étonnant rendement sur la poursuite de nos objectifs qu'engendrent les styles de leadership et le choix du sentier le moins battu, nous devrions voir émerger un plus grand nombre de leaders mondiaux capables d'inciter divers «suiveurs» à réaliser des objectifs étonnants.

Les clés

- → **Les leaders stimulent notre sentiment d'espoir en nous fournissant une vision mobilisatrice.**
- → **Les leaders mondiaux ayant de grands espoirs reconnaissent que la joie de diriger un groupe culturellement diversifié consiste à identifier une multiplicité de trajectoires uniques en leur genre.**
- → **Les leaders les plus efficaces continuent à explorer de nouveaux sentiers afin de trouver d'autres pistes pour réaliser pleinement leurs objectifs.**

Rachel Clapp-Smith est titulaire d'un doctorat. Elle est professeure assistante en leadership au College of Business et codirectrice du Leadership Center de la Purdue University Calumet (États-Unis). Ses recherches portent sur le développement du leadership mondial, l'état d'esprit international et la conscience d'appartenance culturelle. Elle est également coordinatrice du Network of Leadership Scholars. Née dans le New Hampshire, aux États-Unis, elle a vécu et travaillé en Allemagne et aux Pays-Bas. Sa concrétisation la plus inspirante de l'espoir est de voir ses enfants apprendre l'empathie, la gentillesse et l'amour. «Voir la fascination innée et la joie de vivre des enfants libère du stress de la vie adulte. Mes enfants de 7 et 5 ans semblent me rappeler à l'ordre quand je me prends trop au sérieux. En réalité, le véritable impact de mon leadership n'est pas ce que j'accomplis dans mon travail ou ma communauté, mais ce sont les valeurs que je montre à mes enfants.»

«Même les gens les plus désespérés peuvent accroître leur niveau initial d'espoir.»

La personnalité de l'espoir

Certaines personnes sont apparemment beaucoup plus optimistes que d'autres, indépendamment de ce qui leur arrive dans la vie. Le professeur **Peter Halama** étudie l'influence de nos traits de personnalité sur notre capacité à espérer. Certains traits expliquent une bonne part de nos comportements, mais il faut savoir qu'ils ne les déterminent pas entièrement. Ils sont seulement le point de départ de la croissance et du développement individuels.

Mon choix de l'espoir comme thème de recherche vient de ma fascination pour ce phénomène humain. La capacité humaine à espérer se définit par notre aptitude à anticiper les résultats positifs futurs de notre activité présente et à être motivés pour agir. Cette capacité devient passionnante lorsqu'une personne garde espoir en dépit de circonstances ne laissant pas présager de fortes chances de réussite et que cet espoir mène finalement au succès. On voit alors que **l'espoir est un puissant instrument pour surmonter les difficultés de la vie et obtenir les résultats désirés.** Je crois que l'espoir est un moteur de progrès dans différents domaines du fonctionnement humain, allant de la vie personnelle au développement culturel et sociétal.

Un facteur héréditaire

Ma fascination pour l'espoir ne découle pas seulement de la force qu'il donne pour surmonter les obstacles de la vie, mais aussi de l'existence de différences individuelles dans la capacité humaine à espérer. Certaines personnes sont capables de développer et de garder l'espoir dans des situations très difficiles, et même d'inspirer des gens grâce à leur espoir, alors que **d'autres ont du mal à espérer, même dans des situations présentant seulement de petits obstacles**, et n'entreprennent aucune activité en vue de réaliser leur objectif parce qu'elles ne croient pas en l'efficacité de leur action.

Reste à savoir à quoi tiennent ces différences et quelles sont les raisons qui les sous-tendent. Jusqu'à présent, la recherche psychologique a étudié plusieurs facteurs d'espoir, en particulier le rôle de l'apprentissage et des expériences de vie qui encouragent ou découragent l'espoir. Ces recherches montrent toutefois que de nombreux phénomènes humains sur le plan des croyances et des comportements sont grandement influencés non seulement par des modèles appris, mais aussi par des caractéristiques psychologiques stables, en grande mesure héréditaires et biologiquement déterminées, telles que le tempérament et les traits de personnalité.

Les caractéristiques

Mes recherches portent sur les traits de personnalité qui sont à la source des différences individuelles en matière d'espoir. Dans un but opérationnel, j'ai adopté la définition de R. C. Snyder, basée sur la compréhension cognitive de l'espoir, selon laquelle l'espoir consiste à posséder les capacités à identifier des trajectoires vers des objectifs désirés, et la motivation pour utiliser ces trajectoires. Parmi les approches existantes des traits de personnalité, j'ai choisi la théorie des «big five», qui définit cinq traits de personnalité généraux et culturellement cohérents: le névrosisme, l'extraversion, l'ouverture à l'expérience, l'amabilité et la conscience. Ces cinq traits expliquent un large éventail de comportements humains et sont considérés comme relativement stables et constants, certains d'entre eux comportant un important élément inné. Comme l'indiquent plusieurs de mes recherches, **les niveaux d'espoir individuels sont étroitement et systématiquement liés à trois de ces traits:** le névrosisme, l'extraversion et la conscience.

1. **Le névrosisme est en relation négative avec l'espoir.** Les gens ayant de hauts niveaux de névrosisme montraient de plus faibles niveaux d'espoir et vice-versa. Le névrosisme se caractérise par la tendance à ressentir fortement des émotions négatives telles que l'anxiété ou la détresse. Ces émotions négatives justifient un faible espoir, parce qu'elles bloquent la pensée positive liée à des attentes de réussite.
2. **L'extraversion est en relation positive avec l'espoir.** L'extraversion se caractérise par une forte tendance à éprouver des émotions positives, y compris des émotions liées à des comportements axés vers des objectifs. Les gens extravertis sont plus énergiques, plus enthousiastes, plus sociables et plus orientés vers l'action. Ces caractéristiques

renforcent l'espoir parce qu'elles contribuent à la motivation pour atteindre les objectifs désirés et à la perception que ces objectifs sont réalisables.

3. **La conscience est aussi en relation positive avec l'espoir.** La conscience comporte la capacité à planifier et à organiser son comportement, ainsi que la capacité à contrôler et à réguler des actions vers un objectif, ce qui conduit à une expérience de compétence et d'habileté. Cette expérience renforce l'espoir, car elle construit des croyances dans la réussite future.

Le fait que ces trois traits de personnalité sont en partie héréditaires ne veut pas dire que les niveaux individuels d'espoir sont constants et immuables. Il est très utile de savoir que toutes les sources d'espoir sont liées à la personnalité, mais il faut savoir que les traits de personnalité ne déterminent pas entièrement nos comportements; ils ne sont que le point de départ de la croissance et du développement personnels. Même les gens dont la configuration de traits n'est pas favorable à l'espoir peuvent accroître leur niveau initial d'espoir grâce à un engagement dans des objectifs importants et dans des activités significatives, grâce aussi à des expériences positives, à des réussites, à l'apprentissage de manières d'atteindre leurs objectifs, etc.

Les clés

→ **Il existe des différences individuelles dans la capacité des gens à croire que leurs objectifs personnels sont réalisables.**

→ **L'espoir est plus fort chez les gens qui ont de faibles niveaux de névrosisme et de hauts niveaux d'extraversion et de conscience.**

→ **Bien que les traits de personnalité soient partiellement héréditaires, les niveaux d'espoir personnel ne sont pas constants et immuables, car tout le monde peut accroître son niveau initial d'espoir, en particulier par un engagement dans des objectifs significatifs.**

Peter Halama est psychologue en recherche à l'Institut de psychologie expérimentale de l'Académie slovaque des sciences, à Bratislava (Slovaquie). Il est aussi professeur associé à l'Université de Trnava, en Slovaquie, où il donne des cours de psychologie de la personnalité. Ses recherches et ses publications portent surtout sur la manière dont la personnalité est liée à un fonctionnement humain optimal, et mettent l'accent sur les phénomènes spécifiquement humains que sont l'espoir, le sens dans la vie, l'expérience religieuse, etc. Conscient de ses limites personnelles, il place son espoir dans deux choses: dans sa croyance que le monde n'est pas le fruit du hasard, mais qu'il a un sens supérieur valant la peine d'être cherché et accompli, et dans le fait que certaines personnes l'impliquent dans des relations intimes profondes et mutuellement satisfaisantes.

«L'espoir naît par le biais de liens significatifs avec d'autres gens.»

Ouvrir des horizons

«L'espoir existe dans une relation positive entre le présent et l'avenir. Mais ce n'est pas tout», nous dit la professeure **Pamela R. McCarroll**. Sa nouvelle définition de l'espoir offre un prisme à travers lequel interpréter la présence de l'espoir tel qu'il existe dans la vie. C'est une ouverture des horizons.

Où puisez-vous de l'espoir? Les réponses à cette question comportent souvent des noms de personnes, des expériences étonnantes et merveilleuses ou une relation spirituelle avec le transcendant. Ces réponses remettent en question la définition la plus courante de l'espoir dans l'ère moderne, qui met l'accent sur le temps – l'expérience du présent en relation avec une attente désirée pour l'avenir. Dans ce cas, l'espoir existe en fonction du degré d'alignement du présent avec l'avenir désiré. Même si les recherches confirment l'hypothèse que l'espoir existe dans une relation positive entre le présent et l'avenir, de nombreuses autres relations incarnent, manifestent et stimulent l'espoir.

Plusieurs recherches montrent que, étant donné la multitude d'expériences d'espoir que peuvent vivre les gens, la meilleure définition de l'espoir est plus descriptive que prescriptive. **L'espoir est une ouverture des horizons du sens et de la participation, en relation avec d'autres êtres – humains et non humains –, avec le temps ou avec le transcendant.**

Recadrage

Examinons de près cette définition. Tout d'abord, l'espoir en tant qu'«ouverture des horizons du sens et de la participation» indique un élargissement du contexte d'interprétation dans lequel nous lisons les phénomènes, notamment l'expérience de soi-même en relation. Cette définition suggère l'ouverture d'un espace, un élargissement de perspective. De plus, le mot *ouverture* reflète un recadrage dans un contexte plus large, la découverte d'un panorama non encore perçu auparavant. Ce recadrage, ce glissement, **ce changement, cette ouverture de perspective est un élément fondamental de l'expérience d'espoir.**

Ensuite, cette définition met l'accent sur «le sens et la participation». La manière dont nous lisons les données de vie et dont nous nous interprétons nous-mêmes, en relation avec ces données et avec l'ensemble plus large, est une question fondamentale liée à l'espoir. L'accent placé sur le «sens» ne privilégie pas un processus cognitif, bien qu'il puisse l'inclure. **L'accent placé sur le sens en tant qu'horizon reflète le fait que la position que nous adoptons détermine notre perception et notre interprétation de la vie.** Notre position influence l'horizon de sens accessible à la perception. L'accent placé sur la «participation» est lié au sens et pourrait être inclus dans son champ. Cependant, la notion d'«horizon de participation» attire l'attention sur les différentes manières dont le sens s'incarne dans les diverses relations auxquelles nous participons. **L'accent placé sur la participation reflète la manière dont notre espoir est lié à notre prise de conscience de faire partie d'un ensemble plus large**, d'y être rattachés et engagés, et d'être en lien avec ces éléments dont nous faisons nous-mêmes partie, mais que nous voyons maintenant d'un œil nouveau.

Finalement, la définition descriptive englobe sa conception moderne, c'est-à-dire la relation entre le présent et l'avenir, mais elle ne se limite pas à cela. Bien plus, elle suggère que **l'expérience de l'espoir pourrait en fait transformer notre rapport à l'avenir comme une conséquence de cet espoir, mais pas nécessairement comme sa source.**

À travers un prisme

Il serait plus exact de dire que cette définition descriptive offre un prisme à travers lequel interpréter la présence de l'espoir tel qu'il existe, et discerner des moyens de stimuler l'espoir et de le nourrir. L'espoir naît d'un sens accru de l'agentivité et de la responsabilité pour réaliser des objectifs futurs. Il naît par le biais de liens significatifs avec d'autres gens et au sein de communautés où règnent la confiance, la compréhension et la réciprocité.

Il émerge lorsque nous éprouvons un sentiment d'appartenance à une communauté à l'aide de récits et d'échanges de points de vue. **L'espoir naît lorsque des récits de traumatismes sont partagés par la parole**, lorsque le sens s'ouvre de façon cathartique et que l'avenir apparaît. Il naît en relation avec notre prise de conscience émerveillée de notre participation au sein de l'interconnectivité de toutes choses. Il émerge d'expériences transcendantes vécues par des pratiques spirituelles, d'actes de justice et de charité, lorsque nous voyons le monde par les yeux de la compassion. Tous ces exemples d'émergence de l'espoir montrent comment des horizons de sens et de participation peuvent s'ouvrir en relation avec le temps, avec les autres êtres – humains et non humains – et avec le transcendant.

Les recherches révèlent la multiplicité des manières dont nous éprouvons de l'espoir. Elles nous incitent à accorder plus d'attention à la présence de l'espoir et aux possibilités qu'il nous offre au quotidien. Elles nous invitent à développer des pratiques intentionnelles pour nourrir l'espoir et nous ouvrir à notre interconnectivité et à l'ensemble plus large dans lequel «nous vivons, nous nous mouvons et nous avons notre être».

Les clés

- → **L'espoir existe dans une relation positive entre le présent et l'avenir, mais de nombreuses autres relations incarnent, manifestent et stimulent l'espoir.**
- → **L'espoir est une ouverture d'horizons du sens et de la participation, en relation avec d'autres êtres – humains et non humains –, avec le temps ou avec le transcendant. Cette définition descriptive offre un prisme à travers lequel interpréter la présence de l'espoir tel qu'il existe dans la vie et discerner des moyens de stimuler l'espoir et de le nourrir.**

Pamela R. McCarroll est professeure associée de théologie pastorale et directrice de la formation théologique au Knox College de l'Université de Toronto (Canada). Elle est superviseure pédagogique certifiée à l'Association canadienne des soins spirituels (CASC). Ses travaux récents sur l'espoir comprennent *At the End of Hope – The Beginning: Narratives of Hope in the Face of Trauma and Death*. Elle s'intéresse en particulier à la découverte des dons de la nature et de la culture à Toronto et dans sa région. Elle dit que l'espoir surgit dans des moments d'émerveillement et de gratitude devant la beauté, à travers la musique, la création et les autres gens, ainsi que dans des récits où résilience et espoir se cachent au cœur de l'adversité.

«L'espoir pousse les gens vers le bonheur.»

L'espoir et le bonheur: deux frères jumeaux

«Je suis persuadée que mes plus grandes réussites dans la vie et la raison pour laquelle un grand nombre de mes rêves se réalisent sont attribuables à cette petite voix intérieure obstinée qu'on appelle l'espoir et qui murmure: "Tu peux le faire, essaye encore une fois", dit la professeure **Nicole Fuentes**. L'espoir est mon "aiguillon" personnel et il a un effet secondaire très agréable qu'on appelle le bonheur.»

Les recherches sur le bonheur que j'ai menées au Mexique m'ont appris que le bonheur et l'espoir sont des frères jumeaux: ils arrivent ensemble et ils ont beaucoup de choses en commun. En psychologie positive, le bonheur se définit comme le degré auquel une personne évalue de manière positive la qualité générale de sa vie actuelle. Autrement dit, à quel point cette personne aime la vie qu'elle mène. L'espoir, par ailleurs, est le désir d'obtenir quelque chose de bon ou de réaliser un objectif, accompagné de l'expectative confiante de réussir, mais c'est aussi une feuille de route. Le bonheur et l'espoir sont deux attitudes positives face à la vie: notre vie actuelle et notre vie future.

Des études menées dans le monde entier montrent que les gens qui ont de grands espoirs sont plus heureux et présentent de plus hauts niveaux de bien-être général: tels des frères jumeaux, l'espoir et le bonheur arrivent ensemble. Les personnes qui ont de grands espoirs croient en toute confiance qu'elles obtiendront ce qu'elles désirent et qu'elles seront dans une position relativement meilleure. Elles visualisent des scénarios positifs dans lesquels

elles voient leurs difficultés et leurs problèmes comme déjà résolus. Nous sommes plus heureux quand nous aimons la vie que nous menons et quand nous avons confiance en notre capacité de créer un meilleur avenir. L'espoir et le bonheur ont beaucoup de choses en commun. En voici quatre.

1. **Le bonheur et l'espoir sont liés à de puissants résultats positifs.** Les gens heureux qui ont de grands espoirs sont en meilleure santé, ont un système immunitaire plus fort, sont plus tolérants à la douleur et moins sujets à la dépression et à l'anxiété. Le bonheur et l'espoir sont liés à de meilleurs résultats à l'école et au travail, en particulier dans les emplois motivants. Les gens heureux qui ont de grands espoirs sont de meilleurs athlètes, ont des relations plus satisfaisantes, se fixent des objectifs et trouvent les moyens et la motivation pour les réaliser. Ils s'engagent activement dans la vie. Les gens qui ont de grands espoirs sont plus heureux que les gens qui ont des espoirs moindres.
2. **L'espoir et le bonheur sont contagieux.** Le bonheur et l'espoir ont des retombées positives. Nous sommes tous interconnectés et, selon certaines recherches, nos chances d'être heureux augmentent de 15 % lorsqu'une personne de notre réseau est heureuse.

De fréquents contacts sociaux avec des gens heureux qui ont de grands espoirs augmentent nos chances de nous sentir heureux et optimistes. Le bonheur est comme un virus bénin qui se communique facilement d'une personne heureuse à une autre. Il en est de même pour l'espoir. Nous nous sentons plus heureux et plus optimistes quand nous partageons l'espace avec des gens heureux qui ont de grands espoirs.

3. L'espoir et le bonheur peuvent s'apprendre. Des recherches en psychologie positive ont conclu que jusqu'à 40 % de notre bonheur réside dans notre capacité de contrôle. Nous pouvons accroître notre bonheur par des actions quotidiennes intentionnelles. Selon Martin E.P. Seligman, l'espoir, tout comme l'optimisme, est un mode de pensée qui peut s'apprendre. L'espoir implique des comportements et des processus de pensée que nous acquérons par socialisation. Les gens qui nous entourent peuvent nous apprendre qu'il y a toujours de l'espoir, même quand les choses échappent à notre contrôle et que le scénario n'est pas très optimiste.

4. L'espoir et le bonheur mènent à la réalisation d'objectifs. L'un des ingrédients clés du bonheur est d'avoir un clair objectif de vie et de prendre l'engagement de réaliser ses objectifs personnels. Les gens heureux ont la capacité de visualiser leurs objectifs et la volonté de les réaliser. L'espoir est leur principal instrument. L'espoir est au cœur de chaque rêve, de chaque désir, de chaque aspiration et de chaque nouvelle aventure. L'espoir est là où tout commence; il nous encourage doucement à faire le premier pas et à tenir le coup, car il est tenace. Et c'est sur la voie de la réalisation de nos rêves que se trouve le bonheur. L'espoir pousse les gens vers le bonheur.

Les clés

→ **L'espoir et le bonheur sont deux attitudes positives puissantes face à la vie.**

→ **Puisque nous sommes tous interconnectés, l'espoir et le bonheur ont des retombées positives contagieuses.**

→ **Nous pouvons apprendre à être plus heureux et plus optimistes, à nous fixer des objectifs dans la vie et à les réaliser.**

Nicole Fuentes est professeure adjointe au Département d'économie de l'Université de Monterrey (Mexique). Ses recherches portent sur la relation entre le bien-être économique, le bien-être psychologique et le bonheur. Elle a développé un programme intitulé *Tools for Happiness* et travaille actuellement avec des enfants afin de les aider à acquérir des habitudes et à prendre des mesures permettant d'augmenter leur bonheur quotidien. Elle espère pouvoir partager ses connaissances sur le bonheur et contribuer de manière positive à la vie des gens qui l'entourent. Elle a une passion pour la photographie et elle espère vivre jusqu'à cent ans parce qu'il y a tant de choses à faire.

«Les esprits optimistes sont des esprits heureux.»

La peur de l'avenir

«La manière – positive ou négative – dont nous considérons l'avenir a une nette incidence sur notre satisfaction dans notre vie actuelle», dit **Alan Piper**. Il a publié des articles sur la peur de l'avenir. Les gens qui craignent l'avenir sont moins satisfaits de leur vie actuelle.

Notre satisfaction dans notre vie actuelle est influencée par nos pensées sur l'avenir. L'espoir contribue grandement à notre satisfaction dans la vie. Des recherches récentes démontrent que cette incidence est forte: pas aussi forte qu'une excellente santé physique, mais **presque deux à trois fois plus forte que le mariage.** Cet effet est mesurable. Être optimiste quant à l'avenir devrait être un objectif pour toute personne qui cherche la satisfaction dans la vie.

Par contre, avoir peur ou être pessimiste pour l'avenir est lié à de faibles niveaux de satisfaction dans la vie actuelle. **Le chômage est bien connu pour contribuer de manière négative à la satisfaction dans la vie, mais l'incidence du pessimisme pour l'avenir sur la satisfaction dans la vie est encore plus forte.** Nous devons être très prudents quant à nos pensées au sujet de l'avenir: l'optimisme accroît notre satisfaction dans la vie, alors que la peur la réduit.

Ignorer l'avenir

Il y a quelque 2000 ans, le philosophe stoïcien Sénèque affirmait: «Malheureux l'esprit anxieux de l'avenir.» Nos recherches récentes effectuées à l'aide de techniques quantitatives modernes fournissent des preuves que Sénèque avait raison, mais aussi une preuve quantitative de l'inverse: heureux l'esprit optimiste pour l'avenir. Si la satisfaction dans la vie est un de nos objectifs, nous devrions chercher ou cultiver l'espoir pour l'avenir, indépendamment de notre personnalité et des circonstances dans lesquelles nous nous trouvons. Nous avons obtenu cette preuve par des méthodes qui rendent compte des différentes personnalités et dispositions des gens. De plus, les méthodes modernes utilisées permettent de prendre en considération la possibilité que notre manière de percevoir l'avenir et notre satisfaction dans la vie soient interdépendantes (*endogènes* est le terme technique), ce qui était difficile à évaluer avec les anciennes méthodes.

Des recherches connexes montrent que notre situation actuelle (mariage, statut professionnel, santé) contribue beaucoup à notre satisfaction dans la vie présente, et que notre satisfaction dans la vie est dans une grande mesure ponctuelle. De même, nos pensées actuelles sur l'avenir sont importantes pour notre satisfaction dans la vie présente. **Pour renforcer notre satisfaction dans notre vie personnelle, nous devrions mettre l'accent sur les aspects positifs de l'avenir et tenter de les concrétiser pour nous-mêmes et pour les autres.** Notre vie actuelle est importante, et cette pensée au sujet de l'avenir ne doit pas simplement être considérée comme une manière d'échapper au présent. Ce point est essentiel: nos espoirs et nos craintes pour l'avenir sont importants pour notre vie présente. Ces recherches ne sous-entendent pas que nous devrions nous efforcer d'ignorer l'avenir. Toutefois, pour notre satisfaction dans la vie présente, mieux vaut ignorer l'avenir et essayer de ne pas y penser – si nous y arrivons! – que d'être pessimistes. Le mieux est de penser à l'avenir avec espoir.

Le processus de pensée

Ces résultats concernant l'importance de nos pensées au sujet de l'avenir pour notre satisfaction dans la vie appuient des arguments en faveur de plus grandes ressources pour mieux comprendre la santé mentale et aider un plus grand nombre de gens à jouir d'une meilleure santé mentale. Certains aspects de la recherche et de la pratique, par exemple la thérapie cognitive comportementale, tentent de comprendre les pensées et le processus de pensée, et d'**aider les gens à mieux maîtriser leurs pensées et à ne pas se laisser enfermer dans une spirale de pensées négatives.** La méditation, par exemple, nous aide à renforcer la compréhension de nos pensées. Cette compréhension et cette prise de conscience accroissent notre maîtrise. Ce qui nous aide à renforcer nos modèles de pensée peut nous aider à penser à l'avenir avec plus d'optimisme, et donc à jouir d'une plus grande satisfaction dans notre vie présente.

Les clés

- → **L'optimisme renforce notre satisfaction dans la vie, alors que la peur réduit notre satisfaction dans notre vie présente.**
- → **Si la satisfaction dans la vie est un de nos objectifs, nous devrions chercher ou cultiver l'espoir pour l'avenir, indépendamment de notre personnalité et des circonstances dans lesquelles nous nous trouvons.**
- → **Pour notre satisfaction dans notre vie présente, mieux vaut ignorer l'avenir et essayer de ne pas y penser – si nous y arrivons! – qu'être pessimistes pour l'avenir. Le mieux est de penser à l'avenir avec espoir.**

Alan Piper est titulaire d'un doctorat de l'Université de Staffordshire (Royaume-Uni) où il a occupé un poste, avant d'aller travailler à l'Université de Flensbourg (Allemagne). Son principal domaine de recherche est l'économie de la satisfaction dans la vie. Il s'intéresse au cerveau, à la créativité, au bonheur, à l'immigration, à la santé mentale, au poker, au sport et au travail. Conscient de l'importance de l'espoir en l'avenir pour notre satisfaction dans la vie présente, il se réjouit de lire les autres chapitres du présent ouvrage et d'y découvrir de nouvelles connaissances.

«Espérer, c'est écouter la mélodie de l'avenir.»

Apprendre à espérer

«Il est possible et même souhaitable d'apprendre à espérer, dit le professeur **Ahmed M. Abdel-Khalek**. Il est important de prendre conscience du rôle central que jouent le contrôle, la maîtrise, l'autonomie et l'orientation optimiste dans notre vie. Pour développer l'espoir, nous devons apprendre de nouvelles manières d'envisager notre efficacité et le contrôle de notre destin.»

La psychologie est l'étude scientifique des comportements et des processus mentaux. La psychologie a un long passé (plus de 2000 ans), mais une courte histoire (depuis 1879). Durant la majeure partie de son premier siècle d'existence, la psychologie portait exclusivement sur la pathologie, la souffrance et les émotions négatives – sur leur soulagement, leur traitement et leur amélioration. Les psychologues du premier siècle de cette importante discipline scientifique se penchaient sur la réparation de dommages dans le cadre d'un modèle pathologique. Il y a quelques dizaines d'années, les psychologues ont cherché ce qui rendait les gens heureux, normaux et épanouis au quotidien, avec les hauts et les bas habituels.

Des gens forts

La fin du 20e siècle a vu naître un puissant mouvement de psychologie positive. Son objectif était de susciter un changement d'optique: la psychologie ne devait plus se préoccuper uniquement du traitement ou du soulagement des troubles, des symptômes et des syndromes, mais aussi de la construction de qualités positives. La psychologie positive est l'étude des conditions et des processus qui contribuent à l'épanouissement des gens ou au fonctionnement optimal des groupes et des institutions. C'est l'étude scientifique des forces de caractère et des vertus humaines ordinaires. Comme le souligne Seligman, le domaine de **la psychologie positive porte sur de précieuses expériences subjectives : le bien-être, le contentement et la satisfaction (dans le passé) ; l'espoir et l'optimisme (pour l'avenir) ; l'expérience optimale (ou *flow*) et le bonheur (au présent).** Il porte aussi sur la gratitude, le pardon, la foi religieuse et la spiritualité. Dans l'ensemble, la psychologie positive nous indique comment rendre les gens forts et résilients.

L'espoir est un des principaux concepts de psychologie positive. Il constitue une attente générale, relativement stable, pour l'avenir. Il implique des processus cognitifs axés sur les objectifs, opérant en vue de précieux résultats perçus. L'espoir est en grande partie un trait cognitif. Il peut être un état, un trait ou une approche générique des événements de la vie.

Les motivations

Le professeur Snyder et ses collègues ont introduit une théorie de l'espoir qui a suscité un vif intérêt dans la documentation en psychologie. Ils ont défini **l'espoir comme un ensemble cognitif orienté vers des objectifs, comportant deux composantes étroitement liées: la «pensée trajectoire» et la «pensée agentivité».** La pensée trajectoire est la capacité perçue de générer des trajectoires efficaces pour réaliser les objectifs désirés. La pensée agentivité est la motivation perçue pour utiliser ces trajectoires afin d'entreprendre et de soutenir un mouvement vers la réalisation des objectifs désirés. Ils ont donc défini l'espoir comme un état motivationnel positif, basé sur une interaction entre agentivité (énergie orientée vers les objectifs) et trajectoire (planification pour atteindre les objectifs). La pensée trajectoire et la pensée agentivité interagissent, se renforçant mutuellement tout au long de la poursuite des objectifs. Ces deux composantes de la pensée optimiste sont des concepts distincts. Toutes deux sont nécessaires, mais aucune n'est suffisante à elle seule.

Le professeur Scioli et ses collègues ont conçu **une approche intégrative de l'espoir, qui met l'accent sur les motivations ayant trait à la maîtrise, à l'attachement, à la survie et aux croyances spirituelles.** Une étude transculturelle basée sur cette approche a montré que les participants arabes avaient un plus grand espoir spiritualisé, alors que les Américains avaient un plus grand espoir non spiritualisé.

La résilience

Des recherches ont identifié plusieurs corrélats de l'espoir. Pour citer quelques exemples, l'espoir et l'optimisme sont des concepts étroitement liés, mais non redondants. L'optimisme se définit comme une tendance stable à croire que les bonnes choses arriveront et non les mauvaises. L'autoefficacité est liée aussi à l'espoir. L'autoefficacité est la croyance dans sa propre capacité à manifester des comportements particuliers. L'espoir est un concept lié à la satisfaction dans la vie. D'autres corrélats de l'espoir sont l'adaptation psychologique, l'estime de soi, l'acceptation sociale et l'apparence physique. En résumé, l'espoir nourrit le bien-être subjectif et construit la résilience psychologique.

La foi religieuse est un facteur clé du bien-être et de l'espoir dans la vie de beaucoup de gens, en particulier chez les personnes âgées et très âgées. La foi religieuse offre l'espoir que tout finira bien. Comme l'affirmait le professeur Myers, l'engagement religieux et spirituel propose des réponses à certaines des questions les plus fondamentales et favorise une appréciation plus optimiste des événements de la vie. De plus, un sentiment d'espoir émerge lorsque nous sommes confrontés à la terreur résultant de la conscience de notre vulnérabilité et de notre mort. Comme l'a dit Rubem Alves: «Espérer, c'est écouter la mélodie de l'avenir; croire, c'est danser sur elle.» Nombreuses sont les personnes dans le monde qui puisent une bonne part de leur espoir de leurs croyances religieuses et spirituelles.

L'orientation

Il est possible et souhaitable d'apprendre à espérer. Il est important de prendre conscience du rôle central que jouent le contrôle, la maîtrise, l'autonomie et l'orientation optimiste dans la vie. Un manque de contrôle risque de créer une tendance à tout expliquer avec pessimisme, et donc de conduire à la dépression et à d'autres maladies. Pour développer l'espoir, nous devons apprendre de nouvelles manières d'envisager notre efficacité et le contrôle de notre destin. L'apprentissage de l'espoir est basé sur un déplacement de l'accent mis sur le négatif vers le positif. **C'est la voie royale pour faire naître l'espoir chez les enfants et pour l'inculquer à chacun.** Il est essentiel dans ce contexte de garder à l'esprit qu'il est difficile de changer le monde. Il est certainement plus facile de modifier notre manière de penser, notamment en renforçant l'espoir dans les deux grandes facettes de la vie humaine que sont le travail et l'amour.

Les clés

- → **La psychologie positive nous indique comment faire pour rendre les gens forts et résilients. L'espoir est un des principaux concepts de la psychologie positive.**
- → **L'espoir nourrit le bien-être et construit la résilience psychologique.**
- → **Il est possible et souhaitable d'apprendre à espérer. Il est important de prendre conscience du rôle central que jouent le contrôle, la maîtrise, l'autonomie et l'orientation optimiste dans notre vie.**

Ahmed M. Abdel-Khalek est égyptien. Il est professeur de psychologie à l'Université d'Alexandrie (Égypte). Il a publié plus de 23 ouvrages en arabe et plus de 300 articles scientifiques en arabe et en anglais. Ses recherches portent sur la structure de la personnalité et son évaluation, les comparaisons transculturelles, les attitudes face à la mort, les dépressions infantiles et les troubles du sommeil. Ces dernières décennies, il s'est intéressé à l'optimisme, à l'amour de la vie, au bonheur et à l'espoir.

« Instiller de l'espoir est un objectif universel de toute psychothérapie. »

Reconquérir l'espoir

Un trouble de stress post-traumatique a été diagnostiqué chez près de 20 % des 2,6 millions de vétérans américains ayant servi en Irak et dans d'autres pays en guerre, ce qui représente une hausse de 656 % (!) par rapport à 2001. Le professeur **Rich Gilman** et son équipe effectuent l'une des premières études longitudinales sur le rôle de l'espoir dans le processus de guérison. Lorsque l'espoir semble avoir disparu, sa reconquête est essentielle pour une adaptation positive et pour la santé.

Mon travail avec des gens souffrant d'expériences très négatives m'a fait comprendre que la principale raison d'entrer en psychothérapie est l'espoir sincère que leur vie s'améliorera. Les progrès que ces personnes réalisent grâce à la thérapie soulignent l'importance de l'espoir en tant que facteur crucial de croissance personnelle et de guérison.

Nombreuses sont les histoires de gens qui ont survécu aux événements les plus horribles (p. ex. des individus qui ont été pris en otage ou faits prisonniers de guerre). Des entretiens de suivi avec ces personnes montrent souvent que leur espoir d'une issue positive a été la principale raison de leur survie. Inversement, nombreux sont les récits historiques de personnes qui, dans des situations similaires, ont perdu tout espoir en l'avenir, ce qui a rapidement conduit à une détérioration de leur santé et à leur trépas. Au-delà de ces circonstances extrêmes, **des millions de gens éprouvent, et ce pour une multitude de raisons, un profond sentiment de désespoir en l'avenir**, et cette prise de conscience est leur principale motivation pour entrer en thérapie.

Les vétérans

Des décennies de recherche ont montré que la psychothérapie permet de traiter efficacement certains symptômes. Cependant, ce qui est moins clair, c'est **la manière dont l'espoir joue un rôle dans les résultats thérapeutiques.** La plupart des études sur ces résultats portent sur les symptômes, sans s'intéresser aux processus dynamiques qui expliquent les améliorations obtenues. L'étude des processus qui expliquent pourquoi et comment les thérapies fonctionnent est la prochaine étape des recherches sur la psychothérapie.

Nous avons examiné récemment le rôle de l'espoir, en tant que principal facilitateur des résultats thérapeutiques, chez des vétérans souffrant d'un trouble de stress post-traumatique (TSPT). Si nous avons choisi ce groupe particulier, c'est parce qu'un TSPT a été diagnostiqué chez près de 20 % des 2,6 millions de vétérans américains ayant participé aux opérations Enduring Freedom et Iraqi Freedom (OEF/OIF), ce qui représente une hausse de 656 % par rapport à 2001. De plus, les niveaux de TSPT chez les vétérans sont quatre fois plus élevés que dans l'ensemble de la population américaine. Pour finir, **les vétérans souffrant de TSPT se disent souvent paralysés dans leurs tentatives de réaliser leurs objectifs de vie** (carrière, relations, etc.) et considèrent que leur espoir en l'avenir est assombri, sinon inexistant.

La guérison

Bien que nos études soient toujours en cours, nous avons rassemblé à ce jour les données de plusieurs centaines de participants bénéficiant de services en consultation externe ou interne au sein de leur unité locale d'administration des vétérans. Nous avons examiné des traitements basés sur des techniques cognitives comportementales, qui **incitent les vétérans à trouver des explications alternatives à leur traumatisme** afin de générer des perceptions plus saines et plus précises des événements vécus. Une fois que ces perceptions sont modifiées, le vétéran développe des comportements d'adaptation plus appropriés pour soulager sa détresse intime. Il faut bien noter qu'aucun de ces traitements ne vise directement l'espoir en soi; il faut donc considérer l'espoir comme un mécanisme non spécifique de changement pour expliquer comment fonctionnent les psychothérapies. Pour évaluer l'espoir des vétérans tout au long de la psychothérapie, nos études utilisent à la fois des échelles de détresse mentale (notamment pour le TSPT) et la célèbre *Échelle d'espoir*.

Nos conclusions sont les suivantes:

1. Il n'y avait pas de changement dans les niveaux d'espoir entre le début et le milieu de la thérapie. Les niveaux d'espoir ne commençaient à s'accroître nettement qu'à partir du milieu du traitement. **Les changements se produisaient lorsque le vétéran développait**

des stratégies d'adaptation compensatoires pour surmonter ses difficultés et construire sa confiance en sa capacité à les surmonter.

2. Le changement dans les niveaux d'espoir (entre le milieu et la fin du traitement) était un élément prédictif d'une réduction des symptômes de TSPT ou de dépression entre le milieu du traitement et le post-traitement, et non l'inverse. **L'espoir est un facteur indispensable de la réduction des symptômes de TSPT et non pas seulement un produit secondaire du processus.** Autrement dit, il n'y avait pas d'amélioration des symptômes tant que le vétéran n'avait pas retrouvé un peu d'espoir en l'avenir.

3. Ces conclusions étaient valables **indépendamment du sexe de la personne, de son milieu culturel, de son statut socioéconomique** ou de la gravité initiale des symptômes de stress post-traumatique.

Nos travaux sont une des premières études longitudinales sur le rôle que joue l'espoir dans la guérison de troubles psychiques. Nos conclusions font écho à celles d'éminents chercheurs cliniques, tels qu'Irvin Yalom, qui affirmaient qu'instiller de l'espoir est un objectif universel de toute thérapie. Bien qu'il reste encore beaucoup de travail à faire dans ce domaine (notamment sur la mesure dans laquelle nos conclusions s'étendent à d'autres conditions de santé), notre étude montre déjà à quel point, quand tout espoir semble perdu, sa reconquête est essentielle pour une adaptation positive et pour la santé.

Les clés

- → **En psychothérapie, les changements se produisent quand la personne développe des stratégies d'adaptation compensatoires pour surmonter ses difficultés et reconstruire sa confiance en sa capacité à les surmonter.**
- → **L'espoir est un facteur indispensable de la réduction des symptômes de trouble de stress post-traumatique, et non pas seulement un produit secondaire du processus.**
- → **Quand tout espoir semble perdu, sa reconquête est essentielle pour une adaptation positive et pour la santé.**

Rich Gilman est professeur au Département de pédiatrie générale de l'école de médecine de l'Université de Cincinnati (États-Unis). Il est également directeur de l'unité Services et formation cliniques au Centre de recherche sur le stress de l'Université de Cincinnati, et psychologue agréé au Children's Hospital Medical Center de Cincinnati. L'Association américaine de psychologie et la Société internationale des études sur la qualité de la vie ont reconnu l'importance de ses recherches sur le développement de la qualité de vie tout au long de la vie. « Pour moi, ce qui symbolise l'espoir, c'est de voir la guérison de gens qui ont vécu des expériences très négatives.. L'idée qu'il est possible de retrouver une bonne image de soi – et de s'épanouir – après un événement traumatisant est un rappel de la puissance de l'esprit humain. »

«L'espoir reflète la confiance en l'Autre.»

La marche du temps

«Nous connaissons tous ce proverbe: l'espoir fait vivre. Cette expression quelque peu galvaudée est moins futile qu'on pourrait le croire, dit le professeur **Dirk De Wachter**. Au-delà de l'optimisme ordinaire, l'espoir est le fondement de notre existence solidaire. Il ne peut y avoir d'espoir que par la marche du temps.»

L'homme est sans doute le seul être pleinement conscient de sa finitude, et la mort est une fatalité inéluctable. La perspective de la mort nous condamne à donner un sens à notre vie, et l'espoir est une caractéristique inhérente à la condition humaine.

Cet espoir se manifeste dans la réalité quotidienne, comme une donnée banale, «petite», parfois mesquine. Pleins de confiance, de désir ou de crainte, nous attendons demain, en espérant que ce demain sera aussi bon ou même meilleur qu'aujourd'hui. **Cette attitude détermine notre existence et semble même constituer notre existence. En ce sens, nous ne pouvons pas vivre sans espoir.**

L'homme blessé

Pourtant, l'«espoir» est un terme pollué par des désirs utopiques, se traduisant parfois dans des chimères religieuses et politiques. De façon paradoxale, l'espoir est alors une damnation potentielle, et mène à la destruction et à la mort.

Le paradoxe est une caractéristique essentielle de la condition humaine. L'homme blessé, endommagé dans sa confiance, enténébré par les promesses de son avenir, cet homme s'accroche au salut amplifié et inextinguible qu'offrent les idéologies totalitaires.

Du point de vue psychologique, l'espoir est enraciné dans la confiance fondamentale, dans le parent qui est là, et qui sera toujours là, pour son enfant, dans une évidence utérine internalisée, permettant de résister, dans une certaine mesure, aux misères du monde.

Une nouvelle découverte

La conviction que quelqu'un sera toujours là pour nous venir en aide se reflète plus tard dans l'amour. L'espoir n'est pas en soi une caractéristique individuelle, mais une donnée relationnelle fondamentale: quelqu'un d'autre est là, et sera là, pour nous. L'espoir reflète la confiance en l'Autre.

L'espoir va au-delà des désirs possibles, au-delà des chemins prévisibles; il brave l'ordre prescrit. Dans le regard de l'Autre, dans la différence et dans l'altérité, l'espoir nous pousse à nous engager dans une action concrète, dans une activité créatrice. **L'espoir sous-tend notre profond désir de changement**, d'amélioration, de découverte et de pensées toujours nouvelles sur le monde et le cosmos.

Au-delà de l'optimisme ordinaire, au-delà de la pensée axée sur l'efficacité, dans un non-savoir fondamental et mystérieux, l'espoir est le fondement de notre existence solidaire.

Il ne peut y avoir d'espoir que par la marche du temps.

Les clés

→ **La perspective de la mort nous condamne à donner un sens à notre vie, et l'espoir est une caractéristique inhérente à la condition humaine.**
→ **L'espoir n'est pas en soi une caractéristique individuelle, mais une donnée relationnelle fondamentale: quelqu'un est là, et sera toujours là, pour nous.**
→ **Dans le regard de l'Autre, dans la différence et dans l'altérité, l'espoir nous pousse à nous engager dans une action concrète, dans une activité créatrice.**

Dirk De Wachter est professeur, psychiatre-psychothérapeute et chef du service de thérapie familiale systémique au Centre universitaire de psychiatrie de l'Université catholique de Louvain (Belgique). Il est formateur et superviseur en thérapie familiale dans plusieurs centres, en Belgique et dans d'autres pays. Il est l'auteur des succès de librairie *Borderline Times* et *Liefde, een onmogelijk verlangen*. Il trouve de l'espoir chez ses semblables, dans l'éternelle tendance à la sollicitude mutuelle, malgré les chagrins, les déboires, les privations et les crimes.

«Les gens qui ont peu d'espoir pour l'avenir sont enclins à vivre au jour le jour, avec de hauts niveaux de stress.»

L'espoir est la clé

«L'espoir est une dimension essentielle du bien-être et de la réussite dans la vie, dit la professeure **Carol Graham**, chef de file en matière de recherches sur le bonheur et la qualité de vie. L'espoir et l'optimisme pour l'avenir sont liés à de plus hauts niveaux de bien-être et de réussite à long terme.»

La nouvelle «science» qui mesure le bien-être humain nous fournit un instrument pour mieux comprendre ce bien-être et pour le renforcer. Le bien-être a deux dimensions bien distinctes. Le *bien-être évaluatif* se rapporte à la manière dont les gens considèrent leur vie dans son ensemble, notamment tout au long de son parcours, et à leur capacité à mener une vie qui a un sens et un but. Le *bien-être hédonique* tient à la manière dont les gens ressentent leur vie quotidienne et leurs états mentaux, tels que le bonheur au moment présent, le stress et l'anxiété. Les gens qui ont de plus hauts niveaux de bien-être évaluatif ont tendance à avoir une meilleure idée de leur avenir et une plus grande capacité à façonner cet avenir. Ils sont aussi plus enclins à différer des expériences quotidiennes positives pour investir dans l'avenir. **Les gens qui ont moins d'agentivité et moins de capacité à façonner leur avenir sont plus axés sur la dimension quotidienne du bien-être**, à la fois parce que leurs perspectives d'avenir sont beaucoup plus incertaines et parce qu'ils ont déjà assez de mal à faire face au quotidien.

Façonnez votre vie

L'espoir est une importante dimension du bien-être et de ses différents horizons temporels à long et à court terme. L'espoir et l'optimisme pour l'avenir sont liés à de hauts niveaux de bien-être et à une réussite à long terme. De nouvelles recherches, y compris les miennes, montrent que les gens qui ont des attitudes positives envers l'avenir ont de plus hauts niveaux de bien-être au moment présent et de meilleurs résultats dans l'avenir en matière de travail, de santé et de comportements sociaux. Cela tient en partie à une motivation intrinsèque et en partie à la capacité à avoir des horizons temporels et des objectifs à long terme. **Les gens qui ont des possibilités limitées comptent moins sur l'avenir**, à la fois parce qu'ils ont moins de moyens à investir dans l'avenir et parce qu'ils sont moins confiants que ces investissements seront rentables.

Ces gens ayant peu d'espoir en l'avenir, en raison soit de certains traits innés, soit de circonstances difficiles, voire les deux, sont plus enclins à vivre au jour le jour, avec un plus haut niveau de stress et une très faible capacité à faire des choix pour l'avenir, et à façonner le genre de vie qu'ils aimeraient mener. Les personnes qui ont la capacité nécessaire pour faire ces choix et pour investir dans l'avenir ont tendance à avoir une vie plus épanouie et aident leurs enfants à faire de même.

Les riches et les pauvres

Les écarts sont grands entre les chances des riches et celles des pauvres, et entre le genre de vie qu'ils mènent dans de nombreux pays du monde. Les États-Unis en sont un exemple de plus en plus frappant. Les écarts entre les niveaux de stress des riches et ceux des pauvres (le stress est beaucoup plus élevé chez les pauvres) et entre leurs attitudes envers la vie dans son ensemble (les scores sont beaucoup plus faibles chez les pauvres) sont beaucoup plus grands aux États-Unis qu'en Amérique latine, région connue de longue date pour ses hauts niveaux d'inégalité. Nos recherches sur le bien-être suggèrent que ces écarts risquent d'entraîner de grandes différences entre ces groupes de population. Les recherches sur le bien-être, notamment sur l'espoir et l'optimisme pour l'avenir, sont une manière de relever le défi collectif consistant à donner à tous les citoyens du monde – et non pas seulement à quelques privilégiés – la possibilité de mener une vie qui a un sens et un but.

Les clés

- → **Les gens qui ont de hauts niveaux de bien-être évaluatif ont tendance à avoir une meilleure idée de leur avenir et une plus grande capacité à façonner cet avenir.**
- → **Les gens qui ont des attitudes positives envers l'avenir ont de hauts niveaux de bien-être au moment présent et de meilleurs résultats dans l'avenir en matière de travail, de santé et de comportements sociaux.**
- → **Les recherches sur le bien-être, notamment sur l'espoir et l'optimisme pour l'avenir, sont une manière de relever le défi collectif consistant à donner à tous les citoyens du monde – et non seulement à quelques privilégiés – la possibilité de mener une vie qui a un sens et un but.**

Carol Graham est titulaire d'un doctorat de l'Université d'Oxford. Elle est chercheuse principale au sein du comité dirigé par Leo Pasvolsky à la Brookings Institution, et professeure au College Park de l'Université du Maryland (États-Unis). Elle a été vice-présidente de la Brookings Institution et conseillère spéciale du vice-président de la Banque interaméricaine de développement. Elle a écrit de nombreux articles et ouvrages – notamment *The Pursuit of Happiness: An Economy of Well-Being* et *Happiness Around the World: The Paradox of Happy Peasants and Miserable Millionaires*. En 2014, la Société internationale des études sur la qualité de vie l'a récompensée pour son importante contribution dans ce domaine. Ses trois enfants lui donnent beaucoup d'espoir et de bonheur – ainsi que la course à pied.

« Une porte se ferme… une autre s'ouvre. »

Les interventions optimistes

À l'Université de Zurich, **René Proyer** et ses collègues testent l'impact des interventions positives sur différents groupes de personnes. Ces interventions portent moins sur le ciblage des faiblesses que sur la découverte et la consolidation des forces. L'espoir est l'une d'elles.

Alors que je suis attaché principal d'enseignement et de recherche au Département de psychologie de l'Université de Zurich, la première chose qui me vient à l'esprit quand je pense à l'*espoir,* c'est… le soccer. Tout en adorant mon travail (que je considère comme une vocation), je me surprends à caresser l'espoir presque frivole que mon club gagnera le prochain match, sera qualifié pour les tournois internationaux et – surtout – terminera la saison avant l'« autre » club de ma ville. Malheureusement, la plupart des joueurs de mon équipe ne sont pas particulièrement doués et j'ai l'impression que l'espoir est une des rares choses sur lesquelles nous puissions compter. Cependant, l'espoir ne fait pas que calmer la surexcitation des passionnés de soccer.

Vingt-quatre forces

Dans le cadre universitaire, j'ai participé à plusieurs études sur l'efficacité de diverses *interventions de psychologie positive*. Ces interventions portaient plus sur la découverte et la consolidation des forces que sur le ciblage des faiblesses. Il apparaît de plus en plus clairement (entre autres, grâce aux méta-analyses) que certaines forces sont efficaces pour accroître le bien-être subjectif et réduire la dépression. Des études montrent que ces effets semblent durables même sur de longues périodes de temps.

L'espoir paraît jouer un rôle important, ici aussi. Avec mes collègues Willibald Ruch, Fabian Gander et Sara Wellenzohn, je suis responsable d'un grand projet sur les interventions positives (projet financé par le Fonds national suisse de la recherche scientifique). Dans une de nos études, nous avons vérifié si un programme ciblant certaines forces de caractère du classement *Valeur en actions* (VEA), de Peterson et Seligman, était efficace pour accroître la satisfaction dans la vie de nos participants – c'est-à-dire la composante cognitive du bien-être subjectif. Le questionnaire utilisé pour évaluer les vingt-quatre forces de caractère du classement VEA a montré de manière systématique que toutes ces forces sont positivement liées à la satisfaction dans la vie, mais aussi que **la gratitude, la curiosité, l'amour, l'enthousiasme et l'*espoir* sont les forces les plus liées à la satisfaction dans la vie.** C'est ce qui ressort de nombreuses études utilisant différentes méthodes d'évaluation et différents échantillons.

Déplacer l'attention

Dans une de nos dernières études, nous avons cherché à savoir si un programme ciblant ces cinq forces les plus corrélées (sauf l'intervention *amour* qui a été remplacée par *humour*) donnerait des effets plus marqués sur la satisfaction dans la vie qu'un programme ciblant des interventions sur des forces faiblement (ou plus faiblement) corrélées, c'est-à-dire l'appréciation de la beauté et de l'excellence, la créativité, la gentillesse, l'amour d'apprendre et la perspective. Les résultats montrent qu'il y avait une augmentation de la satisfaction du groupe qui activait les forces les plus corrélées, mais aussi que les participants tiraient bénéfice à activer les autres forces. Ce qui est intéressant ici, c'est que **l'espoir (dans les mesures pré-test et post-test) augmentait dans le groupe qui avait activé les forces faiblement corrélées.** Il s'agit peut-être là d'un effet secondaire de la participation à l'intervention, ou du fait qu'un mécanisme opérationnel des autres interventions avait activé l'espoir chez les participants – par exemple en déplaçant leur attention sur des aspects plus positifs de l'avenir ou du passé. Dans une autre étude, nous avons utilisé une formule d'autoévaluation en ligne, dans laquelle les participants devaient décrire un événement négatif de leur vie («une porte se ferme...») ayant eu une conséquence positive inattendue («... une autre s'ouvre»). Les résultats montrent que leur bonheur augmentait pendant une période allant jusqu'à trois mois après la fin de l'intervention.

La gaieté sérieuse

Mon travail dans le domaine de la psychologie positive en général, et des interventions de psychologie positive en particulier, a encore accru ma conscience que l'espoir était un important facteur de bien-être. **Développer l'espoir comme une habitude – comme une vision positive du monde – semble être une bonne voie vers un bien-être durable.** Cela va dans le sens de ce que le théologien autrichien Karl Rahner avait en tête lorsqu'il a créé le néologisme allemand *Ernstheiterkeit* (gaieté sérieuse), pour désigner la vision du monde qu'il jugeait préférable – c'est-à-dire être capable de sourire sous les larmes, mais aussi de percevoir le sérieux dans toute gaieté terrestre. Cette attitude aide au moins à accepter les pertes au soccer...

Les clés

- **Les interventions positives portant sur la découverte et la consolidation des forces sont efficaces pour accroître le bien-être subjectif et réduire la dépression. L'espoir est un important facteur de bien-être.**
- **Décrire un événement négatif ayant eu une conséquence positive inattendue augmente notre bonheur pour une période allant jusqu'à trois mois.**
- **La gaieté sérieuse est une vision du monde à privilégier: être capable de sourire sous les larmes, mais aussi de percevoir le sérieux dans toute gaieté terrestre.**

René Proyer est attaché principal d'enseignement et de recherche à la Division personnalité et évaluation du Département de psychologie de l'Université de Zurich (Suisse). Il a obtenu sa maîtrise en psychologie à l'Université de Vienne (Autriche) et son doctorat à l'Université de Zurich. Ses domaines de recherche sont le caractère joueur des adultes, les interventions de psychologie positive, la recherche sur l'humour et le développement de tests. Il est l'auteur d'une bonne centaine de publications scientifiques dans ce domaine. Durant ses loisirs, il collectionne les disques de soul, de jazz et de beat des années 1960. Il préfère regarder le soccer que de pratiquer lui-même un sport.

«Heureusement, l'optimisme est un muscle qui s'entraîne.»

Dix minutes par jour

«Les cours, les formations et le coaching en ligne poussent comme des champignons dans notre monde de plus en plus virtuel, dit **Katja Uglanova**. Un grand nombre d'interventions visent à promouvoir des comportements favorables à la santé, à éviter l'épuisement professionnel, à gérer le stress et à renforcer le bien-être en général. Mais en quoi ces interventions aident-elles vraiment et dans quelle mesure ont-elles un véritable effet? Qu'en est-il, par exemple, de l'entraînement à l'optimisme – l'une des principales conditions du bonheur?» Dix minutes (en ligne) par jour éloignent-elles le médecin pour toujours?

Nous pouvons influencer notre niveau de bien-être. Même si notre bonheur est en partie déterminé par nos gènes, comme l'ont montré des études sur les jumeaux, et que des circonstances de vie souvent difficiles à changer jouent également un rôle, une part de notre satisfaction dans la vie dépend de notre volonté – et tout le champ de la psychologie positive cherche à concevoir des stratégies scientifiquement fondées pour renforcer notre bien-être. Stimuler une vision optimiste de la vie est l'une des meilleures stratégies pour accroître le bonheur.

Des stratégies simples

L'optimisme et l'espoir sont deux concepts centraux de la psychologie positive. Ils sont étroitement liés, mais non identiques. **Ce que les gens qui ont de grands espoirs et les gens optimistes ont en commun, c'est leur manière d'aborder l'avenir:** ils mettent l'accent sur la recherche de possibilités et la croyance que l'objectif désiré pourra être réalisé.

Être optimiste, c'est être indulgent dans l'évaluation de certains événements passés, apprécier les aspects positifs de la situation actuelle et mettre l'accent sur les possibilités positives pour l'avenir. Non seulement l'optimisme renforce le bien-être, mais il accroît les performances dans les études, le travail et les sports, facilite les contacts sociaux de ceux qui veulent se rendre populaires auprès de leurs pairs ou augmenter leurs chances sur le marché des relations, et il aide à rester en bonne santé. **Les personnes optimistes sont stables dans la poursuite de leurs objectifs.** Méfions-nous toutefois de l'*optimisme irréaliste* qui déforme la réalité et risque d'entraîner des comportements dangereux injustifiés, dans lesquels nous négligeons notre santé ou faisons des projets d'avenir irréfléchis.

Une vision optimiste des choses est un précieux atout psychologique. Mais que faire si ce n'est pas vraiment notre fort? Heureusement, l'optimisme est un «muscle» qui s'entraîne, et certaines stratégies simples mais efficaces valent la peine d'être testées. L'une d'elles est l'*identification de croyances dysfonctionnelles inhibant l'optimisme* telles que: «Il est dangereux et illusoire d'envisager des résultats positifs, car ils ne se réalisent jamais.» Au lieu de cela, **tout en ayant conscience qu'il est possible que nous ne réaliserons pas l'objectif désiré, nous croyons que chaque situation renferme une *lueur d'espoir*.** Contrairement à la croyance courante selon laquelle trop d'espoir mène à la déception, la pratique de la *pensée positive*, par exemple sous forme de *visualisation du résultat désiré,* se révèle être un moyen efficace pour s'entraîner à être optimiste.

L'entraînement

Aussi simple que cela puisse paraître, nombreux sont ceux qui ont besoin d'un guide pour mettre ces stratégies en pratique. **Internet est un média très prometteur pour fournir cette aide.** Des outils en ligne sont accessibles jour et nuit et leur rapport coût-efficacité est très bon. Il manque cependant le contact personnel avec un accompagnateur, et il faut beaucoup d'autodiscipline pour suivre seul un entraînement en ligne. Cette difficulté provoque de hauts niveaux d'abandon. C'est la raison pour laquelle des discussions sont en cours. Les instructions données en ligne sont-elles efficaces? Peuvent-elles être complétées par un traditionnel entraînement face à face? Des recherches très récentes indiquent que les outils d'entraînement à l'optimisme en ligne peuvent être aussi efficaces que l'entraînement face à face. Il serait toutefois naïf de croire qu'un entraînement en ligne de quelques semaines puisse apporter des changements à long terme en matière d'optimisme et, par conséquent, de bien-être. Ce qu'il peut offrir toutefois, c'est la possibilité de pratiquer de façon systématique des activités qui renforcent l'optimisme et de développer une certaine routine pour les faire.

Un accompagnateur en ligne

Comment choisir l'accompagnateur en ligne le plus susceptible de nous aider? Nous pouvons bien sûr, comme d'habitude, nous fier aux recommandations de nos pairs. Cependant, de plus en plus de recherches étudient les facteurs de conception qui ont une influence sur l'efficacité d'un programme (même si de nombreuses questions restent encore sans réponse). Voici quelques indications:

1. Tout d'abord, **choisissez un programme promettant un résultat réaliste.** Une intervention à court terme ne renforcera jamais votre optimisme pour toujours. Ce que vous pouvez apprendre, c'est comment nourrir une vision optimiste et mettre en œuvre des activités simples qui injectent de l'optimisme dans votre routine quotidienne. Si c'est ce qu'un programme en ligne propose comme objectif, c'est bon signe.

2. Ensuite, **un entraînement en ligne est surtout utile lorsqu'il est adapté aux besoins particuliers des gens.** Même s'il semble difficile de développer des programmes d'intervention en ligne adaptés à chacun, il en existe de bons exemples. Certains programmes avancés permettent de concevoir un plan d'action flexible, adaptable à vos préférences individuelles.
3. Finalement, **un programme interactif comportant beaucoup d'éléments d'amusement ou de jeu peut être amusant, mais demandez-vous toujours: «Est-ce que j'apprends quelque chose?»** Selon moi, les meilleurs programmes en ligne sont ceux qui ne vous donnent pas un poisson, mais qui vous apprennent à pêcher. L'objectif ne doit pas être de vous rendre dépendants d'un logiciel, mais de vous transmettre des aptitudes que vous pourrez utiliser seul après la fin du cours.

En somme, même une courte intervention peut changer les choses. Mais soyons réalistes: un entraînement de deux semaines ne transformera jamais un pessimiste chronique en un éternel optimiste. L'objectif est d'*apprendre comment* pratiquer l'optimisme. Comme dans toutes les formes d'aide psychologique, la clé de la réussite est votre proactivité personnelle. Restez discipliné et ne renoncez pas trop vite.

Les clés

→ **Stimuler une vision optimiste de la vie est une des meilleures stratégies pour accroître le bonheur.**
→ **Les outils d'entraînement à l'optimisme en ligne peuvent être aussi efficaces que l'entraînement face à face, surtout lorsqu'ils promettent un résultat réaliste, lorsqu'ils sont adaptés aux besoins particuliers des gens et lorsque leur objectif est de transmettre des aptitudes.**
→ **Même une courte intervention peut changer les choses. Mais restez réaliste. La clé de la réussite est votre proactivité personnelle.**

Katja Uglanova est titulaire d'un doctorat. Elle a été chargée de cours à l'École supérieure d'économie de Saint-Pétersbourg (Russie). Ses principaux intérêts de recherche sont le bien-être subjectif, la plasticité du développement humain au cours de la vie. Dans sa thèse de doctorat intitulée «Rethinking the Hedonic Treadmill: Differences in Adaptation Patterns across Events, People and Nations», elle analyse le processus d'adaptation hédonique aux grands événements de la vie, tels que le mariage, le divorce, la naissance d'un enfant, le veuvage et le chômage à long terme. En ce moment, ces travaux à l'Université de Hambourg (Allemagne) pour le projet EngAGE lui permettent d'étudier le potentiel des interventions psychologiques pour améliorer le bien-être au travail. Elle consacre ses loisirs à ses proches et à son passe-temps favori – la danse historique. Quant à sa définition personnelle de l'espoir, elle a choisi une répartie de *Star Trek*: «Espérer, c'est percevoir une possibilité.»

«Il est pratiquement impossible d'être trop optimiste.»

Espérons le mieux, le meilleur est superflu!

«Même s'il est dit qu'être optimiste est bon pour le bonheur, trop d'optimisme risque de gâcher notre bonheur et de nous faire perdre de l'argent, dit le professeur **Yew-Kwang Ng**. Étant de nature optimiste, j'ai douloureusement pris conscience de ce fait au plus fort de la crise financière de 2008, lorsque j'ai vu ma "valeur nette" baisser de plus de 50%.»

Oui, j'ai ri sur le coup – parfois amèrement et avec quelques insomnies. Mais j'ai tout de même passé une année très heureuse, en partie parce que je savais qu'au-dessus du niveau de survie, l'argent n'est pas très important pour le bonheur, et en partie parce que je restais optimiste.

Des exercices

Un important conseil pour être heureux est de faire des exercices de relaxation physique et mentale. Tout le monde le sait, mais beaucoup font la grande erreur de penser: «Je sais qu'il faut faire des exercices, mais je n'ai pas le temps!»Une demi-heure d'exercices par jour vous permettra de dormir une demi-heure de moins par jour, tout en vous sentant mieux et en travaillant mieux le lendemain. À long terme, vous vivrez plus longtemps. **Les exercices de relaxation font presque toujours gagner du temps.**

Si ceux qui n'ont pas assez de temps doivent faire ces exercices, *tout le monde* doit avoir de l'espoir – c'est-à-dire tous ceux qui veulent être heureux, ce qui est pratiquement chacun de nous. Que nous ayons déjà réussi dans notre vie ou non, nous ne devons jamais renoncer à l'espoir ou avoir de faibles espoirs. L'espoir est très important pour l'accomplissement et le bonheur.

Le sommet

Des chercheurs de renom en matière d'espoir ont montré que, partout dans le monde, le «plus grand espoir» est toujours lié à de meilleurs résultats sur le plan des études, du sport, de la santé physique, de l'adaptation psychologique et aussi en psychothérapie.

Il est presque impossible d'être trop optimiste. **Être trop optimiste n'est pas la même chose qu'espérer trop.** Nous pouvons être trop avides et trop espérer, mais nous ne pouvons pas être trop optimistes. Cela correspond à ma propre expérience de vie de plus de 70 ans, ainsi qu'aux résultats des recherches sur l'espoir. Ces résultats indiquent que l'espoir est un meilleur indice de satisfaction dans la vie que l'optimisme. Ne craignons donc pas les faux espoirs et l'optimisme excessif. Espérons le mieux, le meilleur est superflu. Le désir d'atteindre le sommet est un legs de l'évolution, néfaste pour le bonheur en termes nets, du moins lorsqu'il est poussé au-delà des limites appropriées. Pour la plupart d'entre nous, le sommet est une illusion. Plusieurs conseillent aux gens de faire de leur mieux, sans chercher à battre des records. Mon conseil à moi est de chercher l'«assez bien». Les derniers millimètres ne valent pas les coûts élevés qu'ils impliquent.

Le long terme

Les chercheurs David Feldman et Diane Dreher ont montré en 2012 qu'une seule séance de 90 minutes de poursuite d'objectifs «suffit pour accroître l'espoir à court terme et entraîner de grands progrès au regard d'objectifs, et ce, jusqu'à un mois plus tard». Si une séance aussi courte s'avère avoir des effets aussi remarquables, je suis persuadé que, **si une personne décide d'être plus optimiste, les effets positifs suivront.**

Les clés

- → **Pour accroître votre bien-être, faites des exercices de relaxation physique et mentale. Surtout quand vous pensez ne pas avoir assez de temps pour cela.**
- → **Nous ne pouvons pas être trop optimistes. Espérons le mieux, le meilleur est superflu.**
- → **Une seule séance de 90 minutes de poursuite d'objectifs suffit pour accroître l'espoir à court et à long terme. Décidons d'être plus optimistes et les effets positifs suivront.**

Yew-Kwang Ng est professeur d'économie à l'Université technologique de Nanyang (Singapour). De 1985 à 2012, il était professeur d'économie à l'Université Monash (et professeur émérite depuis 2013). Depuis 1980, il est membre de l'Académie des sciences sociales en Australie. En 2007, il a reçu la plus haute distinction (Distinguished Fellow) de la Société d'économie d'Australie. Il a publié plus de 200 articles dans des revues spécialisées en économie, en philosophie, en psychologie et en sociologie. Ses ouvrages les plus récents sont *Common Mistakes in Economics by the Public, Students, Economists and Nobel Laureates* (2011) et *The Road to Happiness* (2013). Il aime la poésie.

«Considérer l'échec comme une chose négative est une réaction "archaïque" dont nous n'avons plus besoin.»

L'échec positif

Nous faisons de notre mieux pour éviter les échecs parce qu'ils semblent être le contraire de la réussite. **Alastair Arnott** a un point de vue différent: «Nous pensons souvent que le succès renforce l'espoir. Et d'une certaine manière, c'est tout à fait vrai. Toutefois, si les conditions préalables sont bonnes, l'échec est une recette pour accroître la résilience, l'espoir, le bonheur et la positivité. L'échec positif agit comme un vaccin psychologique.»

Notre plus grand accomplissement en tant qu'espèce est peut-être de nous tromper. Quand nous repensons à toutes nos idées qui se sont révélées erronées, mais que nous avons utilisées comme tremplin vers le progrès, nous essayons de les effacer de nos livres d'histoire. Dans l'abstrait, nous savons que personne n'est parfait, alors pourquoi agissons-nous extérieurement comme s'il fallait toujours être parfait, comme si c'était le but?

Le langage même de la perfection et de la réussite est contre-productif. Qui a vraiment envie d'écouter le perfectionniste, celui qui sait et qui réussit toujours, celui que l'on peut qualifier d'infaillible? **Le perfectionnisme a quelque chose d'inhumain.** En effet, le perfectionnisme annule le perfectionnisme. Personne n'est infaillible, personne n'est parfait et il y a quelque chose d'extrêmement humain dans le fait d'être imparfait et faillible, dans le fait d'échouer. Que se passerait-il si nous utilisions l'échec comme un catalyseur psychologique au lieu de le considérer comme une chose à éviter à tout prix? Si nous sanctionnons l'expérimentation et la créativité pour réduire nos risques d'échec, nous réduisons en même temps nos chances de réussite.

Accepter l'imperfection

Que se passe-t-il quand vous avez raison? Quand vous gagnez? Quand vous remportez une réussite totale? Rien. Cela vous arrête dans votre trajectoire. Je demande au lecteur de repenser aux moments de sa vie où il a échoué, et de se poser sincèrement la question suivante: Y a-t-il eu finalement un résultat positif? Permettre aux gens de se tromper et d'utiliser l'échec positif pour alimenter le progrès fournit un terrain extrêmement favorable à l'apprentissage, à la croissance, au progrès et à la passion. Par contre, **le succès peut paralyser, arrêter la croissance et renforcer une vision hallucinatoire excessivement optimiste de la vie**, en particulier si nous avons très peu d'expérience adulte du «monde réel». Bien trop souvent, nous plaçons les êtres humains dans des environnements mécaniques ou artificiels et nous attendons le succès. Dans le pire des cas, nous l'obtenons. Pourquoi le pire des cas? Parce que le coût psychologique du succès «à tout prix» est très élevé.

Alors qu'est-ce qu'un échec positif? Est-ce une contradiction en soi? Ma théorie distingue deux sortes d'échec: l'échec positif et l'échec négatif. Voyons maintenant quelles ressources créent les conditions préalables.

> ***Conditions préalables d'un échec positif:*** *accepter sa propre vulnérabilité, avoir une mentalité axée sur la croissance et embrasser l'imperfection.*
> ***Conditions préalables d'un échec négatif:*** *se défier de sa propre vulnérabilité, avoir une mentalité fixe et embrasser le perfectionnisme.*

Nous pouvons maintenant distinguer clairement les deux sortes d'échec.

> ***L'échec positif*** *est un échec après un investissement adéquat, qui débouche sur un apprentissage ou un développement ultérieur.*
> ***L'échec négatif*** *est un échec après un investissement inadéquat, qui retarde un apprentissage ou un développement ultérieur.*

Considérer l'échec comme une chose négative est une réaction «archaïque» dont, selon moi, nous n'avons plus besoin. L'échec positif agit comme un vaccin psychologique.

L'échec fait souffrir

Le lieu idéal pour renforcer les aptitudes d'adaptabilité et d'efficience psychologiques est l'école. Souvent, dans trop de pays du monde, les gens privilégient le succès, et en particulier la réussite aux examens, par rapport à l'apprentissage. Une immunisation relative contre l'échec est-elle souhaitable pour préparer nos enfants au monde réel? Personne ne sait comment le monde sera en l'an 2100, et pourtant nous sommes persuadés que la réussite aux examens est une manière de bien préparer nos enfants à l'avenir...

Il semble exister une image stéréotypée de la relation entre capacité et effort, à savoir qu'une telle relation n'existe pas. Par conséquent, celui qui fait un plus grand effort le fait uniquement pour cacher son manque de capacité. L'échec serait-il victime du même préjugé? L'échec fait souffrir. La piqûre de vaccination n'est jamais agréable, mais **la prise de conscience légèrement gênante que nous nous sommes trompés peut facilement être reprogrammée en facteur de progrès.** Nous considérons ceux qui ont échoué dans la perspective individualiste de la culture occidentale et nous les jugeons souvent trop durement. J'invite les lecteurs à embrasser l'échec positif et à investir des ressources dans des organisations, des environnements et des conditions qui valorisent l'échec positif. Trompons-nous... et rions-en.

Les clés

- → **Utiliser l'échec positif pour alimenter le progrès et permettre aux gens de se tromper fournit un terrain extrêmement favorable à l'apprentissage, à la croissance, au progrès et à la passion.**
- → **Acceptez votre vulnérabilité, développez une mentalité axée sur la croissance et embrassez l'imperfection.**
- → **L'échec positif est un échec après un investissement adéquat, qui débouche sur un apprentissage ou un développement ultérieur.**

Alastair Arnott est professeur de pédagogie à l'Université de Wolverhampton (Royaume-Uni). Il a écrit de nombreux articles sur la psychologie positive dans le domaine de l'éducation. Il est l'auteur du livre à succès *Positive Failure*. Son dernier ouvrage *Demanufacturing Education* vise à intégrer la psychologie positive dans l'enseignement et l'apprentissage. Il se passionne pour son travail avec des enfants de milieux défavorisés. Sa conception personnelle de l'espoir? «On peut créer l'espoir, mais également le trouver. Quant à moi, je le trouve dans la compassion, mais aussi auprès de mes collègues, de mes étudiants et parfois même d'une personne rencontrée par hasard dans la rue. Il est partout, si l'on sait où regarder.»

«Nous pouvons retrouver notre espoir lorsque nous le ressentons le moins, mais que nous en avons le plus besoin.»

L'espoir dans nos jours les plus sombres

Il semble facile d'avoir de l'espoir quand les choses vont bien. Mais en est-il de même dans les moments très sombres, quand les choses vont mal? Comment trouver la force d'espérer après une expérience dramatique? **Alex Linley** nous révèle cinq aspects positifs de la croissance post-traumatique.

L'espoir est une impulsion positive dirigée vers l'avenir. Il est issu en premier lieu de nos croyances quant à notre motivation et à notre capacité de réaliser cet avenir. Lorsque nous espérons, nous affrontons le monde, déterminés et persuadés que nous réussirons – peut-être contre toute attente. Mais peu importe, car l'espoir est un calcul, non une probabilité. L'espoir porte sur la réalisation d'un résultat, non sur les probabilités de réaliser ce résultat. Plus nous croyons en nous-mêmes et en nos chances de réussite, plus nous avons d'espoir.

Il est cependant difficile de garder espoir quand tout se ligue contre nous. Du moins jusqu'à ce que nous prenions conscience que souvent l'espoir se construit quand nous vivons des difficultés et qu'il est mis à l'épreuve. C'est lorsque nous souffrons que nous

avons besoin d'espérer le plus. Il y a un beau paradoxe dans le fait que, en considérant les résultats de la souffrance, nous pouvons trouver l'espoir au milieu de la souffrance elle-même.

Les grandes philosophies, religions et littératures du monde entier recèlent maintes preuves de la valeur de cette lutte avec la souffrance. Ces vingt dernières années, les psychologues ont repris cette idée et appelé ce phénomène «croissance post-traumatique».

La croissance

Dans les grandes lignes, cinq bonnes choses peuvent sortir de notre lutte avec la souffrance, connue sous le nom de croissance post-traumatique.

1. Nous pouvons améliorer nos relations avec les autres, estimer et apprécier davantage les gens, reconnaître ce qu'ils représentent pour nous et comprendre avec gratitude ce qu'ils font pour nous.
2. Nous pouvons percevoir de nouvelles possibilités pour notre vie et notre avenir, trouver de nouveaux passe-temps, entamer une nouvelle carrière ou même changer de style de vie.
3. Nous pouvons découvrir de nouvelles sources de force personnelle, prendre conscience que nous pouvons faire des choses auxquelles nous n'avions jamais rêvé ou que nous avons des réserves plus profondes que nous ne l'avions soupçonné.
4. Nous pouvons évoluer sur le plan spirituel, développer une connexion plus profonde avec quelque chose de plus grand que nous, trouver ou renforcer une croyance en une puissance supérieure.
5. Nous pouvons monter d'un cran dans notre appréciation de la vie, prendre note de choses aussi simples que le changement des saisons, les paroles chaleureuses d'un ami ou le fait que notre autobus arrive à l'heure. Quand nous prenons conscience que nous aurions pu perdre toutes ces menues choses, nous les apprécions sans les tenir pour acquises comme c'était le cas auparavant.

La liberté

Quand nous reconnaissons que de bonnes choses peuvent découler – et qu'elles découlent – de notre lutte avec la souffrance, nous voyons l'espoir refleurir. Aux heures les plus sombres de notre lutte, nous savons qu'un avenir radieux nous attend. Ainsi, nous pouvons retrouver notre espoir lorsque nous le ressentons le moins, mais que nous en avons le plus besoin.

Quand l'espoir s'installe, il modifie la trajectoire de notre pensée et de notre évolution. Au lieu de tout voir en noir, nous voyons maintenant ce qui est bien et comment nous pouvons faire mieux. Au lieu de nous sentir impuissants, nous commençons à reprendre conscience de notre énergie. Si nous réveillons notre énergie, nous redécouvrons notre *volonté*, cette volonté qui nous aide à trouver de nouveaux *moyens*.

Cet espoir est en nous, c'est notre phare, mais aussi notre responsabilité. Et pourtant, nous sommes parfois confrontés à des situations où, quoi que nous fassions, le résultat échappe à notre influence et, encore plus, à notre contrôle. Dans de tels moments, notre espoir évolue. D'une croyance qui naît au fond de nous, il devient une croyance en la bienfaisance de Dieu, quelle que soit la définition que nous lui donnions, ou même simplement une croyance au pouvoir bienveillant de l'Univers. Et c'est ici que l'espoir rencontre sa cousine proche, la foi. L'espoir est pour les situations où nous pouvons influencer et contrôler le résultat. La foi est pour les situations où nous ne le pouvons pas.

Viktor Frankl a écrit que la dernière liberté qui ne peut jamais nous être dérobée est la liberté de choisir notre attitude face aux circonstances. Nous pouvons donc choisir l'espoir. Et avec l'espoir, nous pouvons choisir un avenir meilleur. Ainsi, même dans les pires moments, alors que tout semble perdu, nous pouvons toujours choisir l'espoir. Même dans nos jours les plus sombres.

Les clés

- → **L'espoir porte sur la réalisation d'un résultat et non sur les chances équilibrées d'atteindre ce résultat.**
- → **La croissance post-traumatique peut inclure une amélioration de nos relations, la perception de nouvelles possibilités, la découverte de nouvelles sources de force personnelle, une évolution spirituelle ou une plus grande appréciation de la vie.**
- → **La dernière liberté qui ne peut jamais nous être dérobée est la liberté de choisir notre attitude face aux circonstances. Même dans nos jours les plus sombres, nous pouvons toujours choisir l'espoir.**

Alex Linley est président-directeur général de Capp, une organisation phare fournissant des services d'évaluation basés sur les forces personnelles. Il est titulaire d'un diplôme de psychologie de l'Université de Leicester (Royaume-Uni), où il a été professeur invité de psychologie, ainsi que d'un doctorat de l'Université de Warwick. Il est reconnu internationalement comme expert en psychologie positive et ses applications. Il est l'auteur de sept ouvrages, notamment du succès de librairie sur les ressources humaines *The Strengths book*.

PROJET D'ESPOIR

Un moment d'espoir

Chido Govera a grandi orpheline au Zimbabwe. Elle est aujourd'hui une entrepreneuse sociale, fondatrice de la Future of Hope Foundation, une spécialiste en champignons comestibles et médicinaux, et une pionnière de la culture des champignons sur marc de café. Cette innovation a incité des entrepreneurs dans le monde entier à considérer d'un œil totalement nouveau la culture urbaine du champignon. Voici son histoire.

Je m'appelle Chido Govera. Dans ma langue maternelle, le shona, cela signifie passion ou amour. Je suis née le 6 avril 1986, au Zimbabwe. J'ai grandi orpheline, car ma mère est morte du sida quand je n'avais que 7 ans. Je suis devenue aussitôt un parent, car j'ai dû m'occuper de mon frère et de ma grand-mère presque aveugle. À 8 ans, j'avais déjà vécu les pires des abus, infligés par ma proche famille. À 10 ans, j'ai été donnée en mariage à un homme de 30 ans de plus que moi, afin que j'aie de quoi manger. En refusant ce mariage, j'ai rejeté la meilleure aide que je pouvais espérer et je me suis donc retrouvée seule. **Angoissée par ma situation, j'ai fait le vœu de devenir une femme qui soutient, sauve et protège des orphelins de l'expérience dont, comme tant d'autres, j'avais souffert.**

Les champignons

À 11 ans, j'ai eu mon premier moment d'espoir. J'ai eu la possibilité extraordinaire d'apprendre des choses sur les champignons, ce qui m'a permis de nourrir ma famille et de tendre la main à d'autres orphelins de ma communauté.
Ce moment d'espoir m'a donné la chance de rencontrer de grandes personnalités qui ont reconnu mon potentiel et m'ont aidée à perfectionner mon art. Encore très jeune, je me suis engagée à mettre fin à la pauvreté, aux abus, à l'apitoiement sur soi-même et à la victimisation au niveau local en Afrique, en apportant de l'espoir par le moyen de la sécurité alimentaire.
Après 17 années d'expérience, j'ai aidé plus de 1 000 femmes au Zimbabwe, au Congo, au Ghana, au Cameroun, en Tanzanie et en Afrique du Sud. J'ai influencé des écoles, des communautés et des entrepreneurs dans le monde entier. Actuellement, je parraine d'autres jeunes femmes: je leur apprends à transformer leurs résidus agricoles

en aliments sains, sous la forme de champignons. **Un seul moment d'espoir dans mon enfance a transformé ma vie et m'a lancée dans une aventure allant au-delà de tout ce que j'avais imaginé.** Je ne suis plus enchaînée à ce qui m'est arrivé quand j'étais enfant.

L'avenir de l'espoir

À 20 ans, j'ai écrit mon autobiographie pour tenter de surmonter les traumatismes de mon enfance. Le titre, *The Future of Hope*, était inspiré de la conférence organisée par Elie Wiesel, lauréat du prix Nobel, et par Gunter Pauli, mon père adoptif. Elie Wiesel avait conclu en disant que cette conférence devait porter sur «l'avenir de l'espoir» et il demandait aux jeunes de combler les lacunes que le leadership actuel n'avait pas réussi à résoudre. C'est ainsi que l'idée m'est venue d'appeler ma fondation «The Future of Hope Foundation». Par cette fondation, je continue à **donner de l'espoir aux femmes défavorisées en leur offrant des formations professionnelles et des programmes de mentorat**, en leur fournissant les moyens d'assurer leur sécurité alimentaire, de prendre soin de leur santé et de transformer leurs difficultés en possibilités: la base pour mettre fin à la pauvreté et aux abus de toutes sortes.

Le feu intérieur

Pour moi, l'espoir est l'**harmonisation** avec mon passé et ses souffrances, la reconnaissance de tout ce qui m'est arrivé et pourtant le choix d'une **ouverture** à un avenir riche en possibilités et d'un effort incessant pour une plus grande harmonisation. Mon moment d'espoir m'a permis d'**avoir un but**, en réécrivant mon narratif, en redéfinissant mes objectifs et mes rêves, et en choisissant mon **engagement**. Je sais aujourd'hui qu'un seul moment d'espoir chez un être humain peut changer sa vie pour toujours. **L'espoir allume un feu intérieur pouvant changer la vision de générations** de jeunes et de vieux, de riches et de pauvres. L'espoir transforme les victimes en acteurs de changement et en leaders de communautés locales. L'espoir facilite des processus vitaux essentiels dans le monde actuel, tels que le pardon et l'amour.

Chido Govera
Pour plus d'informations:
www.thefutureofhope.org

«*L'*homo sapiens *a vu sa savane immuable se transformer en une modernité en constante évolution.*»

Une évolution optimiste?

Depuis plus d'un demi-siècle, **Robert E. Lane** (1917) est considéré comme l'un des politologues les plus respectés, les plus réfléchis et les plus créatifs aux États-Unis. Il travaille actuellement à un ouvrage de mille pages sur le processus par lequel le primate à gros cerveau – produit de l'évolution – prend en charge sa destinée. Est-ce là une évolution optimiste?

Sur toute la planète, la plupart des gens ont un capital émotionnel positif. Le revenu et la pauvreté sont des facteurs de différenciation, mais la tendance positive persiste dans presque toutes les circonstances. Cependant, l'évolution ne cherchait pas le bonheur humain. Les humeurs positives sont des produits secondaires des tests d'aptitude génétique: la reproduction sert à préserver le patrimoine génétique. Pourquoi alors presque 7 % de la population mondiale est-elle déprimée? Et pourquoi 4 % des gens souffrent-ils de troubles de l'anxiété? Je pense que cette misère est la conséquence de tensions inhérentes à notre mode de vie. La majeure partie du système nerveux qui guide notre comportement, nos hormones et la structure de notre cerveau a été déterminée par l'évolution, il y a cinq millions d'années, pour adapter le genre humain à la vie dans la savane africaine. Des modifications survenues dans la capacité crânienne il y a seulement 1,9 million d'années ont incité les anthropologues à modifier la classification des espèces de *Homo habilis* à *Homo erectus*. Nous ne méritons l'épithète *sapiens* que depuis seulement 200 000 ans. Cependant, les structures cognitives et émotionnelles de notre cerveau actuel sont toujours fondamentalement adaptées à la survie dans les conditions climatiques et autres du paléolithique et du néolithique.

Le casse-tête cosmique

On doit rendre hommage à l'évolution et aux «gros cerveaux» qu'elle a produits, car ils continuent à fonctionner, aujourd'hui aussi bien que jadis, dans notre société urbaine complexe de l'ère de l'information. Mais **les tensions et le stress créés par ces réalisations sont énormes.** Étant donné que le système nerveux et l'évolution constante de la société nous semblent être des phénomènes normaux, le diagnostic de l'origine de notre malaise est particulièrement difficile à poser. On ne peut présumer non plus que le problème serait dû à une inadaptation de la nature humaine, puisqu'il est largement reconnu que c'est notre société moderne qui est «malade».

Ce diagnostic renferme un casse-tête cosmique. La prévalence actuelle de la dépression et de l'anxiété est-elle surtout le produit d'une société changeante, à double impasse, de la «société malade» à laquelle se référaient Freud et ses disciples? Par ailleurs, notre souffrance et notre inquiétude chroniques sont-elles les produits d'une adaptation manquée? Créé il y a cinq millions d'années pour s'adapter à la savane africaine, l'être humain est contraint aujourd'hui de réagir aux stimuli de la société urbaine moderne. Nos jugements se basent sur les normes d'une «personne normale», mais ces normes sont inutiles si la personne «normale» possède un patrimoine génétique qui est lui-même la source du problème.

Quatre moyens

La société utilise quatre moyens pour stresser systématiquement le primate à gros cerveau, tout en se préoccupant pourtant de son bien-être.
1. Le premier moyen est l'érosion des *communautés* auxquelles nous nous sommes adaptés. Comme d'autres primates, nous avons évolué en tant qu'animaux sociaux, vivant en petits groupes, entourés de parents et de compagnons que nous connaissions personnellement dans leurs multiples rôles de frère, de chasseur et de membre de la communauté. Ce n'est pas la société traditionnelle qui a brisé ce modèle, c'est la société urbaine moderne. **Le passage de la vie avec des parents et des amis à la vie avec des groupes d'étrangers est une aventure dans laquelle le primate à gros cerveau, en costume de flanelle grise, n'était pas prêt à se lancer.**
2. Deuxièmement, ces étrangers étaient importants les uns pour les autres dans un nombre restreint de rôles uniques et fixes: ils étaient des marchands. *Les relations humaines ont été absorbées par les relations de marché* – le système monétaire. Ce qui avait été une question d'affiliation et de confiance est devenu une question de profit économique, de méfiance, de crainte de ne pas faire la «meilleure affaire» possible. ***Homo sapiens*** **est passé d'homme social à homme économique.**

3. Le primate à gros cerveau a survécu pour voir sa savane immuable se transformer en une *modernité en constante évolution*. La modernisation en soi a exigé un changement total dans les perspectives et les valeurs, et même des principes éthiques tels que le «bon voisinage» ont été écartés des préoccupations quotidiennes, faisant place à la «productivité». **Une société qui vénère le progrès est une société anxieuse et stressée.**
4. Finalement, il y a le *rythme des événements*, de l'information, le nombre de stimuli par minute ou de bits et octets par seconde. Toutes les études de physiologie indiquent que ce rythme effréné a un impact sur la relaxation, le détournement occasionnel de l'attention de l'exécution des tâches, même sur la distraction (mais non pendant la conduite automobile). **Cette densité de stimuli est néfaste pour l'homme moderne**, en partie à cause de son inconscient qui suit le rythme imposé par les événements de style savane et en partie à cause de la physiologie du cerveau moyen – lui-même un produit de milliers d'années de quiétude dans l'obscur passé paléolithique.

De deux choses l'une: ou bien nous avons créé une société stressante qui engendre en chacun de nous un taux relativement élevé de souffrance, ou bien notre société moderne est saine et c'est notre nature paléolithique qui ne parvient pas à s'adapter.

Les clés

- → **Les structures cognitives et émotionnelles de notre cerveau sont essentiellement adaptées à la survie dans les conditions climatiques et autres du paléolithique et du néolithique.**
- → ***Homo sapiens* est passé d'homme social à homme économique, ne vivant plus avec des compagnons mais avec des étrangers, dans une modernité en constante évolution, entouré d'une grande densité de stimuli.**
- → **Nos jugements se basent sur les normes d'une personne «normale», mais ces normes sont inutiles si la personne «normale» possède un patrimoine génétique qui est lui-même la source du problème.**

Robert E. Lane est professeur émérite de science politique à l'Université Yale (États-Unis). Il est membre de la British Academy, ancien président de l'American Political Science Association et de la Société internationale de psychologie politique. Il travaille actuellement à un ouvrage portant sur le rapport entre évolution et civilisation, ce qu'il considère comme une prolongation naturelle de la science politique.

«Il s'avère que le changement se produit en prison.»

L'espoir en prison

«L'espoir naît souvent du paradoxe. C'est pourquoi je suis souvent ravi, et aucunement surpris, de trouver l'espoir largement répandu dans le cadre limité de la prison», dit **Phil Magaletta**.
Il est directeur du Service d'éducation clinique du Federal Bureau of Prisons du Département de la Justice des États-Unis.
«L'espoir est un principe directeur de réinsertion.»

Pendant vingt ans, j'ai eu la chance de faire des recherches auprès de travailleurs pénitentiaires et des détenus dont ils avaient la charge. Plus précisément, j'ai recruté et formé des psychologues pour travailler en milieu pénitentiaire. Les psychologues qui persévèrent dans ce travail avaient plusieurs traits communs. Or, j'ai découvert que ces traits ne se retrouvent pas seulement chez les psychologues, mais chez tous les travailleurs pénitentiaires – de l'étudiant stagiaire au cadre supérieur. Et tous ces traits reposent sur un seul principe fondamental commun: l'espoir.

Deux mondes

Les travailleurs pénitentiaires offrent à la fois aux détenus et à nos communautés des actes remarquables de service public et de don de soi. Souvent méconnus des gens hors des murs de la prison, ils gardent et assistent les détenus avec loyauté et espoir. Pour ce faire, les travailleurs pénitentiaires vivent dans deux mondes. Non pas les deux mondes auxquels vous pensez («ici, dedans» et «là, dehors», séparés par des murs et des barbelés), mais le monde de la reconnaissance du détenu tel qu'il est aujourd'hui et de ce qu'il a fait pour être incarcéré, et le monde de ses possibilités d'avenir. Autrement dit, ces personnes travaillent avec les détenus tels qu'ils sont maintenant, tout en imaginant comment ils pourraient être dans l'avenir. Car **ce «maintenant» est le seul moment et le seul endroit où on peut trouver des raisons de changer intérieurement.** Ils doivent cependant

imaginer l'avenir tel qu'il pourrait être pour chaque détenu. Dans les systèmes pénitentiaires contemporains, cette approche est appelée réinsertion.

Les obstacles

La réinsertion est une évolution naturelle de la philosophie de la gestion des prisons, laquelle a placé l'écoute active au centre d'une gestion pénitentiaire efficace. Le dialogue, l'écoute et la compréhension des besoins des détenus sont devenus des concepts centraux de la gestion des prisons dans les années 1970. L'évolution de ces principes dans le cadre des services de réinsertion permet au personnel et aux détenus de mieux comprendre ce dont ils ont exactement besoin pour être optimistes. Les travailleurs pénitentiaires ont une meilleure idée des obstacles qui empêchent une réinsertion réussie ainsi que des solutions à apporter pour les surmonter. **Ils aident les détenus à apprendre à mettre en pratique ces solutions.** Il s'agit parfois d'aider les détenus à surmonter des obstacles internes, tels que l'abus de drogue, l'affiliation à des pairs déviants et des connaissances criminelles. Parfois, les obstacles sont externes, comme les besoins en logement et en soins médicaux.

Demain

Le plus important est peut-être d'aider les détenus à acquérir et à développer un sens de l'organisation pour trouver des moyens, multiples et légitimes, pour réussir leur réinsertion, après leur sortie de prison. Malgré ce qui peut sembler être un environnement non favorable à la croissance et au développement, il s'avère que le changement se produit en prison. Et ce n'est ni l'architecture de l'établissement ni son site qui nourrit ce processus, bien que cela puisse aider. Non, **l'espoir naît des cœurs à l'écoute des ressources humaines.** C'est le personnel pénitentiaire qui crée et soutient l'espoir. Alors que de nombreuses évaluations prouvent que ces programmes modifient les comportements, il n'en est pas moins vrai qu'ils sont animés par le personnel qui les met en œuvre.

Cet espoir fait que les travailleurs pénitentiaires sont devenus les gens que je préfère. Ce sont des gens ordinaires à qui l'on demande d'imaginer le possible avec des gens très difficiles, souvent placés dans des circonstances très complexes. Mieux encore, ils se laissent rarement décourager, même lorsque leur vision du possible ne s'est pas encore réalisée. Ils préfèrent se souvenir que la partie possible du processus – garder le détenu derrière les murs, en toute sécurité, un jour de plus – a été accomplie. Rien que cela offre déjà une autre chance au détenu et au personnel: demain.

Les clés

- → **Les travailleurs pénitentiaires vivent dans deux mondes. Ils travaillent avec les détenus tels qu'ils sont aujourd'hui tout en imaginant comment ils pourraient être dans l'avenir.**
- → **Dans le cadre des services de réinsertion, le personnel et les détenus peuvent améliorer leur compréhension de ce dont ils ont besoin pour être optimistes.**
- → **Cela signifie aider les détenus à acquérir un sens de l'organisation pour trouver des moyens, multiples et légitimes, pour réussir leur réinsertion, après leur sortie de prison.**

Phil Magaletta est directeur du service d'éducation clinique et de développement de la main-d'œuvre pour les Services de psychologie du Federal Bureau of Prisons (États-Unis). Il a pratiqué la psychologie en milieu pénitentiaire pendant près de vingt ans. Diplômé de l'Université de Scranton, il a obtenu sa maîtrise de lettres au Loyola College dans le Maryland et son doctorat en psychologie clinique à l'Université Saint-Louis. En plus des prisons, il a travaillé dans plusieurs communautés orientées vers l'espoir, «comme sa famille, les jésuites et les soufis».

«Même dans les cas vraiment désespérés, il vaut toujours mieux espérer que tomber en proie au désespoir.»

Le meilleur contexte pour l'espoir

«J'ai grandi à Singapour, l'un des pays les plus riches du monde», dit le professeur **Eddie M. W. Tong**. Singapour est le troisième pays au monde en termes de revenu par habitant, mais connaît une inégalité de revenus parmi les plus fortes au monde. «J'étudie le comportement des gens lorsqu'ils sont dans certains états émotionnels et je découvre que les émotions ont des conséquences soit positives, soit négatives en fonction du contexte.» Quel est le meilleur contexte pour l'espoir?

Dans mon étude, j'examine les facteurs qui font que les gens éprouvent certaines émotions, telles que l'espoir, la gratitude, la joie, l'amour, la colère et la peur, en me concentrant sur leurs modèles de pensée.

Singapour est réputée dans le monde entier pour ses nombreuses réalisations dans des domaines aussi divers que la finance, l'éducation, la santé, l'harmonie sociale, la propreté, l'aviation, la sécurité, la gestion de l'eau. Son développement est souvent considéré comme un miracle, car, il y a une cinquantaine d'années, la nouvelle nation ne disposait pas des infrastructures nécessaires à toutes ces réalisations. De nombreux facteurs contribuent à sa réussite, mais j'aime croire que Singapour ne serait jamais devenue aussi prospère si les pionniers qui l'ont bâtie avaient été pessimistes. Cette perspective historique nous offre matière à réflexion sur l'espoir et sur sa nature.

Un avenir meilleur

L'une des nombreuses spécificités de l'être humain est sa capacité d'imaginer. Cette capacité sous-tend la capacité d'espérer, parce qu'espérer, c'est imaginer un avenir meilleur que ce que laisse supposer la situation présente. L'espoir est irremplaçable, parce que c'est l'émotion qui nous permet de conserver nos rêves, en dépit de ce que d'autres perçoivent comme des obstacles insurmontables. C'est une émotion essentielle qui nous soutient quand nous nous sentons impuissants, quand nous avons épuisé tous les moyens possibles pour nous en sortir, quand nos buts semblent (ou sont réellement) hors d'atteinte. Mais le danger de l'espoir est qu'il peut nous faire sombrer dans le faux espoir. Dans ce cas, il serait préférable de modifier notre objectif.

Cependant, même dans les pires situations, il vaut toujours mieux espérer que tomber en proie au désespoir. Même lorsque nous ne pouvons plus rien faire, l'espoir nous revigore. Des recherches ont d'ailleurs montré que **l'espoir est un indice de prédiction de nombreux résultats positifs**, notamment le bien-être, la réussite scolaire, la performance athlétique e t la santé physique. L'espoir neutralise aussi l'effet des facteurs de stress quotidiens, réduit la dépression et l'anxiété, et soutient la psychothérapie. L'espoir libère des entraves des échecs et des malheurs, et il permet de mener une vie dynamique, dans la dignité. Mais la difficulté consiste à entretenir l'espoir. C'est une chose d'avoir de l'espoir à un certain moment, mais c'en est une autre de le garder pendant une longue période d'adversité.

Garder espoir

Comment se fait-il que nous ayons de l'espoir? L'expertise, l'organisation, la confiance, l'intelligence, le travail d'équipe, les ressources (p. ex. l'argent) et les organismes de soutien peuvent donner aux gens l'espoir qu'il est possible de résoudre leurs problèmes. Mais l'espoir sous sa forme la plus énigmatique est dépouillé de telles compétences. Nous pouvons avoir de l'espoir même quand nous sentons qu'il n'y a pas grand-chose à faire. Certains restent confiants que quelqu'un ou quelque chose les aidera. D'autres gardent espoir, parce que leurs proches désirent les voir persévérer. Pour d'autres encore, l'espoir repose simplement, mais fermement, sur la confiance que les choses iront mieux. Ces gens sont parfois des visionnaires qui perçoivent des possibilités réalistes échappant à ceux qui ont renoncé. **Le souvenir d'histoires d'espoir, qu'elles soient réelles ou fictives, aide aussi.** De plus, l'espoir est contagieux, il se communique (mais le désespoir aussi). Finalement, l'espoir puise souvent dans la dimension spirituelle. Nombreux sont ceux qui persévèrent en raison de leurs convictions religieuses, que ce soit par exemple leur croyance en un Dieu bon ou en leur karma. Les gens non religieux, ne souscrivant pas à une foi particulière, ont souvent des croyances fondamentales qui soutiennent leur espoir, telles que la conviction qu'il y a une raison pour tout ou que justice sera faite.

Ainsi, **il existe de nombreuses trajectoires de l'espoir, ce qui explique la capacité humaine de s'adapter et de prospérer malgré les malheurs.** Toutefois, la capacité d'espérer doit s'accompagner de la capacité d'agir et d'apprendre, pour que nous puissions agir au moment opportun et apprendre, afin d'éviter la répétition du même malheur. Je crois que les pionniers qui ont bâti Singapour ne se sont pas contentés d'espérer: ils ont pris des mesures prudentes et fermes pour résoudre leurs problèmes et assurer la transmission d'importants enseignements aux générations futures.

Les clés

- → **La capacité d'imaginer un avenir meilleur que ce que laisse supposer la situation présente est une des spécificités de l'être humain. Elle est un indice de nombreux résultats positifs.**
- → **La difficulté consiste à entretenir l'espoir. C'est une chose que d'avoir de l'espoir à un certain moment, mais c'en est une autre de le garder pendant une longue période d'adversité.**
- → **La capacité d'espérer devrait s'accompagner de la capacité d'agir et d'apprendre.**

Eddie M. W. Tong est professeur associé au Département de psychologie de l'Université nationale de Singapour. Il a publié de nombreux articles sur les processus cognitifs liés à certaines émotions spécifiques (notamment l'espoir). La compréhension des expériences émotionnelles rend son travail très satisfaisant pour lui. Comment réagit-il quand les choses vont mal? «Je garde espoir de nombreuses manières: j'apprécie ma bonne fortune, je pense à mes héros personnels ou simplement je persiste à croire que mes efforts seront récompensés. J'aime la bonne musique, que je crois capable (voilà un sujet de recherche potentiel!) de susciter et de renforcer l'espoir.»

«Les gens qui ont de grands espoirs subdivisent leurs objectifs finaux en plusieurs sous-objectifs plus petits.»

Adapter les objectifs

Fondateur, en 2000, du premier laboratoire de psychologie positive en Chine, le professeur **Samuel Ho** étudie les propriétés, les mesures, les résultats et les applications de l'espoir chez les enfants et les adultes, en milieu scolaire et médical, dans les bons et les mauvais moments. Il a complété le traditionnel modèle d'espoir en y ajoutant trois éléments importants liés à notre capacité à adapter nos objectifs. Ces éléments améliorent notre résilience.

La première fois que j'ai entendu parler du concept psychologique de l'espoir était en 2002, quand Charles Richard Snyder, le fondateur de la psychologie de l'espoir, venu à Hong Kong animer un séminaire, dont j'étais moi-même le facilitateur. Snyder est décédé en 2006. J'éprouve envers lui une profonde gratitude pour son amitié et pour tout ce qu'il m'a apporté en tant que mentor.

Snyder nous a enseigné son modèle cognitif de l'espoir, basé sur trois composantes: l'objectif, l'agentivité et les trajectoires. Il nous a dit que, selon sa théorie, les gens qui ont de grands espoirs ont tendance à se fixer davantage d'objectifs, et que ces objectifs sont plus difficiles à atteindre que ceux qu'ils avaient réalisés auparavant. De plus, par rapport à leurs pairs qui ont de faibles espoirs, les gens qui ont de grands espoirs sont plus enclins à concevoir des voies alternatives pour atteindre leurs objectifs (trajectoires) et sont plus capables de réunir les ressources nécessaires pour renforcer leur motivation à les réaliser en dépit des obstacles (agentivité).

La protection

Ma formation en psychologie clinique m'a permis de découvrir l'existence, chez les gens souffrant de dépression ou d'autres troubles psychiques, d'une triade cognitive négative consistant en une vision négative de soi, de l'avenir et du monde (voir les publications d'Aaron Beck, Judith Beck et collègues). Si l'on parvient à réduire la gravité de cette triade cognitive négative, les troubles psychiques s'améliorent. Lors du séminaire de Snyder, en 2002, c'était la première fois de ma vie que j'entendais dire que des psychologues cliniques pouvaient faciliter une «cognition positive» pour prévenir les troubles psychiques et renforcer le bien-être. J'ai donc réagi avec scepticisme, me disant que Snyder ré-étiquetait de manière positive de vieux concepts surannés afin de produire un nouveau modèle. Par curiosité, j'ai commencé à mener des études empiriques afin d'examiner le rôle de l'espoir dans l'aide à apporter aux gens qui doivent affronter des traumatismes, le cancer, des procédures médicales difficiles et autres adversités de la vie.

Toutes mes recherches indiquent que l'espoir en tant que cognition positive et force psychologique est un facteur clé (et peut-être le plus important) pour protéger les gens contre la détresse psychologique, car il renforce la résilience et la croissance. Nous avons montré que, par rapport à leurs pairs qui ont de faibles espoirs, **les gens qui ont de grands espoirs sont enclins:**

→ **à montrer plus de résilience** après des événements traumatisants;
→ **à présenter moins de troubles psychiques et d'anxiété** dans des situations difficiles;
→ **à moins penser au suicide** lorsque les situations deviennent désespérées;
→ **à percevoir plus de changements positifs** dans l'adversité.

Davantage de résilience

Il y a peu, j'ai analysé les différentes composantes des objectifs dans le modèle d'espoir et j'ai découvert que certaines caractéristiques de la définition des objectifs jouaient un rôle important dans le modèle global.

1. **Le désengagement d'objectifs premiers.** Les personnes qui ont de grands espoirs ne s'accrochent pas à leurs objectifs et ne craignent pas de tirer un trait dessus si les circonstances changent. Par exemple, un père qui s'était fixé comme objectif de réussir dans les affaires a quitté son emploi pour s'occuper de son enfant autiste.
2. **Le réengagement dans d'autres objectifs.** Après s'être désengagées de leurs objectifs premiers, les personnes qui ont de grands espoirs ont tendance à se réengager dans d'autres objectifs qui correspondent mieux aux nouvelles circonstances. Le père de l'enfant autiste

s'est inscrit à un programme d'études de troisième cycle et a commencé à écrire un livre dans son domaine de compétence.

3. **Les sous-objectifs.** Les personnes qui ont de grands espoirs ont tendance à subdiviser leurs objectifs finaux en plusieurs sous-objectifs plus petits. Elles sont également capables de poursuivre des efforts pour surmonter les obstacles à la réalisation d'un objectif supérieur. En somme, elles sont orientées vers l'avenir et regardent au-delà de l'adversité.

La capacité à se désengager d'objectifs premiers, à se réengager dans d'autres objectifs, à subdiviser les objectifs en sous-objectifs et à s'orienter vers l'avenir permet aux personnes qui ont de grands espoirs d'être plus résilientes et de présenter moins de troubles psychiques, même dans des situations «désespérées» telles qu'un cancer en phase terminale ou un emprisonnement à vie. La figure suivante résume notre théorie de l'espoir.

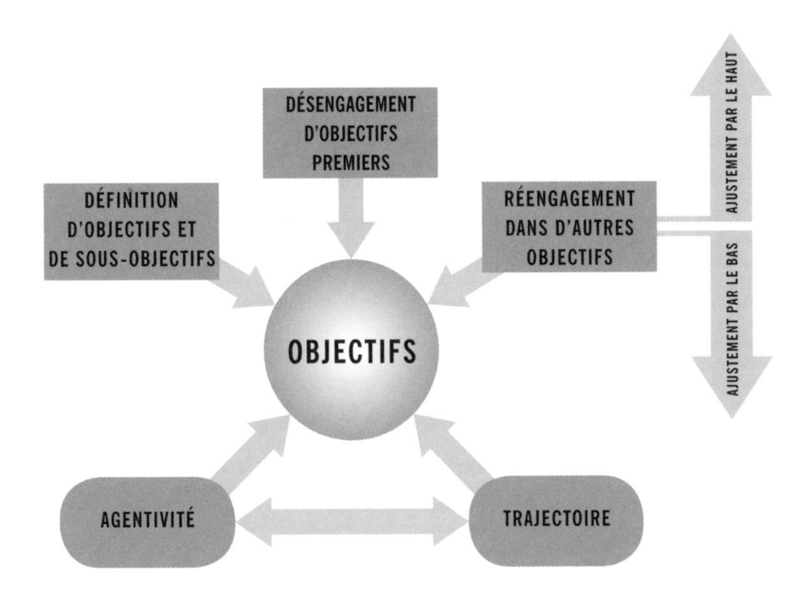

Cette figure montre que l'espoir comprend trois composantes cognitives liées entre elles: les objectifs, l'agentivité et les trajectoires, comme l'ont avancé Snyder et ses collègues (voir l'article de Shane J. Lopez dans ce livre). Au-dessus de ces trois composantes, nous plaçons trois éléments liés à la résilience: la définition de sous-objectifs, le désengagement d'objectifs premiers et le réengagement dans d'autres objectifs. Pour ce qui est du réengagement, nous nous fixons des objectifs plus ambitieux (ajustement vers le haut) ou plus limités (ajustement vers le bas), en fonction des circonstances. Le style cognitif ci-dessus nous permet de nous adapter à des situations difficiles.

Les interventions

Malgré son caractère relativement stable, notre espoir dispositionnel peut être renforcé à l'aide de programmes d'intervention systématique. Nous avons mis en œuvre des interventions basées sur l'espoir sous forme de programmes autonomes (portant seulement sur l'espoir) ou sous forme de renforcement de programmes d'intervention psychologique préexistants. Récemment, nous avons publié trois séries de livres racontant des histoires d'espoir (tous en chinois) – la première s'adresse aux parents d'enfants défavorisés, la deuxième aux parents d'enfants à besoins particuliers et la troisième aux enfants atteints du cancer – dans des buts d'éducation et d'entraînement à l'espoir. Tous les livres ont été extrêmement bien reçus par les lecteurs. Je crois que le fait de cultiver tôt dans la vie une cognition positive comme l'espoir aiderait la prochaine génération à mieux surmonter ses difficultés. Gardons l'espoir d'un avenir meilleur.

Les clés

- → **L'espoir en tant que «cognition positive» et force psychologique est un facteur clé (et peut-être le plus important) pour protéger les gens contre la détresse psychologique, car il renforce la résilience et la croissance.**
- → **La capacité à se désengager d'objectifs premiers, à se réengager dans d'autres objectifs, à subdiviser les objectifs en sous-objectifs et à s'orienter vers l'avenir permet aux gens qui ont de grands espoirs d'être plus résilients et de présenter moins de troubles psychiques, même dans des situations «désespérées».**
- → **Malgré son caractère relativement stable, notre espoir dispositionnel peut être renforcé à l'aide de programmes d'intervention systématique.**

Samuel M. Y. Ho est titulaire d'un doctorat. Il est professeur de psychologie au Département des sciences sociales appliquées de la City University de Hong Kong (Chine). Son principal domaine de recherche est la psychologie clinique de la santé. Il recherche les facteurs qui facilitent l'adaptation des gens à des maladies qui menacent leur vie (p. ex. le cancer) et à des événements traumatisants (une grande catastrophe). Dernièrement, il a mis au point des paradigmes expérimentaux pour étudier les mécanismes cognitifs sous-tendant les réactions des gens après des événements traumatisants et au cours de maladies qui menacent la vie.

«L'espoir est une anticipation positive, avec les manches retroussées.»

Élargir notre horizon d'espoir

Denise Larsen a commencé sa carrière comme institutrice dans une école d'un quartier défavorisé. Durant ses études de doctorat, elle a travaillé dans un grand hôpital régional, spécialisé dans le traitement du cancer. «Dans ces deux contextes, l'espoir était le moteur de mon travail et il est devenu une passion», dit-elle. Elle est actuellement professeure et directrice de l'unité de recherche sur l'espoir de son université. En s'efforçant de trouver de l'espoir face à l'adversité, elle élargit notre horizon d'espoir.

La plupart des gens qui souffrent croient profondément en l'espoir, et les chercheurs en psychothérapie commencent à comprendre les immenses bienfaits de l'espoir pour les gens qui souffrent. L'expérience de l'espoir est souvent intimement liée à la lutte contre l'adversité. Nous avons le plus souvent de l'espoir lorsque l'avenir semble incertain, ou même sombre. Néanmoins, avoir de l'espoir signifie que nous sommes prêts à nous impliquer même si nous ne sommes pas sûrs que notre implication changera quelque chose. S'impliquer signifie que l'on a de l'espoir, et cet espoir suffit déjà à accroître la probabilité de la réalisation du résultat désiré. Finalement, l'espoir signifie que nous sommes conscients de nouvelles possibilités.

Dans ce texte, je mettrai l'accent sur quatre aspects de l'espoir, simples mais profonds, qui élargissent notre horizon lorsque nous devons faire face à des difficultés. Bien que j'étudie particulièrement le contexte psychothérapeutique, ces quatre aspects transcendent la psychothérapie et offrent des possibilités de trouver de l'espoir dans de nombreuses circonstances.

1. Vous êtes plus que ce que vous espérez. L'espoir est souvent lié à un objectif ou à un succès personnel particulier. Nous espérons obtenir une bonne note à notre examen. Nous espérons décrocher un bon travail. Nous espérons une guérison. Lorsqu'un espoir particulier est déçu, nous ressentons cela comme un échec, ou nous nous disons que le monde est injuste. Or, nos valeurs et notre identité sont une source plus stable d'espoir. Demandez-vous «qui» vous espérez devenir. Quel genre de personne espérez-vous être? Comment vivez-vous déjà ces valeurs? Comment pourriez-vous mettre en pratique plus de facettes de la personne que vous espérez devenir?

2. Puisez de l'espoir dans votre interprétation du passé. Comment se fait-il que certaines personnes semblent surmonter leurs difficultés plus rapidement que d'autres? Des recherches suggèrent que notre sentiment d'espoir est lié à notre passé. Peut-être plus important encore, la *manière* dont nous nous souvenons de notre passé est liée à notre niveau d'optimisme. Ce qui nous est arrivé est très important. Cependant, lorsqu'il s'agit d'espoir, la *manière* dont nous nous souvenons du passé peut être plus importante encore. La *manière* dont nous nous souvenons de notre passé justifie ce que nous croyons possible dans l'avenir. Chaque histoire est un «reportage monté». Nous racontons des histoires pour transmettre des informations et pour persuader nos auditeurs. Ce qui importe ici, c'est que nous sommes les auditeurs de nos propres histoires. Examinez vos histoires. Quelles informations avez-vous retenues, incluses ou laissées de côté? Comment choisissez-vous de raconter vos histoires? Que vous entendez-vous dire? Quelle histoire de votre passé, aussi insignifiante qu'elle paraisse aujourd'hui, justifierait un espoir pour l'avenir? Qui pourrait vous aider à vous souvenir de vos histoires optimistes?

3. Nous espérons pour les autres aussi. Réfléchir sur nos propres expériences nous rappelle que nous espérons pour les autres autant que pour nous-mêmes. Les gens qui travaillent avec des enfants savent que les enfants, même très jeunes, espèrent parfois pour les autres de façon directe et spontanée. Nous espérons pour les autres de nombreuses manières. Nous espérons pour nos proches. Nous espérons pour ceux qui sont dans le besoin. Nous espérons même pour des gens que nous n'avons jamais rencontrés. Diverses recherches suggèrent que les patients cherchent auprès des professionnels de la santé une preuve d'espoir – une raison de continuer. La simple phrase lancée par un thérapeute à une personne en difficulté: «J'ai de l'espoir pour vous, car...» apporte à la fois une preuve d'affection et la croyance en la possibilité d'un avenir prometteur. L'espoir se partage. Comment pouvons-nous partager notre espoir avec des gens qui se débattent pour trouver de l'espoir pour eux-mêmes? Qu'est-ce qui peut changer si nous partageons explicitement avec les autres l'espoir que nous avons pour eux?

4. Plus de possibilités que de probabilités. Remarquez combien de fois les choses tournent mieux que vous ne vous y attendiez – même de petites choses. Vous trouvez une place de stationnement alors que vous n'y croyiez plus. Vous voyez un ami que vous n'aviez pas pensé rencontrer. Vous terminez une tâche beaucoup plus rapidement que prévu. L'espoir porte sur la possibilité que de bonnes choses se produisent. L'espoir diffère de l'optimisme. L'optimisme est basé sur notre évaluation ou notre attente que quelque chose de bien se réalisera. Il est facile d'être optimiste. Nous sommes optimistes quand nous considérons le résultat désiré comme probable. Il est plus difficile d'espérer. L'espoir est une anticipation positive «avec les manches retroussées». Ce n'est pas une anticipation de quelque chose que nous savons probable. Nous espérons quand nous sommes incertains du résultat, mais quand le résultat est si important que nous sommes prêts à agir pour réaliser cet avenir meilleur. L'alpiniste coincé dans une crevasse ne renonce pas parce qu'il pense qu'il a peu de chances d'être sauvé; il agit avec plus de prudence, plus d'intelligence, plus d'ardeur. Le résultat est trop important pour qu'il n'agisse pas ainsi. Les efforts ont des chances d'être rentables. La vraie puissance de l'espoir est la puissance de l'exploration des possibilités et notre volonté d'espérer et d'agir pour notre bien et pour celui des autres.

Les clés

- → **Une source stable d'espoir n'est pas ce que vous espérez, mais «qui» vous espérez devenir sur la base de vos valeurs et de votre identité.**
- → **Notre sentiment d'espoir est lié à notre passé. La *manière* dont nous nous souvenons de notre passé justifie ce que nous croyons possible dans l'avenir.**
- → **Réfléchir sur nos propres expériences nous rappelle que nous espérons pour les autres autant que pour nous-mêmes. L'espoir se partage.**
- → **La vraie puissance de l'espoir est la puissance de l'exploration des possibilités et notre volonté d'espérer et d'agir pour notre bien et pour celui des autres.**

Denise Larsen est professeure de psychologie du counseling à l'Université de l'Alberta (Canada). Elle est directrice du Hope Studies Central, une unité de recherche consacrée à l'étude de l'espoir et au développement d'interventions pour développer l'espoir dans des contextes appliqués. Elle a publié de nombreux articles sur l'espoir dans des contextes psychothérapeutiques et éducationnels. Elle a reçu plusieurs prix, notamment le prix Ron LaJeunesse de l'Association canadienne pour la santé mentale et le prix Silver Duncan Craig pour le secteur des organismes sans but lucratif. Elle est persuadée que ses recherches sur l'utilisation efficace de l'espoir dans des situations concrètes sont ce qui donne le plus de valeur à sa vie professionnelle.

Et délivrez-nous de l'espoir!

Au printemps 2007, le psychanalyste **Guy Corneau** a reçu un diagnostic de lymphome cancéreux de grade 4, potentiellement fatal. D'un même élan, tout son entourage s'est écrié: «Il faut garder espoir!» Il a donc ramassé ses forces pour lutter. Mais il a découvert que l'espoir pose un problème.

Lorsque toutes les forces sont mobilisées pour survivre, le stress additionnel de devoir espérer, de devoir rester un «battant» devient un obstacle supplémentaire au retour à la santé, car il empêche la détente. On ne peut se relaxer lorsqu'on est constamment projeté vers l'avenir. Or, nous savons maintenant que c'est le repos qui permet véritablement aux cellules souches et au système immunitaire de faire leur travail. En effet, nous nous réparons surtout pendant notre sommeil, ainsi que dans les états digestifs, méditatifs ou contemplatifs. Autrement dit, les cellules se remettent à bien fonctionner quand notre système parasympathique prend la relève du système sympathique qui, lui, est orienté vers l'action.

Pour contrer les effets proprement désespérants du stress, je me suis mis à la méditation sur une base quotidienne. J'ai entrepris aussi de visualiser mes cellules en phase de renouvellement en appliquant l'imagination créatrice de façon intense. Je suis retourné en psychothérapie pour me mettre à l'écoute des écueils de ma vie et trouver les correctifs qu'appelaient ces écueils.

Vivre sans espoir

À force de faire des exercices énergétiques, je me suis rendu compte que le fait de me visualiser en bonne santé dans l'avenir ne changerait sans doute rien à mon avenir. Cet exercice engendrait de l'espoir, c'est sûr. Toutefois, c'est au présent qu'il apportait le plus grand changement: il renouvelait mon état intérieur.

À partir de cette constatation, **je me suis dit qu'espérer n'était pas un si bon conseil.** Par contre, pratiquer l'imagination créatrice prenait tout son sens. En effet, l'imagerie sert justement à transformer nos humeurs intérieures dans l'instant présent. Au fond, seule la qualité de l'instant fait foi de l'avenir. En tout cas, la transformation de mon humeur que permettait la visualisation semblait nettement préférable à un état d'attente angoissée qui, dans ces circonstances, risquait plus de me nuire que de me faire du bien.

À un moment donné de cette expérience, je suis entré dans un tel état d'euphorie que je suis devenu indifférent au fait de vivre ou de mourir. Tant qu'à partir, autant le faire le sourire aux lèvres, dans cet état réconcilié avec la vie. J'avais perdu tout espoir, mais je vivais au présent, dans la plénitude de l'instant, délivré de l'avenir.

La recette du désespoir

L'espoir recèle aussi un aspect pernicieux. Il nous amène à remettre sans cesse à plus tard la raison même de notre existence: le bonheur. À quoi bon attendre d'aller mieux pour être heureux? À quoi bon attendre que la douleur cesse pour aller mieux? À quoi bon attendre la guérison pour jouir de la vie? À quoi bon attendre?

Nous croyons fermement que notre bonheur s'intensifiera si nous accomplissons telle chose, si nous nous astreignons à telle discipline, si nous abandonnons tel comportement et si nous réglons tel problème. Cependant, l'ajournement de l'essentiel – le bonheur – au nom de l'espoir de jours meilleurs est une forme de leurre ayant une conséquence importante: **vivre d'espoir est la recette infaillible du désespoir et de la mise en échec de soi.** L'espoir devient la source d'une piètre image de soi, car nous nous retrouvons sans cesse en déficit par rapport à nos attentes. En effet, nous sommes rarement à la hauteur des espoirs que nous formulons intérieurement en vue de l'amélioration de ce que nous sommes.

Aussi essentiel qu'il paraisse, l'espoir n'en est pas moins une sorte de poison qui peut nous empêcher d'affronter avec lucidité une situation réelle. Car force est de constater que, la plupart du temps, nous nous contentons d'espérer passivement que cela aille mieux, d'attendre que passent les moments difficiles.

Respirer dans l'impasse

Plutôt que d'attendre passivement, il est important d'apprendre à respirer dans l'impasse en constatant la perfection même de ce qui nous arrive. Nous prenons alors conscience que nous avons participé à la création de cet événement qui, malgré toutes les apparences du contraire, est là pour faciliter notre libération.

Vivre sans espoir offre la chance de constater que la vie est sans cesse présente et que nous pouvons en jouir en toutes circonstances. **Abandonnez pour quelques instants ou quelques jours tout espoir d'un monde meilleur ou d'une version améliorée de vous-même.** Un poids glissera instantanément de vos épaules, et vous vous retrouverez dans l'instant présent. Commencez à savourer l'abondance de lumière, d'air, d'eau, de vivres, d'amitié et de chances qui existe dans votre vie. Cela vous réjouira et vous aidera à vous dégager de ce qui vous tracasse. Offrez aux autres vos éclairages, vos connaissances et votre amour, sans réserve et sans condition. Cela vous unira au processus vital et vous stimulera.

Le but visé

L'espoir ne servirait-il donc qu'à nous arracher au présent? Non, bien sûr. Certaines circonstances de notre vie sont si difficiles que nous ne parvenons pas à transformer notre état intérieur. Nous sommes trop submergés par ce qui nous arrive. Dans ces moments-là, il est essentiel de garder espoir et confiance en la vie.

Par contre, si vous êtes capable de sortir votre tête de l'eau, la transformation de votre état intérieur par l'imagination créatrice, la méditation et l'action vous aidera plus sûrement que l'espérance.

Vivre au présent est le but visé! Sortir de l'attente est le but visé! Vivre dans la découverte constante de chaque instant constitue le véritable espoir que chacun devrait entretenir.

Les clés

- → **Vivre d'espoir est la recette infaillible du désespoir.**
- → **Seule la qualité de l'instant présent fait foi de l'avenir.**
- → **Vivre au présent dans la découverte de chaque moment constitue la véritable espérance.**

Guy Corneau est psychanalyste jungien et auteur des livres à succès *Revivre !*, *Le meilleur de soi*, *Victime des autres, bourreau de soi-même*, *La guérison du cœur* et *L'amour en guerre* (paru en Europe sous le titre *N'y a-t-il pas d'amour heureux?*). Conférencier de réputation internationale, il est également l'instigateur d'un réseau d'entraide pour les hommes, le Réseau Hommes Québec, dont la formule a été reprise dans plusieurs pays.

L'espoir est-il utile ?

Lorsque survient la maladie, l'espoir est-il un outil indispensable sur le chemin qui mène à la guérison? Le docteur Daniel Dufour exerce une médecine dans laquelle la recherche des causes de la maladie prime sur le traitement des symptômes.

La maladie et le mal-être sont souvent perçus comme résultant d'une fatalité. Par exemple, la pneumonie est la conséquence d'une infection par la bactérie x et la dépression est due au fait que notre taux de sérotonine est trop bas. Nous nous engageons alors dans un combat contre ce dont nous souffrons : nous prenons des antibiotiques, ou des antidépresseurs.

La médecine trouve des réponses élaborées à nos souffrances, mais, le plus souvent, elle ne nous aide guère à découvrir la cause réelle de ce dont nous souffrons. L'espoir est au centre de notre approche : nous espérons guérir demain ou dans un proche avenir, et nous vivons dans l'attente de cette amélioration. En agissant ainsi, **nous nous projetons dans l'avenir au détriment du moment présent**, celui où nous nous trouvons effectivement. Vivre d'espoir, c'est vivre dans l'avenir, ce qui revient souvent à subir sa vie plutôt qu'à la créer…

Notre mental, que nous pouvons aussi appeler notre ego, s'apparente au «petit vélo» que nous avons parfois l'impression d'avoir dans la tête. C'est lui qui nous coupe de la reconnaissance, du ressenti et de l'expression de nos émotions, de notre savoir inné, de notre créativité. C'est lui qui vient à tout moment nous dire que nous sommes incapables de créer notre destin et que nous pouvons tout au plus espérer nous porter mieux.

Espérer guérir ou bien guérir ?

La maladie est un message que nous envoie notre corps – notre meilleur ami – pour nous signifier concrètement que nous ne nous respectons pas. Notre mental nous projette soit dans l'avenir, avec son cortège d'appréhensions, de peurs, soit dans le passé, avec les regrets et la culpabilité que cela implique. Dans les deux cas, nous sommes coupés de nos joies, de nos tristesses et de nos colères. Le message transmis à notre corps et aux milliards de cellules qui le constituent est un message de non-amour, ce qui peut provoquer quantité de dérèglements physiques et psychiques. Faut-il nous culpabiliser pour autant? Certes non, car **si nous pouvons nous rendre malades, nous avons aussi les talents et les forces nécessaires pour guérir de ce dont nous souffrons.**

Si nous nous efforçons de comprendre ce que nous dit notre corps, nous pouvons choisir de revenir au moment présent, ici et maintenant, pour prêter attention à notre corps physique, ainsi qu'à nos cinq sens, afin de vivre les émotions de colère et de tristesse que notre mental bloque en nous. Une fois ces émotions reconnues et ressenties, nous pouvons nous permettre de les exprimer pour nous faire du bien. C'est ainsi qu'un profond désir et une grande joie peuvent créer l'espace nécessaire à la guérison. Nous avons le pouvoir de guérir *maintenant*, car *maintenant* est le seul moment pendant lequel nous vivons véritablement. Certes, **la matérialisation de la guérison peut prendre un certain temps, mais l'acte créatif est instantané.**

Un désir profond

Cette façon de vivre nécessite que nous privilégiions le moment présent, convaincus que nous sommes que le respect et l'amour que nous nous donnons feront leur travail.

L'espoir est le premier pas sur le chemin de la guérison; il ne saurait être un outil indispensable pour recouvrer la santé. La seule façon de guérir est d'avoir en nous le désir profond de nous porter mieux et de créer les conditions propices à cette guérison. L'outil et la finalité sont l'Amour, seul garant d'une guérison totale et définitive.

Les clés

→ **La maladie est un message que nous envoie notre corps. Lorsque nous souffrons de maux physiques ou psychiques, deux possibilités s'offrent à nous: espérer guérir ou bien guérir...**

→ **Nous avons les talents nécessaires pour créer notre vie plutôt que de la subir. Nous détenons cette formidable faculté, même si notre mental vient trop souvent nous dire le contraire.**

→ **Nous avons le pouvoir de guérir *maintenant*, car *maintenant* est le seul moment pendant lequel nous vivons véritablement.**

Daniel Dufour a longtemps été chirurgien de guerre dans les pays d'Asie et du Moyen-Orient. Il exerce depuis 30 ans une médecine dans laquelle la recherche des causes de la maladie prime sur le traitement des symptômes. Il est le fondateur du concept et de la méthode OGE (à l'envers de l'ego).

«Demain, quelque chose de bien arrivera.»

Gardez l'espoir

En tant que spécialiste en psychologie positive, le professeure et psychologue **Lucie Mandeville** s'intéressait ces dernières années surtout au bon côté des choses. Puis son père est mort… Elle raconte sa quête d'espoir. «Si vous n'avez qu'une seule chose à garder, gardez l'espoir.»

Lorsque j'ai vu mon père gravement malade, décliner, puis mourir, sans savoir ce qui le faisait souffrir ni pouvoir l'aider à s'en sortir, j'ai entrepris une quête. Cette quête m'a conduite auprès d'autres grands malades qui m'ont appris des choses pouvant être utiles à tous ceux qui traversent une épreuve difficile, quelle qu'en soit la nature.

Il semble que les personnes qui s'en sortent le mieux sont celles qui préservent l'espoir, comme l'a fait Pandore lorsque tous les maux du monde se sont échappés de la boîte que Zeus lui avait offerte. **L'espoir est la conviction profonde et viscérale que les choses iront mieux demain.**

La gravité de l'épreuve n'empêche pas l'espoir. Pour un malade, l'espoir est essentiel. Sans espoir, tout s'arrête… même l'envie de vivre. Il n'est pas question ici de croire au père Noël. Il ne s'agit pas, pour les soignants, de servir aux malades de pieux mensonges. Cependant, chacun doit pouvoir croire qu'il est encore possible de passer «une bonne journée». Ce faisant, le patient met ses émotions positives au service de son mieux-être.

Le journaliste scientifique Norman Cousins a montré que l'état de sérénité qui accompagne l'espoir n'est pas seulement un état émotionnel, mais qu'il active la sécrétion d'hormones qui renforcent le système immunitaire et favorisent la guérison.

Au bout du tunnel

Laissez-moi vous raconter l'anecdote suivante: deux oncologues avaient obtenu des résultats très différents dans leur traitement du cancer du poumon avec métastases. Tous deux utilisaient les mêmes médicaments et les mêmes dosages, mais l'un d'eux obtenait trois fois plus de succès que son collègue. Cet oncologue faisait remarquer à ses patients que, placées bout à bout, les premières lettres des médicaments utilisés formaient le mot «espoir» (en anglais, *h.o.p.e.*). Il leur disait qu'il leur donnait de l'espoir, que c'était expérimental et qu'il étudiait les effets secondaires. **Il mettait l'accent sur le fait qu'ils avaient une chance de s'en sortir.**

J'aime raconter une autre expérience (tout de même un peu morbide) effectuée par des étudiants en psychologie. Des souris avaient été placées dans un grand aquarium rempli d'eau, dans un laboratoire totalement obscur. Les étudiants voulaient observer le temps qu'il leur faudrait avant de renoncer et de se noyer… Chaque souris, l'une après l'autre, nageait environ trois minutes, puis se décourageait. Ensuite, les étudiants ont allumé les néons du laboratoire et placé d'autres souris dans l'aquarium. Chacune d'elles a alors nagé en moyenne 36 minutes. C'était beaucoup plus que celles qui avaient été plongées dans l'obscurité.

La lumière au bout du tunnel n'évite pas la noyade de pauvres souris dans un aquarium rempli d'eau, ni ne nous épargne l'inévitable lorsque nous sommes gravement malades, mais elle donne envie de se battre. Cette envie est ce qui fait la différence entre le découragement et la persévérance. Alors, tenons bon, ne lâchons pas, et peut-être viendrons-nous à bout de nos épreuves.

Vivons tant que nous sommes vivants

Certains thérapeutes invitent leurs patients à prendre leurs rêves très au sérieux et à envisager des projets à long terme, même s'ils ont très peu de temps devant eux. Il suffit, pensent-ils, d'accorder moins d'importance à la certitude de les réaliser un jour.

D'ailleurs, sommes-nous vraiment certains de pouvoir réaliser tous nos rêves? Nous savons que nous allons mourir, mais cela ne nous empêche pas de faire des projets et parfois de remuer ciel et terre pour les mettre en œuvre. **Savoir qu'il nous reste un nombre limité de jours à vivre modifie notre perception de la vie.** Pour les grands malades, chaque jour est un cadeau qu'ils ne veulent pas dilapider. Ne pouvant pas envisager un prochain épisode au roman de leur vie, ils se consacrent entièrement à celui qu'ils sont en train de vivre.

Quand elles sont obligées d'admettre qu'elles ne sont pas immortelles, certaines personnes font des choses qu'elles n'ont jamais osé faire avant. Elles disent ce qu'elles n'ont pas osé dire avant. Elles font le ménage parmi les choses qui compliquent leur quotidien et se mettent à vivre plus simplement. Même lorsqu'elles n'ont plus la force de se déplacer, elles gardent l'espoir que, demain, quelque chose de bien arrivera : elles vivront une journée sans souffrir, elles verront leurs enfants, elles éprouveront de la sérénité... Considérons notre existence comme le font ces personnes. N'oublions jamais que nous n'avons qu'une seule vie, faisons ce que nous voulons faire, disons ce que nous voulons dire et réalisons au moins l'un des rêves qui nous tiennent à cœur.

Les clés

- → **L'espoir est la croyance que, demain, quelque chose ira mieux.**
- → **L'espoir renforce le système immunitaire et favorise la guérison.**
- → **L'espoir donne envie de se battre... jusqu'au bout.**

Lucie Mandeville est considérée comme la grande spécialiste de la psychologie positive au Québec (Canada). Elle est professeure titulaire au Département de psychologie de l'Université de Sherbrooke. Psychologue, conférencière, intervenante médiatique, elle a écrit plusieurs livres à succès.

«L'espoir ne perdure que par la joie dans la vie.»

Cinq engagements pour l'avenir

«Nous vivons à une époque charnière pour notre humanité, une époque où sont mises à l'épreuve nos valeurs de compréhension humaine, de respect mutuel et de compassion, soutient la professeure **Martha C. Nussbaum**. Je veux simplement dire que nous vivons à une époque où sont testées nos valeurs de respect et de tolérance, entourés que nous sommes d'hideuses politiques de xénophobie et de haine. Nous devons faire face à notre avenir difficile en prenant au moins cinq engagements. L'espoir est l'un d'eux.»

Je dois dire que je préfère le mot *respect* à celui de *tolérance*, parce que la «tolérance» sous-entend une hiérarchie dans laquelle une majorité de gens condescendent à vivre avec des gens qu'ils n'aiment pas nécessairement. C'est pour cette raison que le premier président des États-Unis, George Washington, a rejeté ce terme. Dans sa lettre de 1790 à la communauté juive de Newport, dans le Rhode Island, pour assurer aux juifs qu'ils avaient une place respectée dans la nouvelle nation, il a dit: «Nous ne parlons plus de tolérance, comme si c'était un privilège accordé par une classe de personnes à une autre, dans l'exercice de leurs droits naturels égaux.» Voilà: respect et droits naturels égaux. Comment préserver tout cela en ces temps de défis?

Je pense que nous devons faire face à notre avenir difficile en prenant cinq engagements, tous très difficiles à tenir en période de crainte. Le devoir solennel de notre système d'éducation scolaire et universitaire, ainsi que celui de nos journalistes, consiste à renforcer cinq grandes valeurs: l'intelligence, la cohérence des principes, l'imagination, le travail d'équipe et l'espoir.

1. L'intelligence

Nous devons regarder les faits et juger sur les faits. Nous ne devons pas laisser des voix irresponsables nous entraîner à rejeter des preuves ou à juger selon des stéréotypes grossiers. Ce que je veux dire, c'est que nous devons apprendre à connaître les différentes variétés d'islam existant dans le monde, afin de bien comprendre à quel point la version véhiculée par les terroristes est pathologique et anormale, et de savoir comment traiter avec respect nos concitoyens musulmans. Nous devons aussi étudier notre propre histoire. Nous devons prendre conscience, par exemple à propos de l'idolâtrie, que les interdictions d'idolâtrie occupent une place proéminente dans le judaïsme et le protestantisme, mais aussi dans l'islam, et que, dans le judaïsme et le christianisme, ces interdictions ont entraîné de terribles actes de violence. Nous devons étudier aussi les nations musulmanes dans lesquelles l'islam a connu une transformation éclairée et libérale de ses dogmes.

Mais il y a bien d'autres choses à apprendre: l'histoire du colonialisme et les multiples facettes de la lutte anticoloniale, les menaces sur l'environnement naturel et les causes du réchauffement planétaire ainsi que les obstacles que doivent surmonter les nations dans leurs tentatives pour assurer un niveau de vie décent à leurs citoyens. **Ce sont là juste quelques-uns des sujets qu'étudiera un «citoyen du monde» informé.** Ces études doivent être proposées à tous les élèves des écoles et aux étudiants des universités.

Si nous apprenons tout cela, nous devons aussi apprendre à penser de manière critique, et à vérifier l'exactitude et la justesse de raisonnement de ce que nous lisons ou entendons.

2. La cohérence des principes

Nous devons juger les autres exactement comme nous nous jugeons nous-mêmes, et nous en tenir aux mêmes règles que celles que nous imposons aux autres. Si nous interdisons le vêtement musulman au motif qu'il est long et qu'il dissimule tout, et qu'il représente ainsi un risque pour la sécurité publique, nous devons nous inquiéter aussi quand nous voyons Martha Nussbaum descendre l'avenue Michigan à Chicago, emmitouflée dans son habituelle tenue d'hiver, qui non seulement lui couvre tout le corps, mais aussi tout le visage, à l'exception des yeux – lesquels sont même couverts par des lunettes de soleil coupe-vent. Les terroristes cherchent plutôt à se fondre dans la foule. L'idée que nous sommes davantage en sécurité en diabolisant ceux qui ont une apparence différente n'est donc pas seulement offensante; elle est aussi stupide.

Dans notre poursuite de la cohérence, nous devons aller au-delà de la protection de notre propre sécurité, vers la décence et le respect. Laissez-moi prendre un exemple dans le monde du sport. La ligue nationale de football américain a récemment annoncé qu'elle allait infliger une amende à un joueur musulman parce qu'après un match particulièrement réussi, il s'est agenouillé sur le sol pour prier. Il existe une règle interdisant de s'agenouiller sur le sol après un match, je ne sais pas pourquoi, et on a dit qu'il avait violé la règle. Mais les joueurs et les partisans ont immédiatement déclaré que les joueurs chrétiens avaient toujours été exemptés de cette règle et qu'on les autorisait à s'agenouiller sur le sol pour prier. Ils ont demandé alors que le même traitement soit accordé au joueur musulman. Je suis contente de pouvoir dire que la ligue a cédé. Voilà ce que j'entends par cohérence des principes. Sa nécessité est évidente partout où nous portons notre regard dans nos sociétés plurielles, mais elle n'est pas toujours respectée.

3. L'imagination

Nous sommes tous nés avec la capacité de percevoir le monde à partir de points de vue autres que le nôtre propre, mais cette capacité est cultivée de manière très inégale et très étroite. Nous apprenons à percevoir le monde du point de vue de notre famille ou de notre groupe local, mais nous ignorons des points de vue plus éloignés. Pour devenir de bons citoyens de notre monde complexe, nous devons nous efforcer de percevoir le monde sous un très grand nombre d'angles différents. Informés par notre connaissance de l'histoire, nous devons nous demander comment les choix que nous faisons, en tant qu'électeurs et citoyens, influent sur la vie de nombreux autres gens, et nous ne ferons cela bien que si nous regardons le monde de leur point de vue à eux. **Cultiver l'imagination est une des tâches essentielles du système éducatif.**

4. Le travail d'équipe

Nous vivons avec les autres, mais nous nous contentons souvent d'exister côte à côte ou, pire encore, nous considérons les autres comme des concurrents. **À l'époque dangereuse où nous vivons, les valeurs humaines ne peuvent prévaloir que si les gens s'unissent pour résoudre les problèmes de l'humanité.** Et ils doivent s'unir dans la non-hiérarchie, dans le respect et dans la réciprocité. Le travail d'équipe implique en fait mes trois premières valeurs, car une vraie réciprocité avec les autres requiert une délibération intelligente, le respect de nos propres normes de cohérence des principes et une imagination active.

Le travail d'équipe est une denrée rare dans le monde moderne. La politique est devenue une activité dans laquelle chaque groupe tente de bloquer ou de vaincre l'autre, sans sentiment d'objectif commun. Cet état de choses doit cesser pour que les problèmes de l'humanité puissent enfin trouver une solution.

5. L'espoir

Cette dernière valeur peut paraître bizarre à beaucoup de gens, mais pas aux lecteurs de ce livre. D'où l'espoir pourrait-il venir à une époque aussi sombre? Et pourquoi, en fait, devrions-nous espérer? Emmanuel Kant dit que, **même quand nous ne voyons aucune raison d'espérer, nous avons le devoir moral de cultiver l'espoir en nous**, afin que nous puissions maximaliser nos efforts au nom de l'humanité et saisir chaque occasion de faire progresser les bonnes valeurs que le monde nous offre. Il ne dit pas toutefois de quel côté l'espoir devrait ou pourrait venir, et il fait du devoir d'espérer une sombre affaire. J'aimerais signaler que l'espoir ne peut perdurer que par la joie dans la vie. Ainsi, nous ne devons pas oublier de prendre du plaisir avec nos amis et notre communauté (et non pas seulement travailler), de jouer, de savourer les valeurs de la «vie rustique» qui a toujours mêlé la joie à l'effort, l'engagement au plaisir. Espérer, ce n'est pas être maussade et sombre. C'est être enjoué et peut-être aussi un peu stupide. C'est danser ou peindre. C'est éprouver du plaisir et de la joie. C'est la joie qui nous soutient, qui nous fait continuer à être de fidèles partisans du respect, de la compassion et de la justice, quand nous tentons de surmonter les obstacles que nous rencontrons.

Les clés

- → **Nous devons faire face à notre avenir difficile en prenant cinq engagements, tous très difficiles à tenir en période de crainte.**
- → **Ces engagements sont l'intelligence, la cohérence des principes, l'imagination, le travail d'équipe et l'espoir.**
- → **Espérer, ce n'est pas être maussade et sombre. C'est avoir du plaisir et de la joie. C'est la joie qui nous soutient lorsque nous tentons de surmonter les obstacles que nous rencontrons.**

Martha C. Nussbaum est professeur émérite Ernst Freud de droit et d'éthique à l'Université de Chicago (États-Unis). Elle a écrit de nombreux ouvrages de premier plan, notamment *Upheavals of Thought: The Intelligence of Emotions*. Elle a obtenu une quarantaine de titres honorifiques décernés par diverses universités en Amérique du Nord, en Europe et en Asie. La revue américaine *Foreign Policy* l'a classée dans le top 100 des plus grands penseurs mondiaux.